edizione ondina

In der literarische Reihe bei **asu poleng** erscheinen Romane und Erzählungen im Stile des phantastischen Realismus. Die faszinierenden Geschichten sind süffig zu lesen. Ihr besonderer Reiz liegt darin, dass sie im Zwischenbereich zwischen Magie, Psychologie und Phantasie angesiedelt sind. Die realen und hyperrealen Ebenen sind unauflöslich ineinander verzahnt. Jeder Titel ein Lesevergnügen - zum Nachdenken, zum Schmunzeln und zum wehmütigen Mitfühlen!

$€

„Den Teufel spürt das Völkchen nie, und wenn er sie am Kragen hätte!"
Johann Wolfgang von Goethe in Faust I

In diesem verteufelten Buch steckt natürlich auch der Druckfehlerteufel. Er ist munter zwischen den Zeilen herumgesprungen. Auch die vereinigten Kultusminister konnten das nicht verhindern.

edizione ondina

asu poleng

Der Teufel mit dem Rinderfuß

Was ist der Unterschied zwischen einem Menschen und dem Teufel? Eigentlich keiner - oder nur einer: Der Teufel hat mehr Sinn für Ironie.

Das behauptet jedenfalls der Satan, der sich in diesem Roman an Sie, an meine oder – wie man will auch seine – Leser wendet. Lassen wir seine Hochwürdigkeit selbst zu Worte kommen:

"Ganz im Gegensatz zu Euch Menschenbrut ist schließlich der Sinn für Ironie bei uns Satansleuten ausgesprochen gut ausgeprägt. Und das ist sogar einer der ganz wenigen wirklich signifikanten Unterschiede zwischen Euch und uns."

Ich kann nur hoffen, dass Sie selbst wenigstens ein bisschen was Teuflisches an sich haben, damit sie die Ironie, die hin und wieder aus dem Text dieses Romans herauszwinkert, auch genießen können.

Die Frage ist: wer spielt eigentlich die Hauptrolle in und zwischen diesen Zeilen. Ist es wirklich der Leibhaftig? So könnte man das sehen. Oder ist es Commissario Belcanto? Der ist in Fragen der esoterioiden Psycho-Kriminalistik eben doch *the King*. Vielleicht käme da auch noch der – nein, lassen wir das jetzt! Wer da noch in Betracht käme, das finden Sie sicher selbst heraus.

Und noch etwas müssen Sie schon selbst herausfinden: Wenn ich Ihnen jetzt „recht viel Vergnügen beim Lesen„ wünsche – ist das wirklich so ganz ernst gemeint ist, oder eben doch nur ironisch!

Herzlichst

Ihr Günter Spitzing

Günter Spitzing

Der T€Uf€L mit dem Rinderfuß

Wenn der $atan aus dem Nähkästchen plaudert

Ökologisch angehauchte Kriminalsatire
mit **Commissario Belcanto**

edizione ondina
Asu poleng

Günter Spitzing

Der Teufel mit dem Rinderfuß
Wenn der Satan aus dem Nähkästchen plaudert...
Satyrisch-ökologischer Krimi
mit **Commissario Belcanto**

Verlag **asu poleng** e.K. Hamburg 2008
edizione ondina
Kurztitel: Der Teufel mit dem Rinderfuß
ISBN 978-3-935553-16-2
Herstellung: Books on Demand GmbH, Norderstedt
Text, Umschlag und Gestaltung: Günter Spitzing

© Alle Rechte liegen beim Autor
Nachdruck, elektronische Wiedergabe/Speicherung von Bild- und/oder Textauszügen, oder anderweitige Verwertungen sind nur mit schriftlicher Genehmigung des Verlages zulässig.
Die Bücher aus der Reihe edizione ondina sind über den Buchhandel zu bestellen. Bitte bei Bestellung die ISBN Nummer angeben

edizione ondina
asu poleng

Meine verteufelte Datei

„>Wo viel ist, da scheißt der Teufel einen Haufen d'rauf 'nauf.< Das ist für mich das absolute Glanzstück in meiner Sammlung - meiner Spezialsammlung von Redensarten. >Wer mit dem Teufel isst, muss einen langen Löffel haben.< gehört dazu, ebenso wie: >Mit 17 war selbst Teufels Großmutter schön.<,
Und dann der Spruch, den alle, sogar auch Sie, beherzigen sollten: >Der Teufel steckt im Detail<. Ich sammle wirklich alles, aber auch alles, sogar jedes Detail, worin der Teufel drin steckt.
Geben Sie doch nur mal in Ihre Internet Suchmaschine das Stichwort >Teufel< ein und schon finden Sie - je nachdem - zwischen 12.500.000 und 18.000.000 Eintragungen. Das Stichwort >Satan< bringt es sogar auf 35.213.047 Eintragungen - und der >Lucifer<, der Satan fürs gehobene Bildungsbürgertum, kommt immerhin noch auf reichlich 9.900.000 Websites - wer hätte denn das gedacht angesichts des derzeitigen Bildungsnotstandes!
Was mich immer ein bisschen ärgert, das ist der bayerische Lokalsatan *Deifi*. Der macht aus dem Teufel einen folkloristischen Butzemann. Aber auch die wirklich läppische Bezeichnung ist in einer wichtigen Suchmaschine mit 22.500 Eintragungen vertreten. Und dann der Go..., ach der – wie kann ich denn das nur sagen – >Derundjenerseibeiuns< hat immerhin noch knapp 11.400 Websites zu verzeichnen. Spitzenreiter ist jedoch das englische >devil< mit knapp 150 Millionen Nennungen – kein Wunder angesichts der bodenständigen >Christen< in den Staaten, die mich ständig im Munde führen! *I couldn't imagine any better public relations!* Wo wäre ich denn heute ohne die Kreationisten!
Ich bin richtig höllisch heiß darauf, diese Stichworte immer und immer wieder aufzurufen! Angesichts dieser Unmenge der Websites, die sich mit mir befassen, kann ich mich schon selbst mit der linken Hand auf die rechte Schultern klopfen und mir sagen: >Respekt! Respekt! Ich fühle mich schon einigermaßen beachtet.<
Doch wenn ich die in meiner Datei von mir gesammelten internationalen Sprichwörter über mich im Computer über die Spezialfunktion
▶ Extras ▶ Wörter zählen ▶ Absätze
durchchecke, dann komme ich auf weit über 999 Millionen Redensarten.

Ich nenne meine Sprichwörtersammlung die >verteufelte Datei<. Dies aber nur deswegen, weil das Wort Teufel sich einer derart großen Verbreitung erfreut. Ich muss nämlich schon zugeben, dass mir persönlich das Wort Satan wesentlich lieber ist. Das zieht so richtig fetzig durch, wie ein Peitschenknaller auf den nackten A.... -
ich meine natürlich Rücken. Spüren Sie's auch? Ja? Nein? Nein? Wirklich nicht? Na - >den Teufel spürt ......<.
Teufel - ach Du mein lieber Herr Jerusalem, das klingt mir doch viel zu harmlos. Und eine Teufelei - das ist doch eher so was, wie ein Dummen-Jungen-Streich. >Armer Teufel<, >Teufelchen<, >Teuferl<, >Teufelinchen<

- da kann ich mich doch wirklich nicht ernst genommen fühlen. Und dann auch noch >Du dummer Teufel<! Einen dummen Satan – den gibt´s nun wirklich nicht. Sehens Sie, genau das – das macht den Unterschied!
Aufgebracht haben den Teufel natürlich die, die letztlich gut für alles sind, was irgendwie mit Kultur zu tun hat - ja, ja , natürlich die Griechen: *Diavolos*, haben die mich genannt Mein Töchterchen Satanella, mein bildungsbewusstes, wirft bei solchen Gelegenheiten gerne ein: >*Diavolos* – das ist griechisch und bedeutet >Durcheinanderwerfer<.
Durcheinanderwerfer! Ach du liebe Hölle - der Teufel ist doch kein Jongleur! Also - wenn Sie es mit mir nicht verderben wollen, so reden Sie mich bitte mit Herr Satan an, oder besser mit Mr. Satan, und sprechen sie das wirklich so richtig scharf aus, Ssatttannn. Ja, exakt - das ist es.
Nun glauben Sie nur ja nicht, dass jedes meiner Sprichworte in meiner Sammlung auch wirklich stichhaltig wäre. Schauen sich nur einmal die Redensart über meine Großmutter an. Die war keine 17, sondern die ist 17 - und das wird sie auch immer bleiben. Eins stimmt natürlich – die Frau ist tatsächlich eine satanisch attraktive und teuflisch rassige Erscheinung. Andererseits - eigentlich ist sie gar nicht meine Großmutter, sondern meine Gefährtin, zur Zeit jedenfalls. In Wirklichkeit heißt sie Mrs. Lelipi. Wir nennen sie nur so in Anführungszeichen >Lady Grandmother<, weil alle Welt immer nur von des Teufels Großmutters spricht. Das ist eben die *political Correctness* unter uns Satansleuten!
Wie Sie sehen, verwenden wir auch recht gerne englische Anreden. Das hat damit zu tun dass der Satan ja der Vater aller Lügen ist. Wer sollte es sonst sein? Nun steht aber bei Altmeister Goethe geschrieben: >Und wenn sie lügen, dann lispeln sie englisch!<
Bitte, bitte nur jetzt eines nicht! Keine Leserbriefe. Ich weiß ja - bin mir ganz sicher - dass unter Ihnen viele sind, – vielleicht sogar sind Sie´s! - die der Satan ganz schrecklich lieb hat! Da sind diese Beckmesser - sagen Sie es bitte nicht weiter, aber wenn wir unter uns sind, nennen wir sie Korinthenkacker. Dies sind dann die Leute die in dem Falle des Langen und Breiten ausführen würden, dass das ja gar nichts mit den Engländern zu tun habe, sondern allenfalls etwas mit Engelszungen. Ach du mein lieber Sankt Nimmerleinstag! Der dumme Teufel, der das nicht wüsste, der müsste wirklich erst noch erfunden werden. Ganz im Gegensatz zu Euch Menschenbrut ist schließlich der Sinn für Ironie bei uns Satansleuten ausgesprochen gut ausgeprägt. Und das ist sogar einer der ganz wenigen wirklich signifikanten Unterschiede zwischen Euch und uns.
Meine beiden Kinder sind die 17jährige frühreife und – ich geb´s ja ungern zu – gelegentlich, glücklicherweise sehr gelegentlich nur, etwas unsatanisch romantische Ssatttannnella mit ihrem Bildungstick und der 16jährige Ssatttannnellllo. Sie fährt – allerdings ebenfalls nur sehr gelegentlich - ihre feministisch geschliffenen Krallen aus. Er ist im besten Flegelalter und entsprechend vorlaut: >Ach Alter<, nörgelt er ständig an mir herum, >da warst Du aber mal wieder echt nicht teuflisch genug drauf! Da wär´ doch eine echt geile Teufelei drin gewesen!< Er sagt das mit dem

>teuflisch< natürlich immer nur um mich zu ärgern. Doch, wenn es mich auch persönlich in meiner Ehre verletzt, wenn ihr, ihr Menschlinge, mein hoffentlich recht furchterregendes Satansgesicht mit der Maske des blöde grinsenden tollpatschigen und für Euch dann irgendwie doch irgendwie ganz liebenswerten Teufelchens verschleiert, so hat das doch auch sein Gutes - also eigentlich sein Schlechtes, denn in der Wirklichkeit des Satans ist das rabenschwarze Schlechte das eigentlich schneeweiße Gute - und vice versa: Ihr Menschenbrut merkt es einfach nicht, wenn hinter etwas der Satan steckt, und ihr kriegt nicht einmal mit, wenn irgendwas Heftiges passiert, dass dann nichts weiter los ist - außer natürlich der Teufel.

Schade dass Sie mich jetzt nicht sehen können - oder macht eigentlich auch gar nichts! Schließlich können Sie ja beim Lesen ihre Imagination entfalten und sich einfach vorstellen, was ich Ihnen so beschreibe. Oder gehören, Sie zu denen, deren Blick ständig an der Glotze hängt und deren Gehirn schon zu einer mehligen Dörrpflaume zusammengeschrumpelt und deren Phantasie so mausetot ist, wie nur etwas tot sein kann. Hoffentlich nicht! Oder hoffentlich doch! Denn wenn das so ist, dann habe ich Sie ja längst schon am Schlafittchen –

  Sie Sie Reality-Show-Glotzer, Sie verblödeter!
  Sie Sie Commedy-Krampf-Belacher, Sie hirnamputierter!
  Sie Sie Werbespot-Sklave, Sie vertrottelter!

Ich sag es Ihnen jetzt einmal etwas durch die Blume eines Gedichtes – nicht direkt, aber dafür umso deutlicher. Schließlich erlaubt es mir die Poesie auch mal etwas deftiger zu werden, als das ansonsten meine exzellente Kinderstube zuließe. Schließlich bin ich ja im Himmel aufgewachsen. Das glauben Sie mir nicht?! Ich sehe schon ich muss darauf noch zurückkommen – später einmal. Also:

    Wenn Dir der Zeitgeist
    so voll ins Hirn – scheint,
     dann fällst Du rein
     auf jeden Werbespot.
     Du dummes Schwein
    Kaufst jeden Markenschrott
   Musst all' das haben, was hat jeder,
   und kaufst Klamotten, wie ein Blöder
    Um Deine Haut jung zu erhalten
   Schmierst teuere Creme Dir drauf –
     doch Ha, Ha, Ha!
  die macht Dir erst die schlappsten Falten

   Quatschst ohne lang herumzufragen
    nur das nach, was die Leute sagen.
    Die finden Dich dann ganz enorm,
    bist Du mit ihrem Quark konform.

> Wenn nie Du 'nen Gedanken fasst
> und nie 'ne eigne Meinung hast,
> dann kannst Du Dir die Haare raufen,
> das Leben ist für Dich gelaufen.
>
> Ein heißer Ofen ist Dein Traum
> Du rast dahin verwegen.
> Doch auf Dich wartet schon ein Baum.
> Du bretterst voll dagegen.
> Und Deine Seel' ganz ohne Zweifel,
> war lang zuvor bereits beim Teufel.

Wenn Sie so eine oder einer sind, dann sind Sie mir bereits tot- und teufelssicher verfallen. Und dann zahlt es sich für mich gar nicht weiter aus mich mit Ihnen zu unterhalten, um Sie für mich zu gewinnen.
Doch wie ich sehen muss, schlagen Sie – Pfui Teufel noch mal - sogar noch gelegentlich ein Buch auf! Und damit gehören Sie ja doch zu den Leuten, um die ich mich noch bemühen muss. Dazu aber habe ich schon einiges an Phantasie zu investieren.
Also - stellen Sie sich vor, ich, der Mr. Satan, ich sitze jetzt ganz entspannt und lässig an einem Schreibtisch - nein, nein, kein altes ausgeleiertes und sperrmüllreifes Möbel, sondern eine ganz moderne Konstruktion aus Plastik, Metall und Glas. Rechts neben mir - von Ihnen aus gesehen natürlich links, steht mein Computer mit Klaviatur und einem Riesenbildschirm von 113 Zoll Durchmesser. Hinter mir an der Wand hing früher eine Landkarte. Da musste der Diavoletto, der engagierteste meiner Büroteufel, immer Fähnchen genau dorthin stecken, wo wir gerade aktiv waren. Nun der Satan ist zwar nicht der Zeit unterworfen, doch er geht natürlich mit ihr. Was gibt es denn sonst noch, was so modern wäre wie unsereins?
So haben wir natürlich inzwischen unser Info-Problem im Office ganz timespirituell gelöst. Die Wand hinter mir, die so unscheinbar grau aussieht, ist ein riesiger Bildschirm auf Flüssigkeitskristall-Basis. Im Augenblick sehen Sie da gar nichts. Wenn ich aber nur denke *world* - schauen Sie - da ist es auch schon passiert: Die ganze Rückwand wird zu einer leuchtenden Weltkarte. Denke ich aber *Satanic actions*, sehen Sie, dann blicken überall dort rote Punkte auf, wo wir ganz besonders intensiv tätig sind. Was ich jetzt berichte, sagt Ihnen natürlich im Augenblick nicht so sehr viel. Sie müssen sich nämlich zuvor mit aller Ihrer Phantasie vorstellen, dass die Weltkarte über und über übersprenkelt ist von roten Pünktchen. Meine Lelipi sagt immer, wenn sie das sieht:
>Schau mal an, der ganzen Welt haben wir die Masern an den Hals gehetzt - aber wie! Und das geht immer so weiter. Na ja - man muss schon zugeben, wir leisten eine ganz ordentliche Arbeit. Das muss uns der Neid lassen. Dagegen kommen diese seltsamen Flügelwesen, die so aussehen, als hätten sie Gänsefedern auf dem Rücken, einfach nicht mit. Ich kann ja nur von Glück sagen, dass ich eine Satanine bin - sonst würden die mir auch noch

echt Leid tun. Als Teufelin hat man doch ganz andere Erfolgserlebnisse, als diese armen Flederwische, diese faden!<
Wie gesagt - jetzt haben Sie da an der Wand ein total verwirrendes Bild vor sich. Bei so viel Aktivitäten der verschiedensten Art fällt es selbst mir manchmal schwer die Übersicht zu behalten. Erst vor drei Wochen habe ich eine Fall an die Gänsegefiederten verloren, nur weil mir da was irgendwie aus dem Blickfeld geraten ist.
Da übrigens rechts unten in der Ecke ist ein roter Flecken grün unterstrichen. Damit wird darauf hingewiesen, dass es sich um eine langfristige Maßnahme – >nachhaltig<, wie man heute sagt - handelt. Es geht dabei um einen Autokonzern. Der hat vor einiger Zeit auf meine ganz persönliche Veranlassung hin, den Jonny Bear als Manager eingestellt – woraufhin, genau wie von mir geplant – o.k., das ist dann halt auch passiert. Ein anderer grün unterstrichener Fleck in Hamburg kennzeichnet die orthopädische Praxis von Dr. Renhasba. Aber über die beiden Fälle erzähle ich Ihnen später mehr.
Jetzt passen sie erst einmal auf, was sich tut, wenn ich nur so ganz leise denke: *Biggest Satanic success!*
Ja - sehen Sie - die roten Pusteln sind verschwunden. Statt dessen werden knallrot umrissene Flächen ausgeleuchtet - aber gar nicht so viele. Nur hundertunddreizehn Stellen auf der Weltkarte strahlen in rötlichem Licht - und nur dreizehn davon so richtig intensiv. Dazu gehören eine Kleinstadt in Niedersachsen. Ein Dorf in der Nähe leuchtet rosa. Das heißt wir werden dort auch noch von anderen Kräften unterstützt – und dies im Wortsinne kräftig! Sogar so kräftig, dass ich selbst manchmal überrascht bin und ich mir so meine Gedanken mache, ob da nicht der eine oder der andere ernsthaft die Absicht hat an meinem Stuhl zu sägen. O.k. - was soll´s!
In allen diesen Fällen – da ist vielleicht was geboten! Dort haben wir wirklich was geschafft. Können uns wohl was darauf einbilden! Und dann - das blinkende Rechteck mitten in der Hauptstadt. Das zeigt die Lage des Polizei-Präsidiums an, das das Vergnügen hat, sich mit einer unserer heftigsten Aktionen herumzuschlagen.
Was da jetzt vor sich geht, das sollten Sie sich wirklich nicht entgehen lassen. Na los - werfen Sie einmal einen rein ins Präsidium - einen forschen Blick!"

$

Ein Fall für *Commissario* Belcanto

„*Commissario* Belcanto muss her. Nur der kann uns noch helfen!"
Inspektor Müller-Gürtelneurose lies diesen Ruf mit beträchtlichem Stimmaufwand durchs Büro schallen. Und dass er dies von sich gab, zeigte, dass er schwer in der Bredouille saß. Es musste schon etwas außergewöhnliches passiert sein, wenn Müller-Gürtelneurose um die Unterstützung des *Commissario* nachsuchte. Und tatsächlich hatte der

Inspektor ein Problem am Hals, dass er absolut nicht zu lösen vermochte. Es ist etwas passiert - eine schreckliche, aber auch eine rätselhafte und reichlich unheimliche Geschichte. Er selbst war - allerdings erst nach reiflichem Abwägen - zu dem Ergebnis gekommen, dass dabei irgend etwas nicht mit rechten Dingen zuging. Andernfalls hätte er niemals zugegeben, dass er mit seiner Weisheit am Ende war. Und nach Belcanto gerufen – das hätte er schon gar nicht.

Es fiel ihm schwer sich einzugestehen, dass ein bundesrepublikanischer Inspektor, der pingelig zu recherchieren weiß, die Hilfe ausgerechnet eines *Italiano* benötigte. Das muss doch eigentlich immer umgekehrt laufen. So gehörte sich das wenigstens, wenn es nach ihm (und nach so manchem anderen in diesem unserem Lande) ginge.

Ging es aber nicht! Und Belcanto war - da war überhaupt nicht daran zu rütteln - auf dem Gebiet der esoterioiden Psycho-Kriminalistik eben doch absolut der King: Es gab niemanden besseren als *il re* - wenigstens nicht in Europa.

Aber da gab es noch einen ganz anderen Grund, weswegen der bloße Gedanke an den *Commissario* aus *bella Roma* den Inspektor ziemlich kribbelig machte:

Während Müller-Gürtelneurose selbst einen holzgeschnitten kantigen Kopf hatte, etwa so einen, wie sich ein Südländer, der noch nie dazu gekommen ist, die Grenzen des *Mezzogiorno* in Richtung Norden zu überschreiten, in seiner Phantasie den typischen *Tedesco* ausmalt, ist dem *Commissario* Belcanto ein echter markiger Römerkopf eigen. Seine flinken Augen sind dunkelbraun, sein Teint ist von zartem Oliv und sein volles rabenschwarz glänzendes Haar ist leicht gelockt, und so gleicht er ebenso im Großen wie auch im Ganzen dem Bildnis des Antonio Doni, geschaffen von *Maestro* Raffaelo Santi höchst selbst. Belcantos Gesicht - eigentlich käme es ihm zu als Antlitz bezeichnet zu werden – besticht durch jene zarte feminine Weichheit und eine geradezu winkelmann´sche edle Anmut und stille Größe, die fast ausschließlich im mediterranen Bereich zu finden ist, und die dort - und eben nur dort - auch Männern gut ansteht, die durchaus nicht ungern den Beweis dafür antreten, dass ihre Männlichkeit nun wirklich über jeden Zweifel erhaben ist. Sein Aussehen kontrastiert durchaus reizvoll mit seinem trockenen, gerne etwas ins Ironische spielenden Humor. *Va bene - Commissario* Belcanto ist eben schon ein rechter *donnaiolo* - Grund genug für Inspektor Müller-Gürtelneurose eifersüchtig auf ihn ist zu sein, wie ein soeben bei seinem ersten Schwarm abgeblitzter Pennäler auf einen real existierenden oder auch nur imaginären Rivalen.

Müller-Gürtelneurose ist ein Hahn, oder er wäre dies zumindest gerne, hat aber dennoch bei seinen beiden nordischen Vorzimmernixen, deren blonde Mähnen ihn bis in seine Träume hinein verfolgen, keinen sonderlichen Erfolg. Dass Judith mit dem Engelsgesicht und der Figur eins Models so ohne weiteres auf ihn fliegt - das kann er ja wirklich auch nicht erwarten. Und so bemüht er nicht ganz ohne jede Anstrengung sich jeden Gedanken an die „saueren Trauben" von sich zu weisen. Da richtet er seine Wünsche doch lieber gleich auf die rustikal propere Yasmina. Sie, die stets lustig ist und lacht - selbst die schwarze Brille auf Ihrer Nase vermag nur mühsam Strenge in ihr munteres Gesicht zu zaubern - , die hätte er schon gerne für sich gewonnen. Sie hat schlanke Hüften, ist aber hinsichtlich ihrer Oberweite recht luxuriös ausgestattet. Dasselbe lässt sich auch von dem Bereich der unten an ihre Taille schwungvoll angesetzt ist, konstatieren. Der Inspektor weiß so etwas durchaus zu schätzen. Er ist - wenn man dies ihm auf den ersten Blick auch nicht so ohne weiteres ansieht - kein Kostverächter, hat auch durchaus keine Aversionen gegen eine etwas schwerere Variante von Schönheit. Er selbst war ja nun einmal ein Mann von zwiebackener Tüchtigkeit – und ganz im tiefsten Inneren fühlte er und gestand sich sogar manchmal ein, dass es ihm an einer gewissen Saftigkeit fehlte. Und gerade das war es, was Yasmina hätte als Ausgleich in eine Verbindung zwischen ihnen einbringen können. Aber seine leicht hingetupften, fast zarten Avancen - als ihr Vorgesetzter durfte er ja auch nicht zu deutlich werden - blieben ohne den geringsten Hauch von Widerhall.

Naturalmente hatte *Commissario* Belcanto bei den beiden mehr als nur einen Stein im Brett. Sobald er auftauchte, legten die ansonsten eher mit mehr oder minder großem Erfolg um nordische Sachlichkeit bemühten Damen eine temperamentvolle Aufgeschlossenheit an den Tag, die Müller-Gürtelneurose faszinierte und die er so sehr liebte, die ihm aber auch ganz tief im Herzen einen süßen, aber auch bohrenden Schmerz bescherte, weil sie eben nicht ihm galt. Und das schlimmste war, dass er das nicht einmal jemanden zeigen, geschweige denn es sich selbst eingestehen durfte.

Jetzt war er sich ganz sicher, dass der *Commissario*, wenn er dringend erforderlicher Untersuchungen wegen, längere Zeit in Hannover hängen bliebe, der dann auch mit an Sicherheit grenzender Wahrscheinlichkeit eine - wie er sich in seinen Gedanken ausdrückte, denn in seinen Gedanken war er gerne eine Spur unflätiger als in seinen Worten – der beiden Tanten abschleppen, oder - was noch wahrscheinlicher war - eine nach der anderen aufs Kreuz legen würde. Er hatte - realistischerweise - schon mehrfach alpgeträumt, dass ausgerechnet die doch etwas lebhaftere Yasmina sich lachend und schäkernd dem *Commissario* an den Hals warf. Den Gedanken konnte er nicht ertragen und deshalb verdrängte er ihn - wenigstens tagsüber.

Aber nun hilft das alles nichts: „*Commissario* Belcanto muss her."

Das Geschlappere
Die Tragödie ging von einem niedersächsischen Bauernhof aus - und sie war erst vor ein paar Tage über die Bühne gegangen:
Das Gehöft hatte 113 Kühe beherbergt, hübsche schwarzweiß gefleckte Holsteinerinnen. Die sind eines schönen Morgens noch vor Tagesanbruch alle miteinander ausgebrochen. Man sollte niemals so recht klären können,

auf welche Weise sie es geschafft haben, die Mauern ihrer Stallungen zu durchstoßen. Wie vom Leibhaftigen höchst persönlich geritten, waren sie dann mit gesenkten Hörnern zur nächstgelegenen Kleinstadt gestürmt und hatten dabei alles niedergerammt, was ihnen in den Weg kam. Sie preschten – es sah geradezu nach einer Strategie aus - aufgeteilt in mehrere Blöcke von verschiedenen Seiten her durch drei verwinkelte Gassen hindurch zum Rathausplatz hin. Dort fand zu der Zeit gerade ein Markt statt. Es wimmelte nur so vor Menschen. Die hatten zunächst keinen Schimmer von dem, was da auf sie zukam. Als die Angriffsspitzen der Tiere von allen Seiten her bis zum Platz vorgedrungen, war es für die meisten der Marktbummler auch schon zu spät. Die völlig außer Rand und Band geratenen Rindviecher überrannten die Leute, stießen sie nieder, bissen ihnen den Hals oder, wenn sie es zu fassen bekamen, das Genick durch. Sie zernagten die Körper, fraßen das Fleisch, zogen sich das Blut rein und mümmelten die Knochen.

Wie viele Leute dabei umkamen? Bis heute weiß es niemand genau. Die wenigen zerfisselten Reste von Oberschenkel- und Schädelknochen, die später bei den Aufräumungsarbeiten eingesammelt wurden, bieten kaum mehr Anhaltspunkte für die Identifizierung. Vermisst wurden nach offiziellen Angaben 587 Menschen. Es kann aber durchaus nicht ausgeschlossen werden, dass sich auch noch weitere auswärtige Besucher unter den Verzehrten befanden. In Köln, Düsseldorf, Krefeld, Lüttich, Amsterdam, Maastricht und in einigen kleineren Orten Mitteleuropas, werden immer noch Leute vermisst. Fanden auch sie im Magen der Kühe ihre letzte Ruhestätte? Oder haben einige die Situation genutzt und sich klammheimlich davon gemacht? Es ist fraglich, ob diese Fälle jemals aufgeklärt werden können.

Die paar Leute, die dem Festgelage der wütenden Rinder entkommen, sich in ihre Häuser zurückziehen und deren Türen mit Tischen und Schränken von Innen verrammeln konnten, berichteten einhellig, dass die Tiere selbst zunächst keinen Laut - auch nicht das leiseste Muhen - von sich gegeben hätten. Daher seien sie selbst, wie alle die anderen Leute, eben auch völlig überrascht worden, als die Tiere auftauchten und sanfte Kuhblicke um sich warfen. Aber dann hätte dieses schreckliche entnervende Geräusch von Schmatzen und Schlürfen und von knackenden und knirschenden Knochen in der Luft gelegen. Sie hätten bei ihrer Flucht Pfützen, ja ganze Bäche von Blut durchwaten müssen.

Doch hernach hat man hat man keinen einzigen Tropfen des roten Saftes mehr vorgefunden. Alles war von den Kühen ratzeputz aufgeschlappert worden.

Glühende Drähte
Wie nicht anders zu erwarten hat es dann eine geraume Weile gedauert bis die Behörden den Ernst der Situation erfasst hatten. Dafür muss man jedoch gerade in diesem Falle allerdings schon ein gewisses Verständnis aufbringen. Der Vorfall war schließlich einigermaßen ungewöhnlich.

Die Entkommenen saßen, von den Bestien belagert, in den Häusern fest. Die meisten versuchten vergebens die Polizei zu informieren. Doch ein Wehrdienstleistender wählte mit seinem Mobilphon die Nummer seines Vorgesetzten an, bekam ihn auch tatsächlich an den Apparat und teilte ihm mit, dass ihn die herumstreifenden Tiere daran hinderten rechtzeitig in seine Kaserne zurückzukehren. Auf Rückfrage gab er einen knappen Lagebericht durch.
Und wer hätte das schon gedacht? Einige seiner Vorgesetzten machten sich tatsächlich Gedanken darüber, wie denn dem gefährlichen Viehzeug Einhalt zu gebieten sei. Hauptmann Schiernagel setzte durch, dass der VM, der Verteidigungsminister, über die Situation verständigt wurde und ließ ihm mitteilen, dass er seine Truppe in Bereitschaft versetzte, für den Fall, dass man an allerhöchster Stelle befände, dass das Militär einzusetzen sei. Mit erstaunlicher, für eine Dienststelle sogar bewundernswerter Eile, war dann ein Plan ausgearbeitet worden, die Herde mit allen gerade verfügbaren Panzern und anderen Kettenfahrzeugen einzukesseln, aus der Stadt hinaus auf freies von schwerem Gerät umstelltes Gelände zu drängen und dann durch – dies erschien angesichts der Situation am sichersten - Maschinengewehrgarben aus Hubschraubern niederzumachen.
Der VM wollte sich jedoch zuvor noch Rückendeckung beim BK, dem Bundeskanzler, holen. Und dann begannen die Drähte der überforderten Amtsleitungen zwischen den verschiedenen Ministerien in Weißglut zu geraten.
Dabei tat der IM, der Innenminister, der wie gewöhnlich, auch bei dieser Gelegenheit seine Kompetenz gefährdet wähnte, mit aller Nachdrücklichkeit kund, dass er die Bewältigung einer derartigen Aufgabe als eine rein polizeiliche Angelegenheit betrachte. Er sei der Auffassung, dass Überreaktionen unter allen Umständen zu vermeiden und alle Maßnahmen von Berlin aus zentral zu steuern oder ebenso zentral zu unterlassen seien. Und diese Haltung setzte er auch durch.
Das kostete ihn zwar nicht seinen Stuhl (denn das Innenministerium war zu der Zeit bei der Regierungsbildung dem kleineren Partner der Regierungskoalition, auf den diese angewiesen war, zugesprochen worden), dafür aber 37 blutjungen Polizisten das Leben. Sie waren zu Absperrmaßnahmen abkommandiert worden, die man alles andere als professionell organisiert hatte. Die zu Anthropophagen enthemmten Rindviecher haben das Hindernis mühelos durchbrochen und die Beamten so ganz beiläufig tot gebissen. Das war reine Lust am Morden, denn hungrig konnten die Tiere ja nun wirklich nicht mehr sein. Überdies mussten noch weitere 212 Einwohner eines nahegelegenen Dorfes die Fehlentscheidung aus der Zentrale mit dem Leben bezahlen.
Dies wurde natürlich ruchbar. Daher hat der BK den mit beachtlicher Standhaftigkeit in seiner Einstellung schwankenden VM angewiesen endlich die militärische Option in Gang zu setzen. Und wenn man es auch kaum glauben will, - es ist denen von der Bundeswehr tatsächlich gelungen

die Aktion so durchzuführen, dass keine weiteren Menschenleben mehr zu beklagen waren.

Für die Kritik am IM, die vor allem beanstandete, dass die Polizisten lediglich mit Pistolen, anstatt mit MP7 Nahbereichswaffen oder zumindest mit AK-47 Schnellfeuergewehren aus alten Volksarmee-Beständen ausgestattet waren, wurde rasch ein schöner großer Teppich gefunden, unter den man das alles kehren konnte. (Seit dieser Zeit nennt man derartige Bodenbeläge Peselteppiche, den der zuständige IM hieß Hans Jürgen Pesel - und da er nicht gestorben ist, heißt er heute noch so.) Und tatsächlich - Sie werden es glauben, da Sie ja wissen, wie so was zu laufen pflegt – weil man ihn aus irgendeinem Grunde nicht gut dotiert ins europäische Parlament hat entsorgen können, amtiert er immer noch in deutschen Landen.)

Zwischenlagerung
Hauptmann Joseph Schiernagel, der die Operation geleitet hatte, sah sich jedoch unversehens heftigen, ja sogar rüden Angriffen ausgesetzt. Dahinter steckten die agilen Vertretern des Dachverbandes der Unternehmen für die Beseitigung und Verwertung zoobiologischer Abfällen. Er hatte sich den Unmut der Herren zugezogen, weil er mit äußerster Konsequenz verhindert hatte, dass sie die Kadaver abtransportierten – nach Irgendwohin. Das war auch seine Pflicht gewesen, denn auf Grund eines vehement von Inspektor Müller-Gürtelneurose eingebrachten Antrages sah sich sogar der gerade zu der Zeit amtierende stellvertretende Staatsanwalt - ansonsten berühmt-berüchtigt wegen seiner zögerlichen Haltung – tatsächlich genötigt sowohl die Beschlagnahme, wie auch eine penibel genaue Untersuchung der toten Tiere anzuordnen.

Die Abfallverwertungsagenten von der AVA hatten daraufhin ganze Kolonnen von Arbeitern mit Lastwagen, Gabelstaplern und Kranen vorgeschickt und sie dahingehend instruiert, dass die Soldaten ohnehin nichts gegen sie unternehmen dürften, weil sie nicht berechtigt seien polizeiliche Aufgaben zu übernehmen. „Das ist" nuschelte der AVA Vorsitzender Fritz Meyer, „verfassungsmäßig so nicht drin. Lasst Euch nur nicht von den Buweh-Kaspern ins Boxhorn jagen!"

Hauptmann Schiernagel hatte sich jedoch vorgenommen den illegalen Abtransport der Kadaver solange zu verhindern, bis die Polizei ihre Mannschaften zur Abschirmung des Geländes zusammengetrommelt hatte. Das ist ihm auch gelungen. Denn noch bevor noch Polizei und zusätzliche Einheiten des Heeres auf der Bühne erschienen, hat er eine unerwartete Verstärkung erhalten: Einige Tausende aufgebrachter Landleute, darunter erfahrene Anti-Gorleben-Aktivisten, tauchten auf, stürmten kurzerhand das schwere Gerät der AVA und sorgten dafür, dass die Tierkörper dem veterinärärztlichen Institut zur näheren Untersuchung überstellt wurden. Das ging überraschenderweise alles ganz schnell. Ruckzuck waren die 113 Kadaver der bunten Holsteiner zwischengelagert.

„Die AVA Leute hätten von Fritz Meyer die Order erhalten die Kadaver möglichst schnell der Verbrennung zuzuführen, um alle Hinweise auf die Ursachen der Katastrophe zu beseitigen." So lautete das Gerücht, das unter den empörten Landleuten von Mund zu Mund ging. Die Vermutungen gingen alle in eine Richtung: Den Kühen seien verbotene Drogen beigebracht worden. Die einen wisperten verhalten etwas von einem veterinären Viagra, das das Sexualleben und damit die Fortpflanzung der Tiere angeregt hätte, und das als unvorhergesehene Nebenwirkung deren Aggressivität angefacht hätte. Anderen dachten eher an ein Tonikum, das dem Fleisch eine besonders leckeren Geschmack verleihen sollte.

Einige verstiegen sich sogar zu der Behauptung, die Rindviecher seien hypnotisiert worden, und zwar von Leuten, die Konkurrenz durch die Landwirtschaft der Bundesrepublik ausschalten wollten. Für die mehr rechts gestrickten steckten ganz unzweifelhaft ehemalige sowjetische KGB-, beziehungsweise Stasi-Leute oder sogar Fidel Castro dahinten. An Stammtischen wurde gelegentlich geflüstert; „Ich sage nur eines: China!" Die eher links gewirkten tippten auf die CIA. Und selbstverständlich machten als Bestseller unter den Gerüchten auch das Gerede über durch die Al Quaida mit muslimischer Magie verhexten Terror-Rinder die Runde.

Die Empörung der Landwirte wuchs noch, als eine Presseagentur die Meldung verbreitete, dass die AVA tatsächlich Klage auf Herausgabe der Kadaver eingereicht hatte und dabei formale Gründe angeführt habe: Die Behinderung des Abtransportes sei ungesetzlich gewesen. Es wäre unzulässig dazu Militär einzusetzen. Wegen dieses Regelverstoßes sei die Beschlagnahme der Kadaver zu annullieren und müssten die sterblichen Überreste der Tiere an ihre ursprünglichen Besitzer, rechtlich vertreten durch die AVA, herausgerückt werden.

Damit hatte die AVA selbst jeden Zweifel daran beseitigt dass sie eine Untersuchung des Vorfalles unter allen Umständen be-, wenn nicht sogar verhindern wollte. Es war also irgendwas dran an den Gerüchten, dass die Funktionäre von der AVA einiges zu vertuschen hatten. Bis dahin war die Stimmung unter den Landleuten schon bis zum Siedpunkt aufgeheizt gewesen . Doch nun – nun drohte sie überzukochen.

Bundschuh
Der Funktionär war noch kreidiger im Gesicht als üblich. Er kauerte, die Beinen zusammengepresst, vor einem Stapel von Zeitungen, damit beauftragt alles anzustreichen, was mit seiner Organisation zu tun hatte - Positives grün, Neutrales blau und Kritisches rot. Im Dienste der AVA zwar noch nicht völlig ergraut, aber immerhin in die Jahre gekommen, seufzte er tief auf. Es gab mehr als genug an Meldungen über die Organisation. Aber es war nichts, nicht einmal eine einzige Dreizeilenmeldung darunter, die er

mit dem blauen oder gar dem grünen Marker behandeln durfte. Erst erfasste ihn ein Anflug von Wehmut, dann wurde er wütend und schließlich kratzte er mit wahrem Ingrimm und einem harten Rotstift über die Meldungen. Alles sah nach einem rot in rot gemalten Tag aus.
In seine trüben Gedanken rummst ein dumpfer Schlag, gefolgt von einem hellen in die ihm folgende Stille hinein zerrieselndem Klirren.
Es mussten 8, 9, 10, 11 Minuten oder einige mehr sein, die er ebenso regungs- wie fassungslos auf die Zeitungen auf seinem Tische starrt. Sie sind jetzt begraben unter einer dicken Schicht spitzer Scherben, die von der zerborstenen Scheibe zu seiner Linken stammen. Und aus der Mitte des Splitterteppiches grinst ihn hämisch ein zerknautschter linker Schuh an. Nicht zu übersehen ist ein langes daran angeheftetes Band. Einen Stein hatte man in die Fußbekleidung gesteckt, um sie schwungvoller werfen zu können, und total verdreckt, ist sie. Der würzige Duft von Jauche, der von ihr ausströmt, ist unüberriechbar.
Konrad Konrad - so der Name des Funktionärs (seine Eltern hatten sich des Witzes nicht verkneifen können ihm als Vornamen seinen Nachnahmen zuzuteilen) – war kein besonderer Freund von Stallgeruch (obwohl auch ihn im Laufe der Jahre ein gewisses AVA Odeur zu umdünsten drohte!) und er verspürte im Augenblick wenig Lust sich gerade diesen verjauchten Schuh anzuziehen. Er fühlte sich nicht sonderlich wohl in seiner Haut, verwarf aber dennoch – zumindest vorerst - die Möglichkeit aus ihr herauszufahren.
Es drängte ihn die Toilette aufzusuchen. Dort wunderte sich etwas in ihm, dass er niemand vorfand. Schließlich hatte die Situation ganz offensichtlich eine Hauch von Kriminellem an sich. Zu einem Krimi – besonders im Fernsehen - , der etwas auf sich hält, gehört aber nun mal ein Pissoir. Das ist dann der Ort, an dem zwei Protagonisten gemeinsam mit den Schultern schlenkern, ganz so, als ob sie gerade beim Tropfen-Abschütteln wären. Wo den sonst, als an solch einer filmogenen „Location" sollte man wichtig Informationen über dies oder jenes Kriminelle austauschen? Dann kann einer, der natürlich davon absolut nichts mitkriegen soll, sorgsam zwecks einschlägiger Verrichtung in einer Kabine geborgen, alles mithören. Regisseure lieben es nun mal originell!
Doch er war mutterseelenalleine mit seinem seitenverkehrten Bild im Spiegel über einem der Waschbecken. Einer der Scherben hatte ihm eine schmale eher geringfügig blutende Linie über die Stirn gezogen. Winzige aber spitze Splitter krallten sich in dem schütteren Kranze fest, der von seiner einstigen Haarpracht übriggeblieben. „Oh ja" dachte er und wunderte sich, wie dies gerade jetzt in seine Erinnerung schlüpfen konnte, „ich habe einmal gut ausgesehen mit meinen langen wallenden Locken." Und nun geriet ihm auch in den Sinn, wie er darauf gekommen ist: In der letzten Klasse seiner Realschule hatten sie ein Stück aufgeführt: „Bundschuh – Bauern im Aufstand". „Ach je - ," dachte er , „die Schönheit welket all - der Klassenkampf, der uns damals so fasziniert hatte, genauso wie meine Haarpracht."

Das Melodram war durchaus klassenkämpferisch gewesen, denn gerade zu der Zeit hatten alle Jugendlichen, die etwas auf sich hielten, die rechte linke Gesinnung. wie eine Standarte vor sich her getragen. Und er selbst hatte als Georg, Anführer der Bauern, eine spitzzulaufenden orangefarbenen Wimpel zu schwenken und dabei aus einer alten Chronik in einem fast liturgisch anmutendem Singsang zu rezitieren:

> *Sie beschlossen, ein Banner aufzuwerfen und ein charakteristisches Bild in dasselbe zu malen, damit "ihnen der gemeine Mann zuliefe". Der Ritter trug als besondere Auszeichnung Stiefel, der Bauer als Zeichen seiner Untertänigkeit und Unfreiheit, Schuhe, gitterartig vom Knöchel an mit Riemen aufwärtsgebunden. Dieser allgemein getragene Bauernschuh hieß von dieser Art des Bindens "Bundschuh". Einen solchen Bundschuh ward beschlossen, in das Banner zu malen.*

Er musste sich dazu nahe dem linken Prospekt der Bühne positionieren, denn dahinter war ein starker Ventilator angebracht. Dessen Windstrom sorgte dafür, dass sie ordentlich flatterten – einerseits des Bundschuhs Banner und andererseits seine Haare. Er hatte es nämlich bei seinen Eltern mit ihrer reichlich plüschigen Gesinnung durchsetzen können, dass sie ihm, wenn auch unter Kaskaden von Nörgeleien, zugestanden, sich speziell zur Aufführung eine wildverwegene Frisur mit nach allen Seiten wallenden schwarzen Locken - tiefschwarz waren sie damals mit einem Stich ins Bläuliche - wachsen zu lassen. Das hatte die Mädchen in der Klasse, aber auch den schüchternen Götz, der bei jeder Gelegenheit rot wurde, in Aufregung versetzt. Mit glattpolierten Billardkugeln konnte man damals keinen Eindruck schinden. Jeanette hatte ihm Schuhe in Rot und Grün und Blau und Gelb geschenkt – einen „Buntschuh". In seinem heimatlichen Dialekt weiß man nämlich nicht so recht zwischen d und t zu unterscheiden. Die Gabe des koketten Klassenschwarmes hatte ihn zutiefst gerührt. Auch Götz hatte sich aufgerafft, ihm ein paar Sandalen zu überreichen. Die Hände des Jungen zeigten noch die Spuren der Pfriemen mit deren Hilfe er sie selbst umgearbeitete und mit steifen Bändern aus dickem Rinderleder ausgestattet hatte.

Wegen der ausführlichen, oft ermüdenden Diskussionen von anno dazumal, wusste er gut über die Bauernaufstände zu Beginn der Neuzeit Bescheid: Joss Fritz, Götz von Berlichingen, Ulrich von Hutten und Thomas Münzer - sie waren und sind ihm heute noch alle bestens vertraut – und natürlich auch die Orte und Jahreszahlen der frühen Verschwörungen: Schlettstadt 1493, Untergrombach 1502, Lehen, Breisgau 1513, Oberrheingebiet 1517. Die Bauern hatten sich zusammengerottete und gegen Ritter, Pfaffen und Fürsten, die Ihnen bedrückende Lasten auferlegt, erhoben. Mit sichtlichem Stolz hatten sie sich zu ihrem Status als einfache Leute - als arme Teufel - bekannt. „Armer Konrad" – den Spottnamen des Adels für die Bauern hatten sie für ihre Bewegung gewählt. Für Konrad Konrads Klassenkameraden lag es nahe die Bezeichnung auf ihn zu übertragen. Für sie war er von da an der „arme Konrad" oder der „arme Kunz".

Und jetzt wird längst vergessen Geglaubtes in seine Erinnerung und zugleich eine warme Woge in seinem Herzen hochgespült. Er hatte sich damals mit dem Namen und der Sache identifiziert und schwer begeistert die Wiederbelebung des Bundschuh von Boxberg 1979 begrüßt. Die dortigen Bauern hatten sich gegen den Bau einer umweltbedrohlichen Teststrecke eines Autokonzerns und die damit verbundene Enteignung von Höfen gewehrt und das Unheil tatsächlich nach sich zehn Jahre lang hinziehenden juristischen Auseinandersetzungen mit Hilfe des Bundesverfassungsgerichtes abwenden können. Diese Bewegung selbst besteht heute noch und beschäftigt sich vor allem mit der Anpassung von kleinen und mittleren landwirtschaftlichen Betrieben an den ökologischen Landbau. Heute existiert darüber hinaus eine ganze Reihe umweltfördernde Vereinigungen, die alle als Namen und Logo auf den Bundschuh zurückgegriffen haben.

Der „arme Kunz" ist sich von daher durchaus dessen bewusst, dass, wenn Bauern das Thema Bundschuh erneut aufgreifen – nun ja - , dies als eine durchaus ernstzunehmende Botschaft zu werten ist. Wie ernst - das sollte er eine knappe Stunde später erfahren.

In der Tat umschlichen die Bauern, vor allem die etwas jüngeren, ihre Kuhställe und beäugten misstrauisch ihr Viehzeug. Einige von denen, die schon die Kadaverbeseitigung blockierten, hatten es sogar geschafft, sich aus dem Sonderangebot der von der Albanermafia wegen technischer Mängel ausgemusterten Kalaschnis, die ganz unten in der untersten Unterwelt von Hannover verhökert wurden, einzudecken. (Die AK-47 Gewehre – Sie erinnern sich! - waren ursprünglich von Armeeangehörigen anlässlich der Auflösung der Sowjetunion an Interessenten verscheuert worden.) Das richtete sich zunächst gar nicht gegen die AVA. Nein – das nicht. Doch man wollte gerüstet sein, falls der Terrorbazillus auf weitere Rindviecher in Landwirtschaft, Wirtschaft und Politik überspringen sollte.

Aber als die jungen Kerle dann die AK-47 Waffen wirklich in der Hand hielten und begannen sich mit deren Gebrauch vertraut zu machen, nisteten sich zugleich so nach und nach auch ganz andere Gedanken in ihren vom Testosteron befeuerten Hitzköpfen ein.

Und das war die Ursache des Ereignisses, weswegen Fritz Meyer, Konrad Konrads Chef, Frau Guste anrief. Die junge Frau verfasste Pressemeldungen für die AVA, half aber auch in Meyers Vorzimmer aus. Meyer bat sie, ihn mit seinem Mitarbeiter zu verbinden. Mit etwas getrübter Stimme teilte er Konrad Konrad mit, dass er heute leider nicht kommen könne. Er müsse ganz dringende bei einer polizeilichen Untersuchung zugegen sein. Man habe ihm soeben - am ebenso hellen wie lichten Tag - mit so einem Schnellfeuer-Dingsda die Eingangstür seines Hauses durchsiebt.

Es war nun allerdings durchaus nicht so, dass alle Bauern es mit den neuen spontan entstandenen Bundschuhler-Gruppen hielten. Einige - die engagierten Empörten und zugleich sich Empörenden nannten sie BSWler, die „Besitzstandswahrer" - wollten die Brisanz der Fälle so gut es ging herunterspielen, sprachen von Ausnahmeerscheinungen, die sich wohl kaum wiederholen dürften. Sie traten dafür ein, den Vorfall auf ganz kleiner Flamme oder besser überhaupt nicht zu kochen, und meinten, dass man doch bitte die bewährte Arbeit der AVA nicht in Frage stellen solle. Der Riss in der Meinungsbildung zog sich mitten durch die Schützengilden. Die mittleren Jahrgänge hielten es durchwegs und die etwas älteren Jahrgänge fast ausschließlich mit der AVA. Einige wenige der Ältesten und fast durchwegs alle Jüngeren fanden es dagegen ganz spannend von der Schützenflinte auf eine zwar altbewährte, aber immer noch recht aktuelle Waffe umzusteigen.

Konrad Konrads Nackenhaare hatten spürbar Lust sich heftig zu sträuben, wohingegen er selbst nicht die geringste verspürte sich für die AVA durchsieben zu lassen. Zudem schien ihm der Schuh auf seinem Schreibtisch, nachdem der sich der würzige Duft etwas entschärft hatte, nicht mehr ganz so penetrant anzugrinsen. Der schaute ihn jetzt eher spitzbübisch verschwörerisch an und blinkerte ihm zu als wollte er eine alte Freundschaft wieder aufleben lassen. „Ach was", so sinnierte er vor sich hin, „ich habe sie gestrichen voll - meine Schnauze. Ich mache Schluss – für heute mache ich Schluss." Er teilte dies Frau Guste mit, nicht ohne die Gelegenheit wahrzunehmen noch ein bisschen mit ihr zu plaudern. Sie war eine anziehende, hübsche Person, wirkte zwar wegen ihrer Größe etwas schlaksig, hatte aber bewundernswert wohlgeformte und vor allem lange Beine, weswegen sie allgemein „die lange Guste" genannt wurde. Das schliff sich dann später zu „Languste" ab. Sie hat sich über den Necknamen so amüsierte, dass sie ihn schließlich als Familiennamen eintragen ließ. (Da ihr ursprünglicher Name ein „F-Wort" war, hatten die Behörden ihr weniger Schwierigkeiten gemacht, als das ansonsten bei Umbenennungen üblich ist.)

Schon unten an der Eingangstür angelangt, kehrte er nochmals um. Eine solche Gelegenheit würde sich so schnell wohl nicht mehr ergeben: Der Chef war weg, die Mitarbeiter in den Büros damit beschäftigt die Vorfälle breit zu treten. So nutzte Konrad Konrad die Chance sich an den PC seines Brötchengebers heran zu machen.

Hochgefahren forderte der Computer ihn als erstes zur Eingabe des Passwortes auf.

„Nun – ein Versuch konnte ja nichts schaden. Probieren wir´s mal ganz einfach mit
reyem.
Nein – das wird nichts. Ich verlängere auf
reyemztirf.
Teufel auch - ich bin drin, drin, drinnen. Das hat er nun davon , dass der so leichtfertig in der er Wahl seines Passwortes war – der dumme Teufel."
Nun lagen alle Geheimdokumente der AVA fein säuberlich in Ordnern und Dateien gegliedert vor ihm. Konrad bedauerte, dass er keine DVD zur Hand hatte. Darauf hätte der den gesamten Inhalt der Festplatte speichern können. „Was tun? Wo finde ich die interessanteste Datei?"
Eine war „Tagebuch" benannt. Es waren nur 120 Seiten, aber er hatte so ein Gefühl als könnte sie Interessantes enthalten. Oder vielleicht sogar

Brisantes?! Die Datei ließ sich auf einer Diskette speichern, die er mit nach Hause nehmen konnte. Er ging sehr behutsam zu Werke, denn wenn er morgen wieder hier antanzte, sollte ja keiner merken, dass er auf der Festplatte seines Chefs gewildert hatte.
Doch als er die Treppe herab und durch die Straßen nach Hause ging, schien sie in Flammen zu stehen – seine linke Gesäßtasche. In der hatte er die Diskette untergebracht.

$

Ein deutliches Urteil
Die Entscheidung des Gerichtes hinsichtlich der Kadaver fiel unerwartet deutlich aus. Es entschied:

1. Formfehler stellen keinen Grund dar die Kadaver auszuliefern. Dies gelte besonders dann, wenn es in bedeutendem öffentlichen Interesse läge die fraglichen Objekte einer Untersuchung zuzuführen.
2. Das Recht auf Eigentum könne und müsse sogar eingeschränkt werden, wenn der Verdacht bestünde, dass eine Straftat verschleiert werden solle, oder wenn die Situation Anlass dazu gäbe mit einiger Wahrscheinlichkeit zu mutmaßen, dass die Sicherstellung von Objekten dazu diene, Gefahr von der Allgemeinheit abzuwenden.

Das Gericht stellte allerdings auch – gerade angesichts der Tatsache, dass ein deutschen Rechtsorgan erstmals über den Schatten eines Formfehlers sprang - das Ersuchen an die entsprechenden Vollzugspersonen etwaige Verdächte in einem zumutbaren Zeitrahmen zu erhärten oder aber gänzlich auszuräumen.

Und nun lag der schwarze Peter bei der Kripo. Die eigentlichen Fragen, die sich stellten, schwebte noch völlig in der Luft - und zwar so hoch oben, dass Antworten auf sie zunächst nicht so ohne weiteres und schon überhaupt nicht „in einem zumutbaren Zeitrahmen" erreichbar erschienen:
- Was hat die eher gemächlichen Pflanzenfresser zu aggressiven Fleischfressern werden lassen?
- Waren nur die mittlerweile zwischengelagerten Tiere zu Menschenfressern geworden, oder gab es noch weitere in andern Ställen, von denen in näherer oder fernerer Zukunft ähnliches zu befürchten wäre?
- Handelte es sich um eine Krankheit, vergleichbar der Tollwut, die eine entsprechende Ansteckungsgefahr mit sich bringen könnte?
- Wie kann man die Bevölkerung vor weiteren Attacken solcher menschenverzehrenden Tiere schützen?
- Betrifft die Erscheinung nur Rindviecher, oder kann sie auch auf andere Schafe, Kaninchen und Ratten – oder gar auf Möwen und

Krähen - übergreifen? Droht vielleicht sogar die menschenfressende Küchenschabe?
- Ist es außerdem tatsächlich völlig auszuschließen, das auch Menschen angesteckt werden und in einen Blutrausch geraten?
- Wo gibt es irgendwelche Anhaltspunkte, an denen mit den dringend erforderlichen Untersuchungen ein- und nachzuhaken wäre?

§

Knurrig – doch kein Knurrhahn
Yasmina gelang es die Verbindung nach Norditalien herzustellen: „Inspektor wir haben ihn - der *Commissario* ist am Apparat."
„Hallo *Commissario*. Wie geht es Ihnen ? Ich hoffe besser als uns hier. Sie haben sicherlich schon von unseren Problemen gehört?"
„*Certamente, certamente!* Der *Corriere* und die *televisione* berichten seit drei Tagen nur noch über deutsche Rindviecher - *brutti bovini*. Ich verfolge das mit großem Interesse."
„Ja dann verstehen Sie sicher auch, dass wir hier gerne Ihre besonderen Fähigkeiten in Anspruch genommen hätten?"
„*Naturalmente* - ich werde mich von meiner Dienststelle aus im Rahmen der Amtshilfe für Sie freistellen lassen. Das machen wir immer etwas unter der Hand - ganze im Sinne der *collaboratione Eropeo*. Mein Büro wird Sie gleich darüber informieren, wann mein *aeroplano* ankommt. Holen sie mich ab vom Flughafen?"
Als Belcanto trotz der beiden übergewichtigen Aktenkoffer in seinen Händen flotten Schrittes durch die Schwingtür aus der Gepäckabfertigungshalle herausstürmte, dachte der Inspektor: „Sieht ja wirklich gut aus, der Kerl. Wenn ich eine Frau wäre oder vielleicht schwul, würde ich mich glatt in ihn verlieben. Och - ich bin schon ein ausgesprochener Sexualneidhammel. Ich werde irgendwie ganz kribbelig, wenn ich ihn nur sehe. Aber trotzdem - irgendwie mag ich ihn schon."
Und der *Commissario* dachte, als er den Inspektor hinter der Absperrung erspähte: „Ein eigenartiger gehemmter Typ. Aber sehr zuverlässig und geradlinig. Gut sieht er wirklich nicht aus. Wenn ich eine Frau wäre - also der wäre nun wirklich nicht mein Typ. Aber trotzdem - irgendwie mag ich ihn schon".
Die gegenseitige Begrüßung mit Wangenknutscher links und rechts geriet deshalb tatsächlich den Umständen angemessen halbherzlich.
„Sie haben sicher Hunger, *Commissario*! Ich schlage vor wir gehen erst mal in ein kleines Restaurant. Da können wir das alles zunächst einmal ganz unter uns besprechen."
„Sie haben recht Inspektor, *ho fame adesso!* Die Spaghetti in der Alitalia waren viel zu kurz. Die Sparmaßnahmen wegen des teueren Erdöls machen nicht einmal mehr vor der *pastasciutta* halt!"
„Mögen Sie Fisch, *Commissario?*"

„Dafür sterbe ich, insbesondere für *trotta* - wie nennen sie das in *tedesco*? Forreele?"

„Da weiß ich was - das Cafe Aquariana. Gehen wir! Der Streifenwagen dort steht uns zur Verfügung!" Und zu dem Korpulenteren der beiden Polizisten gewandt: „Wachtmeister - sorgen sie bitte dafür, dass das Gepäck von *Commissario* Belcanto sicher im Kofferraum verstaut wird!"

Das Cafe Aquarina war zeitweise ein Geheimtip für alle Einwohner der niedersächsischen Landeshauptstadt, die „in" sein wollten. Man muss auch zugeben - es ist schon etwas besonderes: Der Raum wird magisch beleuchtet durch die Leuchtstofflampen hübsch eingerichteter Aquarien. Hinter jeder Sitzgruppe steht eines auf einer Konsole. Bei näheren Hinsehen entpuppen sich allerdings die Scarlattis und Schleierschwänze, die darin schwimmen, und sogar die Forellen und Hummern als sorgfältig gearbeitete Plastikkreationen – *made in China* natürlich.

Der Geschäftsführer erklärte etwas verlegen, dass die früher in den Becken lebenden Fische zunächst prächtig gediehen seien. „Wir haben nur so gestaunt, wie rasch die gewachsen sind - in einem Wahnsinnstempo. Man konnte dabei regelrecht zusehen. Du gucktest einmal hin und dann für einen Moment weg und wieder hin, schon sind sie ganz ersichtlich ein Stück größer geworden."

"*Ecco - una cosa molto espressive* - Chlorunkakenorp!" warf der *Commissario* spontan dazwischen.

Doch vor drei Wochen seien alle Fische kurz nacheinander sehr aggressiv geworden und dann eingegangen. Es sei wie eine Epidemie gewesen - eine völlig unerklärliche allerdings, denn die Fische waren ja in 42 verschiedenen Bassins herumgeschwommen. Die hatten keinerlei Verbindung irgendwelcher Art miteinander.

Nur ein einziger Fisch hatte das Desaster überlebt. Und vor dessen Glasbehälter ließen sich die beiden Kriminalisten nieder.

Der *Commissario* beobachtet fasziniert das längliche etwa 75 cm große sich ständig schlängelnde und windende Tier mit seinen silbrig blitzenden Schuppen und seiner spitzer Schnauze.

Dummerweise war auch das Forellenbecken leer. Die beiden Herren bestellten schließlich Seefisch, der wie nicht anders zu erwarten - der beflissene Geschäftsführer entschuldigte sich vielmals dafür - aus der Tiefkühltruhe kam.

Zwischen Suppe und Hauptgang wollte der Inspektor den *Commissario* über den letzten Stand der Dinge informieren. Doch so richtig zu Wort kommt er nicht:

Der Fisch im erleuchteten Bassin knurrt und kläfft immer wieder dazwischen. Seine Stimme hört sich an, wie die eines aufgeregten Pinschers. Der Inspektor versucht ihn zu beruhigen: „Nun sei mal endlich leise, Du - sonst kommst Du in die Bratpfanne." Doch der Schlangenfisch lässt sich davon nicht beeindrucken. Er windet sich hin und her und her und hin und belfert lakonisch: „Lecker, lecker Menschenfleisch!"

„Nanu„ ruft einigermaßen erstaunt der *Commissario*, „Was sagt der Bursche da? Meine *tedesco* ist nicht gut genug, um das zu verstehen."
„Ach der gibt nur Unsinn von sich. Er sagt lecker - das bedeutet im flapsigen Sprachgebrauch hier in Norddeutschland so etwas wie bei Euch *delicato*. Und er spricht von Menschenfleisch."
"Hm, Hm – *veramente molto interessante*."
Müller-Gürtelneurose erläutert, dass dies hier ein ganz eigenwilliger Fisch sei. Er kenne dieses Tier schon lange. Es sähe zwar aus wie einen Kreuzung zwischen Kobra und Barrakuda, sei aber ein rein vegetarisch sich von Algen nährender Süßwasserfisch: „Das ist ein völlig harmloses, wenn auch leicht erregbares Tier. Immer wenn er mich so ansieht, und ich dann mit dem Finger an die Glasscheibe klopfe, schnellt er sich mit den Schwanz an die Scheibe heran und tut so, als ob er mich in den Finger beißen wollte. Passen Sie auf *Commissario* und erschrecken Sie nicht!" Der Inspektor klopft zweimal ganz freundschaftlich auf die Scheibe. Zu einem dritten Klopfen hatte er keine Gelegenheit mehr. Der Fisch scheint zu explodieren, schlägt mit seinem Schwanz so heftig gegen das Glas, dass es klirrend zerbirst. Zusammen mit einem Schwall aus Wasser und Splitter stürzt das Tier auf den Finger des Inspektors zu, zwickt die Kuppe bis zum Knochen ab, rumpelt dann hörbar schmatzend und sichtbar würgend zu Boden, versucht dabei aber doch noch den Inspektor in den Fuß zu beißen. Glücklicherweise hat der feste Stiefel an. Immerhin gelingt es dem Tier ein Stück Leder aus dem linken Stiefel herauszukneifen und hinunter zu schlingen.
Die beiden Kriminalisten springen erschrocken zurück. Doch der weithin blinkende Fisch versucht sich noch auf dem Boden mit seinem Schwanz zu ihnen hin zu schnellen, um alles an ihnen abzubeißen, was nur erreichbar wäre. Bei seinem ziemlich behenden Rückzug durchs Zimmer Richtung Tür stolpert der *Commissario* über einen Schemel - und schon hängt der Fisch an seinem linken Armgelenk. Das hätte jetzt übel ausgehen können. Doch Belcanto trug dort seine Uhr an einem Stahlband. An dem arbeitet sich das Maul des Tieres für Bruchteile von Sekunden vergeblich ab. Die Zeit reichte gerade aus, dass sich Kater Salambo an „seinen alten Freund" heranpirschen und ihm das Genick durchbeißen kann. Ein langgezogenes Jaulen war das letzte, was die Welt vom bellenden Fisch zu hören bekam. Dann schleppt ihn Salambo aus dem Haus um seine Beute nicht ohne einen gewissen Stolz in seinem Antlitz seiner Mieze zu präsentieren und sie zu einem gemeinsamen Mahl aufzufordern.
Inzwischen waren zwei Kellnerinnen und der Geschäftsführer herbeigeeilt. Die Verletzungen des Inspektors waren zwar nicht erheblich. Er musste jedoch seine ganze Willenskraft einsetzen, um sein Gesicht, das sich vor Schmerz verzerren wollte, in auch nur einigermaßen konventionell glattem Zustand zu erhalten. Der *Commissario* bemerkte schon, wie es um ihn stand, und bat die Besatzung des Streifenwagens vor dem Haus zu infor-

mieren. Der Geschäftsführer organisierte derweilen einen doppelstöckigen Kognak.

Der etwas dicklichere Polizist hatte glücklicherweise erst vor zwei Wochen einen Kurs in Erster Hilfe wiederholt. So begann er, etwas zögerlich, den Inspektor zu verarzten. Sein Kollege rief inzwischen die Ambulanz an. Die brachte den Inspektor ins nächstgelegene Krankenhaus. Der *Commissario* blieb zurück. Er hatte das Gefühl, hier sei noch etwas zu recherchieren. Und sein Gefühl war etwas, was ihn nur selten trog –so weit es sich um Dienstliches handelte.

$€

Zeuge Salambo

Seine Mieze meinte, noch niemals zuvor hätte sie sich ein derart köstliches Fischgericht einverleibt. Doch das Mahl sollte Folgen haben: Salambo war plötzlich in der Lage mit menschlicher Stimme zu sprechen. Das intelligente Tier war sich völlig im Klaren darüber, dass ihm diese Fähigkeit nur so lange zu Gebote stünde, bis der Fisch völlig verdaut war. Und Katzentiere verdauen bekanntlich recht schnell.

Doch er, Salambo, war durchaus willens seine ihm neu, wenn auch nur kurzfristig verliehene Gabe, auszunutzen und mit seinem Wissen nicht hinter dem Berge zu halten. Er suchte den *Commissario* auf, der sich immer noch am Ort des Geschehens befand und nachdenklich gestimmt war. Erst jetzt, als der Kater auf ihn zuschnürte und sich vor ihm auf den Boden setzte, hatte er die Muße und die Gelegenheit das Tier zu bewundern. Salambo war ein schöner grau und schwarz getigerte Kater. Der Ton des Grau, der ins Bläuliche spielte, und die Länge der seidig weichen Haaren, verrieten, dass in seiner engeren Verwandtschaft eine Perserkatze eine nicht unwesentliche Rolle gespielt haben musste.

Der *Commissario* begann das Gespräch: „Ich vermute ich habe Ihnen eine ganze Menge zu verdanken. *Mille gracie!* Wenn der Fisch mir die Pulsader durchbissen hätte, sähe es nicht besonders gut um mich aus." Zu seiner nicht geringen Verwunderung antwortete der Kater in sauber artikulierten sehr gewählten, vielleicht ein ganz klein bisschen zu gestelztem, in jedem Falle jedoch typisch nordisch eingefärbten Hochdeutsch: „Sie sind völlig im Recht, *Commissario*. Der Fisch hat sich zu einem überaus gefährlichen Subjekt entwickelt. Ich habe mir daher erlaubt, ihn gerade noch rechtzeitig - wie man so sagt - aus dem Verkehr zu ziehen. Zwar möchte ich nun keineswegs behaupten, dass ich ihm jemals besonders freundschaftlich zu getan gewesen wäre. Aber ich muss dennoch eingestehen, dass Konsul Weiher – so bat sich der Fisch ausgebeten von mir angesprochen zu werden - also dass Konsul Weiher früher von Hause aus wirklich ein ganz friedlicher Bursche war. Sicher – er hatte etwas Arrogantes an sich und war sehr aufs Feine aus - aber im großen ganzen war er wirklich gar nicht so übel, wenn ich das so sagen darf. Wir hätten alle nie damit gerechnet, dass er einmal so gefährlich

werden könnte. Und das war er ursprünglich wohl auch nicht! Meiner Einschätzung nach hat man ihn erst dazu gemacht. *Commissario* - ich will ihnen das alles erzählen, bevor der Fisch in meinem Magen verdaut ist und ich die Fähigkeit mich in der Sprache von Euch Menschen auszudrücken wieder zu verlieren drohe."
Der *Commissario* hörte sich aufmerksam den Bericht von Salambo an. Dann ließ er sich von dem Streifenwagenfahrer, der draußen immer noch auf ihn wartete, einen seiner Aktenkoffer holen, kramte seinen Taschenrekorder heraus und bat Salambo die wichtigsten Punkte seiner Aussage nochmals zu wiederholen. Der sprach ausführlich, deutlich und recht zeitaufwendig ins Mikrophon. Die S-Laute gerieten ihm auffällig spitz. Und das wirkt aus dem Mäulchen eines Katers recht drollig. Doch die letzten Sätze versickerten bereits in einem aufgeregten Miau-Miau. Glücklicherweise war da aber auch schon alles gesagt.

$€

Das Geheimnis der Substanz X
Inzwischen war es spät geworden. Belcanto ließ sich in die Dienstelle des Inspektors bringen. Die beiden Blondinen dort gerieten in helle Aufregung, als sie hörten, welches Missgeschick ihrem Chef widerfahren war. Der *Commissario* hatte einiges zu tun um sie zu beruhigen. Dann bat er Yasmina ihn mit seiner Frau zu verbinden. Man konnte nie wissen, ob und was die Presse mitbekam und wie sie dann die Nachricht verpackte. Der Gedanke, dass Lucretia am nächsten Tag am Kiosk mit einer Schlagzeile in der Art von „Kriminaler von Zierfisch zerfleischt" konfrontiert werden könnte, ist ja angesichts des exakt an das ihrer Leser angepasste Niveaus der Boulevardpresse nicht so völlig aus der Luft gegriffen. Deshalb wollte er Lucretia vorsorglich informieren, obwohl er nicht gerade von der so üblichen ehelichen Telefonitis infiziert war. Als sie frisch verheiratet waren, hatte sie versucht bei jedem Abschied zu fragen: „Schatz, Du rufst mich doch auch gleich an, dass Du gut angekommen bist?" Das pflegte er dann aber prompt mit der Bemerkung zu quittieren: „Wenn mir was passiert, ruft Dich meine Dienststelle umgehend an. So lange das Telefon schweigt, kannst Du sicher sein, dass es mir gut geht. Besser Du wartest nicht darauf, dass es klingelt."
Am nächsten Morgen begab sich der *Commissario* als erstes ins Krankenhaus zum Inspektor.
Der musste noch das Bett hüten, war auch noch nicht ganz schmerzfrei, freute sich aber doch den Kollegen zu sehen und begrüßte ihn mit den Worten: „Entschuldigen Sie bitte *Commissario*! Können Sie mir vergeben? Es war wirklich unverantwortlich von mir den Fisch zu provozieren. Beinahe wäre das übel für Sie ausgegangen."
„Aber bitte, bitte doch keine *giustificatione*! Sie selbst hat es ja doch ziemlich schlimm erwischt. Vielleicht tröstet es Sie ein ganz klein wenig, dass dies Abenteuer unsere Untersuchung ein gutes Stück weitergebracht

hat. Da hat sich eine interessante Quelle aufgetan – Salambo, der Kater des Hauses! Ich kann Ihnen eine ganze Menge an Neuem berichten." Belcanto versuchte die Spannung zu steigern. In einem Roman hat er gelesen, dass man dazu nur vielsagend zu hüsteln braucht und das tat er dann auch, bevor er fortfuhr:
„Wissen Sie, Inspektor, was es auf sich hatte mit dem Wachstum der Fische? Nein?! Dann lassen Sie es mich Ihnen erzählen: Alle diese Aquarieninsassen haben so schnell an Größe und Gewicht zu genommen, weil sie - und Inspektor, ich hatte das schon vermutet - mit einem Pulver, dem ein Antibiotikum zugesetzt war, gefüttert worden sind, mit Chlorunkakenorp. Das Mittel ist zwar verboten, aber es wirkt nicht tödlich. Nur, wenn Sie in dem Lokal zu viel Forellen gegessen hätten...." „....habe ich aber nicht. Ich schätze Forelle nicht sonderlich und habe mich daher immer an Seefisch gehalten." „Das war ihr Glück. Ja sicher! Aber was mich betrifft, für mich mag ja ihr Glück durchaus auch seine bedauerlichen Seiten haben. Denn Sie hätten nach so einem üppigen Forellenmahl – es müsste natürlich schon ziemlich reichlich gewesen sein – die Chance gehabt dann ganz ohne weitere Kosten eine Geschlechtsumwandlung zu erleben. Sie hätten wundervolle Brüste bekommen - und das ganz ohne Silikon. Bestimmt hätte ich Sie dann sehr sexy gefunden! Sehen Sie was mir alles entgangen ist - nur weil Sie keine Forellen mögen."
„Vielleicht wäre das doch keine so gute Idee gewesen. Denn vermutlich hätte ich mit meinen zahlreichen Mitbewerberinnen um ihre Gunst kaum mithalten können. Aber sagen Sie - war es das Clora-Clora-Dingsbums, was den Fisch so aggressiv gemacht hat?,,
„Nein - das kann es kaum gewesen sein. Aggressiv macht diese Chemikalie niemanden. Aber alle Fische wurden über Monate hinweg mit einer ganz bestimmten Substanz gefüttert. Dies Zeug - nennen wir es einmal Substanz X – hat sicherlich Chlorunkakenorp enthalten, aber eben nicht nur das. Da ist noch irgendetwas drin, was wir noch nicht kennen. Zum Glück konnten wir einiges von dem Pulver sichergestellt. Ich habe - sehen Sie mir bitte meine kleine Eigenmächtigkeit nach - in Ihrem Namen veranlasst, dass die Proben genau untersucht werden – und zwar *presto presto!*"
„Sehr gut, sehr gut - Sie haben triftige Gründe dafür anzunehmen, dass die Substanz X - na drücken wir es einmal vorsichtig aus - eine gewisse Rolle bei der Katastrophe in den Wasserbecken spielt?"
„Nun ja - irgendwie liegt das ja ziemlich nahe. Alle Fische sind nur mit diesem Pulver oder Mehl - oder wie immer man das bezeichnen mag - gefüttert worden. Alle sind sie erst aggressiv geworden, alle sind sie dann übereinander hergefallen, alle haben sich gegenseitig Fleischstücke aus den Bäuchen gerissen und alle sind dann eingegangen. Das Becken für die Forellen, war überfüllt gewesen. Darin muss es ein schauerliches Gemetzel gegeben haben. Einzig und allein unser Konsul Weiher, so soll sich der Bursche selbst immer hat nennen lassen, war allein im Becken. Es hatte damals ganz so ausgesehen, als ob auch er in den Fischhimmel abschwämme. Doch er hat sich wieder erholt. Schließlich hatte kein

anderer Fisch die Gelegenheit nutzen können, ihn anzuknabbern. Aber seit der Zeit hat er immer wieder die wildesten Tänze in seinem Becken aufgeführt.
Dass eine Krankheit von einem der isolierten Becken zum andern überzuspringen vermöchte, kann wohl ausgeschlossen werden. Aber, dass da was in der Nahrung war, die sie alle gekriegt haben, was die *aggressione* auslöste - das liegt doch nahe.
Der Kater sagte mir wortwörtliche – Augenblick, wir haben´s auf Band! Warten Sie, ich spiel´ es Ihnen vor. Hier der Originalton Salambo:"
„Ich habe das Zeug nie gefressen, das die immer in die Fischbecken schütteten. Die haben es Kläffko und mir auch immer vorgesetzt. Und dann diese blöden Sprüche dazu:
>Ja, ja schau nun Katerchen - was gibt es doch wieder für ein gutty gutty Fresserchen. Das ist doch was ganz anderes als dieses ewige Wiskygatto!<
Aber mir grauste schon vor der scheußlichen beigen Farbe - Sie müssen wissen *Commissario*, ich bin was Farben anbelangt einigermaßen sensibel. Wir Katzen sind nun mal so."
„Und Kläffko?"
„Der konnte das Zeug nicht riechen. Er ist vor Abscheu immer so heftig zurückgezuckt, als wäre er so ein frustrierter Köter aus einem amerikanischen Comic-Streifen. >So was frisst doch kein Hund,< knurrte er mir immer wieder ganz unwirsch zu. >Ich bitte Dich - ich bin doch kein Rindvieh, dass ich so was zu mir nähme. Lieber fresse ich ein leckeres Stück Scheiße.< Verzeihen Sie bitte dieses etwas drastische Ausdrucksweise. Aber so äußerte er sich nun mal - der Hund."
Müller-Gürtelneurose hatte sich unwillkürlich im Bett aufgerichtet: „Rindvieh - Rindvieh - ich höre immer Rindvieh!" „*Exactemente* - Inspektor! Genau das ist mir auch durch den Kopf gegangen. Es drängen sich einem so Zwangsgedanken auf - oder wie sagt man das in *tedesco* - Gedankenzwang? Und sogar Salambo hat dann im weiteren Verlauf seiner Aussage auch ganz offen die Vermutung geäußert, dass es einen Zusammenhang geben müsse, zwischen der Tiermehlproduktion für die Aufzucht von Vierbeinern und diesem merkwürdigen Pulver.
Aber jetzt kommt es, Inspektor: Von der Beschaffenheit her, sieht das Futter genau so aus, wie das im Gehöft der Menschenfresser-Kühe sichergestellte Pulver."
„Ja natürlich - das muss auch ganz dringend analysiert werden. Und dann müssen wir natürlich herausfinden, woher das verdammte Zeug kommt. Sorgen Sie dafür *Commissario*?"
„*Va bene* - ist schon veranlasst. Natürlich bin ich mir völlig im Klaren darüber, dass wir noch keine gerichtsverwertbaren Beweise haben. Salambo können wir nicht in den in den Zeugenstand rufen. Der kann nicht mehr sprechen - es sei denn wir finden noch einige plappernden sprechenden Fische, den wir kurz vor dem Prozess an ihn verfüttern.„

„Das können wir alles vergessen. Es wird ohnehin kaum ein Gericht in der Bundesrepublik geben, dass die Aussagen eines Vierfüßlers als Zeuge zulässt. Dazu sind die hier alle viel zu bürokratisch. Im Gesetz und in Verordnungen ist darüber nichts festgelegt. Unter diesen Umständen haben wir keine Chance mit dem Kater durchzukommen. Sie kennen ja die deutschen Richter!"

„Sicher - gerichtsverwertbare Beweise haben wir nicht. Aber wir sind doch ein beachtliches Stück weitergekommen. Bisher waren wir ahnungslos. Jetzt zeichnet sich da doch schon etwas ab. Wir haben eine Spur, und eine heiße dazu. Dafür haben Sie ihren Finger geopfert."

„Das ist es auch wert, zumal das mit der Fingerkuppe nicht so schlimm ist, angesichts der heutigen Möglichkeiten der plastischen Chirurgie. Der Finger kann mit Eigenhaut völlig wiederhergestellt werden. Die Ärzte sagen er sei dann, wie neu.,,

„Ja wenn das so ist, dann hätte ich mir ja von dem lieben Tierchen gerne noch etwas ganz anderes abbeißen lassen."

„Na, na - ich wette sie werden die Erwartungen" - und hier wurde die Stimme des Inspektors etwas heißer - „ unserer blonden Damen doch noch ganz gut erfüllen können. Andererseits erscheint mir Ihr uneingeschränktes Zutrauen zur plastischen Chirurgie dann doch etwas hoch geschraubt."

„*Va bene*, Inspektor, ich sehe Sie haben wenigstens nicht ihren Humor verloren."

„Tja, den braucht man ja wohl auch, wenn man als Kriminalist große Haie, kleine Fische und vor allem bissige Kreaturen fangen will.

Aber wann erwarten Sie die Ergebnisse der Untersuchung?"

„Morgen, Inspektor, morgen Nachmittag. Ich habe die Damen und Herrn vom Labor unter Druck gesetzt - und die sind mir jetzt Gram und werden sich bei Ihnen beschweren – ganz so wie es in jedem mittelmäßigen TV-Krimi üblich ist."

Äußerlich lächelte der Inspektor und lobte das hervorragende Engagement des *Commissario*. Doch ganz tief drinnen in ihm seufzte etwas so laut, dass es fast zu hören war. Er fühlte sich nicht so sehr wohl, wenn er daran dachte, dass dann heute Nachmittag und morgen und vielleicht noch die nächsten Tage Belcanto ganz alleine mit den beiden blonden Damen in seinem Büro sein Wesen treiben wird.

Zwei Blondinen fühlen sich gefragt

Aha - da kommt er - sagte Judith. Die beiden Damen hörten schon von weitem, wie er mit ausholenden Schritten jeweils zwei der steinernen Stufen des amtlich repräsentativen Treppenhauses nahm. Auch einige Fetzen, der *Canzione*, die er dabei vor sch hin trällerte, drangen bis zu ihnen herauf. Es klang so nach „*Lasciare me cantare*" und „*sono Italiano, Italiano vero!*"
Kaum war er zur Tür herein gestürmt, da stand auch schon eine Tasse *Cappuccino* mit zur Hochfrisur aufgetürmtem Milchschaum vor ihm. „*Eccellente Signorine* - Sie können so was sogar in ihrem Büro machen?" Die beiden *signorine* setzten eine Verschwörermiene auf und verrieten nicht, wer von Ihnen beiden ihre Küche geplündert hatte.
„Ja," warf Yasmina ein, „wir sind stets auf alle Wechselfälle des Lebens vorbereitet." „Wie wollen Sie doch bei Laune halten, *Commissario*," ergänzte Judith. „Wir sind ja so gespannt, was sie uns zu berichten haben!"
Belcanto war durchaus nicht immer und auch nicht zu jedermann besonders gesprächig. Er konnte sogar recht kurz angebunden sein. Im Laufe seiner Tätigkeit hat er - nicht ganz ohne Mühe - die Vorteile einer gelegentlich an den Tag zu legenden mit herber Ironie gewürzten Schroffheit zu schätzen gelernt. Eigentlich hatte er sich vorgenommen im Rahmen seines beruflichen Umfeldes den Grundton seiner Seele, der zwischen heiter und ausgelassen changierte, hinter sorgfältig dosierten Lakonien zu verbergen. Doch es kam bei ihm immer auf die Stimmung an. Und jetzt - nun ja, da ihn die beiden blondgelockten und heute besonders sorgfältig ondulierten Täubchen umgurrten - war ihm nicht so sehr zu Mute sein Inneres mit allzu großer Sorgfalt abzuschotten.
Er erzählte Ihnen im Detail und mit einigen Ausschmückungen alles was vorgefallen, breitete alle Zusammenhänge aus, kokettierte mit seinen Vermutungen - und er fragte Sie zwischendurch immer wieder indem er einen Anflug unbändigen Interesses in seinem Gesicht aufscheinen ließ: „Was meinen Sie dazu, *signorine*?"
Und genau das war es, was den beiden Blonden das Herz erwärmte. Der Inspektor hatte ihnen zwar mitunter das eine oder das andere Brosämlein seiner Erkenntnisse vor die Füße fallen lassen - wenn er, wie sie unter sich sagten „gut drauf" war. Aber dass er sie um ihre Meinung gefragt hätte, dass war nun wirklich noch niemals vorgekommen. Für ihn waren die beiden Hilfskräfte und sie hatten als solche zu funktionieren. Dass ihm insbesondere Yasmina nicht gleichgültig war - das hat allenfalls die überkorrekte Kantigkeit seiner Ausdrucksweise wohltuend abgeschliffen - und immerhin, das war ja auch schon was. Aber dass sie jetzt plötzlich jemand ganz zwanglos und ohne hierarchische Vorbehalte in das Geschehen mit einbezog - das ließ das ohnehin schon angefachte Glimmen in Ihren Augen geradezu strahlend aufglühen. Und nach ihrer Meinung befragt, meinten sie auch doch dazu etwas meinen zu müssen - und es gab auch tatsächlich so einiges, das sie durchaus dazu zu meinen hatten - z.B. als der Bericht über Substanz X eintraf. Belcanto warf einen Blick hinein,

und erläuterte dann das Ergebnis. (Er wusste wohl, dass er es eigentlich dem Inspektor als erstem mitteilen hätte müssen. Aber den vor Neugierde bettelnden Blicken der beiden Damen, der süßesten Versuchung, die es je gab, zu widerstehen – das wäre doch wirklich zu viel verlangt!)
„Zunächst ist eines klar - das Fischfutter und das was den Horror-Kühen vorgesetzt wurde, ist ein und dieselbe Substanz. Unsere Vermutung hat sich bestätigt und damit sind wir ein gutes Stück weiter. Zum anderen hat sich herausgestellt, dass das Futter kaum pflanzliche Bestandteile enthält. Es handelt sich um tierische Fette und Eiweiße und um geringfügige noch unklare Verschmutzungen chemischer Art. Viel weiter sind wir noch nicht. Wir haben das Zeug nach einigen der wichtigsten illegalen Zusätze von Futtermitteln untersuchen lassen. Chlorunkakenorp war drin enthalten, ansonsten ist die Untersuchung negativ ausgefallen. Wissen Sie, meine *signorine*" - innerlich musste er über sich selbst lachen, weil er fühlte, dass er jetzt seine hoheitsvolle Miene als Bedeutungsträger aufsetzte - „wissen Sie, wir haben da ein Problem. Wir können ein solches Gemisch aus verschiedenen chemisch kompliziert zusammengesetzten Stoffen, nur dann erschöpfend ergründen, wenn wir wissen, nach was wir überhaupt fahnden. Natürlich lassen wir jetzt im nächsten Schritt untersuchen, ob der Stoff der an die Rindviecher verfüttert wurde aus Geflügelmehl, aus Hammelmehl, Kuh-, Pferde- oder Schweinemehl besteht. Sollte darin aber zum Beispiel die Abfälle aus der Verarbeitung australischer Kängurus oder afrikanischer Strauße enthalten sein, so kommt das bei einer solchen Untersuchung nicht so ohne weiteres heraus. Noch schlimmer ist es, wenn völlig neuartige Chemikalien zugesetzt sind, von deren Zusammensetzung und Wirkung wir überhaupt noch keinen Schimmer haben."
„Und die Lieferanten des Pulvers – die müssten uns doch darüber einiges erzählen können!" warf Judith ein.
„Ach ja, die Lieferanten! Ob die gerade den Wunsch verspüren, uns bei unseren Ermittlungen zu unterstützen, ist mehr als fraglich. Außerdem wären wir glücklich, wenn wir die erst einmal hätten. *Naturalmente* gibt es gute Gründe zu mutmaßen, dass da gewisse Querverbindungen zu dieser komischen Viehfutter-Lobby bestehen, zur – na, wie heißt sie denn gleich?" Judith half ihm geflissentlich aus seiner Gedächtnislücke herauszukriechen: „ Sie meinen die AVA! Den komischen Club, den der Fritz Meyer anführt!"
„*Si, si* - natürlich die AVA. Aber bevor wir die Bande aufscheuchen, sollten wir etwas außen herum ermitteln - um dann mehr in der Hand zu haben.
Übrigens: Die Rechnungen des Fischfuttervertreibers lauten auf >Health Food Europe<. Niemand kennt die Firma so richtig. Wir sind schließlich bei einer *societá di comodo* – wie sagen Sie nur? – Firma mit Briefkasten in Vaduz gelandet. Da kommen wir nicht weiter – wenigstens vorläufig nicht. Und den klangvollen Namen dessen, der unsere Mörderrindviecher mit Futter versorgte, habe ich gerade nicht mehr im Kopf. Aber unsere Suche endet ebenfalls im Liechtenstein – und damit ist Feierabend! Wir sind schon darauf angewiesen noch andere Spuren aufzufinden. Ich kann

nur sagen, dass die Handschrift dessen, der für diese Ereignisse verantwortlich ist, tatsächlich etwas diabolisches an sich hat. Aber bis wir dem *diavolo* das Handwerk legen, haben wir noch ein gutes Stück Arbeit vor uns. *Signorine*, wenn sie mit einer Idee schwanger gehen sollten?!"
„Vielleicht" - so Judith, die ihre blonde Mähne ebenso affektiert wie effektvoll zurückwarf, ganz in der Art eines TV-Spot-Models für ein Haarpflegemittel, was der *Commissario* mit sichtlichem Wohlgefallen registrierte - „sollten wir uns alle die Fälle, die wir in den letzten zwei bis drei Jahren ungeklärt in die Abgründe unseres Archives befördert haben, nochmals vornehmen. Möglicherweise haben wir eine gewisse Chance, dass da irgendwo ein Ansatz zu finden ist, von dem aus wir eine direkte Verbindung zu unserer aktuellen Geschichte ziehen können."
„Oh ja „ - Yasmina wurde ganz aufgeregt - „ich weiß auch nicht so recht warum! Nur so ein Bauchgefühl. Irgendwie kommt mir da das Großfürstin-Emilia-Stift in den Sinn. Da ist unter den alten Leuten die Todesrate ganz plötzlich so angestiegen, dass die Statistik total außer Rand und Band geriet. Unser Boss ließ uns nachforschen, aber wir konnten nichts finden - absolut nichts. Mag aber doch sein, dass irgendwer den Senioren Klopse aus dem Tiermehl vorgesetzt hat - oder die Spagettisoße damit verfeinert!"
„Oh ja – unsere Yasmina hat, das müssen Sie wissen *Commissario*, immer eine blühende Phantasie. Tatsächlich sind wir damals der Sache nur mit gedrosselter Energie nachgegangen, denn außer dieser statistischen Häufung von Todesfällen hat es weitere keinerlei Anhaltspunkte gegeben – wohl aber eigenartige Merkwürdigkeiten.
Ja und in einer Zeitung – >Das Blatt< war's wohl - habe ich auch irgend etwas über einen Vorfall in einer Zuchtanstalt für Fasanen gelesen. Da war was passiert: Die Vögel wären ohne ersichtlichen Grund ganz wild geworden und hätten nach ihren Pflegern gehackt. Zwei der Wärter hätten ernsthafte Augenverletzungen erlitten. Und plötzlich waren alle Tiere verschwunden. Dennoch Tiermehlklopse im Altersheim - Ich weiß nicht so recht!"
„*Signorine*, in diesen verteufelten Zeiten kann man wirklich nichts ausschließen – *niente* - gar nichts. Es hat schon was für sich unlängst bestattete Fälle wieder zum Leben zu erwecken. Ich kann dazu nichts sagen. Aber wenn Sie, meine Damen, sich die Mühe machen, die alten Akten wieder auszukramen, und wenn Sie Judith, *cara mia*, vielleicht noch nachprüfen, ob Sie den Bericht über die Fasanen irgendwo auftreiben können, dann will ich versuchen den Inspektor dafür zu erwärmen."

Erwartungsgemäß hielt sich die Begeisterung des immer noch auf der Krankenstation festgehaltenen Inspektors in Grenzen. Doch er wolle, wie er meinte, die Sache nicht behindern. Irgendwie muss man ja jeder Spur nachgehen. Hinsichtlich der Vorschläge der beiden Damen gab er sich, als ob er schmunzele: „*Commissario*, kennen sie den? Zwei Herrn sitzen in einem Lokal und bestellen ein Menü mit Suppe, Tafelspitz und Nachtisch. Der Kellner deckt das Hauptgericht auf und die beiden stellen fest, dass sie nichts weiter als eine große Platte mit Rollmöpsen erhalten. Sagt der eine: > Herr Ober! Wir wollten doch nicht die Möpse, wir wollten den anderen Hund, den Spitz. Wie kommen sie denn dazu....< >halt, stopp, halt ein!< wirft der andere dazwischen. >Der Ober kann doch gar nichts dafür. Es war die Köchin! Die ist blöd!< >Das stimmt!< sagt der Ober und geht ab. >Nanu< fragt der erste, >woher weißt Du denn, dass die Köchin so ein bisschen na ja...< >Ist doch klar – ich habe in der Suppe ein blondes Haar gefunden<.

Belcanto fühlte sich nicht besonders wohl bei dem Gedanken, Witze auf Kosten seiner beiden doch recht geschätzten Bekanntschaften hinnehmen zu sollen. Er mochte intelligente Frauen, während er für idiotische Witze wenig übrig hatte. Und daher bemerkte er leichthin, wie so nebenbei: *„Va bene* - Sie haben ja recht, lieber Inspektor: *Belle bionde* mögen – wenn sie das aus Ihrer reichen Erfahrung heraus so sagen –eben so sein. Aber was unsere beiden Damen anbelangt, da gehe ich jede Wette mit Ihnen darauf ein - die beiden sind ganz bestimmt nur blond gefärbt."

$€

Ich und der ALTE waren eines
„Wie hat Ihnen der Einblick ins Kriminalistenmilieu der Landeshauptstadt gefallen? Ich rieche ja schon förmlich, dass Sie schon ahnen, wer hinter dem allen - nein nicht hinter allem, aber doch hinter so einigem - steckt. Und Sie haben natürlich völlig recht. Auch der *Commissario* - gar nicht so dumm der Typ - ist schon auf der richtigen Spur. Nur - was kann es ihm schon nützen?
Ihr denkt natürlich, dass ich Euch Menschenbrut das alles nur antue, weil ich Euch hasse! Aber da fühle ich mich wirklich gründlich missverstanden von Euch. Das müssen Sie von mir wirklich nicht glauben. Ich will Ihnen überhaupt nichts Böses. Ich will nur, das Sie mich alle richtig lieb haben, mich richtig verehren. Warum wollen Sie mich den eigentlich nicht lieb haben? Sehen Sie – solange Sie das nicht wollen – da bin ich ja gezwungen Sie züchtigen, damit Sie endlich beginnen mich so richtig in Ihr Herzchen zu schließen. Habe ich nicht recht? Es steht ja schon in der Bibel: >Wer seinen Sohn liebt, der züchtigt ihn!< Und die Bibel hat doch immer recht! Sie können das selbst nachlesen! Schlagt nach bei Jesus Sirach 30,1. Oh ihr meine Söhne und Töchter! Kauft Euch Bibeln. Nur das müsst ihr tun. Ich will für Sie – ganz persönlich nur für Sie - schon die richtigen Stellen heraussuchen, genau wie es Eure Priester und Schriftgelehrten und vor allem Euere evangelikalen Evangelisierer und Euere Kreationisten machen. Was denken Sie, was ich und was meine Lelipi denen schon alles in ihre gespitzten Ohren geflüstert habe. Und all diese hübschen Stellen will ich auch für Sie ganz genau und ganz korrekt auslegen – immer schön nach der alten Theologenweisheit:

>Im Auslegen seid frisch und munter,
legt Ihr nicht aus, so legt ihr unter!<

Bitte nehmen Sie dass nicht allzu ernst – war nur 'n kleiner Scherz (hat sich der Wolfgang G. ausgedacht). Oh Ihr meine Lieben! Ich werde doch nur aus meiner innersten Sehnsucht heraus, aus der tiefsten Tiefe meiner Empfindung und Zuneigung zu Euch heraus dazu getrieben Euch alles Böse zu tun, damit Ihr mich endlich – endlich! - richtig lieb habt. Aber so lange Sie das nicht wollen, Sie verdammtes ungehorsames Gesindel, so lange müssen Sie eben die Folgen tragen. Und die können wahrhaft sssatttanisch sein.

Ihr werdet mich besser verstehen, wenn ich Euch erzähle, wie das alles gekommen ist. Ich war nämlich nicht immer das, was ich heute bin, und in mancher schwachen Stunde überkommt mich auch eine süße Versuchung, mir einzureden, dass ich auch nicht immer bleiben will, was ich heute bin. Aber was soll's. Weg mit den trüben Gedanken. Als Satan muss ich, wie Satanello sagt, immer >schön cool< bleiben.

Im Anfang – damals da waren ich und der ALTE eines.

Sie möchten das nicht glauben? Kann ich ja gut nachfühlen, dass sie sich scheuen das glauben zu möchten. Aber Sie sollten es glauben. Ich sag's ja, es wird Zeit, dass sie wieder mal die Bibel zur Hand nehmen. Sehen sie sich doch mal die allerhöchsten Anweisungen von IHM an – die gegen Kanaaniter und die Hethiter und alle die anderen von seinen Anhängern überfallenen Völker an:

> *Wenn der Herr, Dein Gott, Dich in das Land geführt, in das Du jetzt eindringst, um es Dir als Besitz anzueignen, wenn er die vielen Völker aus dem Wege schafft – Hethiter, Girgaschiter und Amoriter, Kanaaniter und Perisiter, Hiwiter und Jebusiter, sieben Völker, von denen jedes mehr Volks und mehr Macht hat als Du – wenn der Herr, Dein Gott, sie Dir ans Messer liefert und Du sie niederwirfst, dann sollst Du sie mir als Weihegabe vernichten.**
>
> *Du darfst keinen Vertrag mit ihnen schließen und sie nicht verschonen und Dich nicht mit ihnen verschwägern. Deine Tochter gib nicht einer ihrer Söhne, und eine Tochter von Ihnen nimm nicht für Deinen Sohn. Denn wenn Dein Sohn verleitet wird, nicht mehr mir zu folgen, sondern anderen Gottheiten zu dienen, wird der auflodernde Zorn des Herrn Dich vernichten.*
>
> *Daher sollt ihr das ihnen antun:*
> *Ihr sollt ihrer Altäre einreißen, ihre Kultmale umhauen und ihre Götterbilder verbrennen.*
> **Deuteronomium (5. Mose) 7,1-5**

(* Die modern Bibelübersetzungen geben das sehr verharmlosend wieder: „...dann sollst Du sie bannen!" Was immer das bedeuten mag!)

Oder denken Sie nur an SEINEN liebevollen Hinweis, wie pädagogisch sensibel Eltern mit ihren aufmüpfigen Söhnen umzugehen haben:

Wenn ein Mann einen störrischen und widerspenstigen Sohn hat, der nicht auf die Stimme seines Vaters und seiner Mutter hört, und wenn sie ihn züchtigen und er trotzdem nicht auf sie hört, dann sollen Vater und Mutter ihn packen, vor die Ältesten der Stadt und die Torversammlung des Orts führen und zu den Ältesten der Stadt sagen: Unser Sohn hier ist störrisch und widerspenstig, er hört nicht auf unserer Stimme, er ist ein Verschwender und Trinker. Dann sollen aller Männer der Stadt ihn steinigen, und er soll sterben.....
Deuteronomium (5. Mose) 21,18-21

Ganz schön satanisch, was ER da befiehlt. Sehen Sie - damals waren wir beide nicht nur ein Herz und eine Seele, nein wir waren wirklich ein- und derselbe. Ich war in ihm und er war in mir. Er ließ die Sonne aufgehen über Gerechten und Ungerechten und ich ließ als harmonische Ergänzung die Stürme heulen und schleuderte mit Blitzen um mich und zerschmetterte mal Gerechte, mal Ungerechte – wie es gerade kam. Er gab den Seinen Anweisungen, wie sie sich wohl verhalten sollten, damit es ihnen wohl ergehe – und ich feuerte die meinen an, die auch die Seinen waren, Kriege vom Zaun zubrechen, die männlichen Bewohner der eroberten Städte zu schlachten und ihrer Frauen zu schänden. Ich war einbezogen in das, was er tat, und er war mit voll eingespannt in das, was ich tat:
Greifen Sie zur Heiligen Schrift! Na ja – schön! In den populären Übersetzungen, werden alle die Stellen, die deutlich machen, dass ich daran mitgearbeitet habe, gerne vorsichtig aber effektiv abgemildert. Wenn ich für Sie, für Sie und nur für Sie aus einer unverfälschten Übertragung zitiere, dann schlackern Ihnen aber Ihre süßen kleinen Öhrchen!

Wenn der Herr, Dein Gott, sie in Deine Gewalt gibt, sollst Du alle männlichen Personen mit dem Schwert erschlagen. Die Weiber aber, die Kinder und Greise, das Vieh und alles, was sich sonst noch in der Stadt befindet, darfst Du Dir als Beute aneignen. Was Du bei Deinen Feinden geplündert hast, darfst Du verzehren, denn der Herr, Dein Gott, hat es dir geschenkt.
Deuteronomium (5. Mose) 20,13-14 (über die ferne liegenden eroberten Städte)

Aus den Städten dieser Völker jedoch, die Dir der Herr, Dein Gott, als erblichen Besitz gibt, darfst Du nichts, was atmet, am Leben lassen. Vielmehr sollst Du die Hethiter und Amoriter, Kanaaniter und Perisiter, Hiwiter und Jebusiter mir zu Weiheopfer vernichten.
Deuteronomium (5. Mose) 20,16-17 (über die nahe liegenden eroberten Städte)

Doch der Keim unseres Auseinanderlebens war schon lange zuvor gepflanzt worden. Er lag in dem Unglück, das wir beide zunächst auch noch in schöner Gemeinsamkeit hervorriefen, indem wir uns sagten >Nun lasset uns Menschen machen!<.

Ja - das haben wir uns gesagt. Und wenn Sie es nicht glauben, dann sehen Sie doch in der Bibel nach – ganz vorne Genesis 2,21 auf katholisch und 1. Mose mit der gleichen Nummer auf protestantisch. Und dann haben wir den Menschen gemacht, Eueren Urvater Adam, und nach einigen hin und her hatten wir es auch noch hingekriegt Euere Urmutter Eva zu schaffen. Die musste uns noch um einiges besser gelingen – ich meine irgendwie formschöner – damit sie auch unangezogen anziehend auf den Adam wirkte. Klappte auch alles ganz gut. Wir hatten ja von der Anfertigung von ihm her schon einige Erfahrung. Die Haare so auf der Brust zu verteilen, das haben wir bei ihr gelassen. Das sieht affig aus und außerdem fehlen sie dann ihm auf dem Kopf. Bei ihr haben wir das besser hingekriegt und auch so manch´ anderes sieht bei ihr hübscher aus. Ich bin auch richtig stolz darauf, denn die speziellen besseren Teile habe ich machen dürfen. Sie wollen das nicht glauben? Nein? In der Bibel Gen (1. Mose) 1.27 steht doch: >Er schuf den Menschen IHM zum Bilde, nach SEINEM Bilde schuf er ihn. Und er schuf sie als einen Mann und eine Frau.< ER konnte die typisch weiblichen Formen gar nicht alleine formen, denn er musste sich ja in seine weibliche Gestalt verwandeln und mir Modell stehen. Auch die typisch männlichen Teile musste ich von ihm in Lehm abkupfern. Da rede ich aber ungern drüber, denn die sind mir nicht ganz originalgetreu geglückt. Letztlich hat ER dann doch den beiden Erdklumpen seinem Atem eingehaucht – ER selbst spricht immer von >Odem<, weil ER meint, dies klänge poetischer.

Doch kaum fingen die beiden an zu krabbeln, da hatten wir auch schon die Bescherung: Denn dann kam IHM plötzlich in den Sinn, ich solle mich vor Adam und Eva verneigen. Reichlich schizophren! Habe ich natürlich nicht gemacht. Er hat das ja auch nicht gemacht! Warum sollte ich das dann tun? Warum sollte ich, der Ältere, denn ER lange zuvor aus Feuer geschaffen hatte – warum sollte ausgerechnet ich vor denen niederfallen, die auch ich zusammen mit ihm mit meinen eigenen Händen aus Dreck geschaffen hatte? Hätte ER´s gemacht, hätte ich´s wohl auch gemacht – hätte ich mir wenigstens vorstellen können. Aber so habe ich IHM auch ganz klar gesagt, was ich will und was ich nicht will. Ich wollte nicht das tun, was er wollte, dass ich tue. >Mit mir nicht< habe ich gesagt. >Bevor ich denen da Respekt erweise - Revolution!

        Daa dda diiii da diiii da diiiiiiii ddda ddda,
        daa daa diiii daa, da dda diiii!<

Die Menschlein da sollten doch mir Respekt erweisen, und dann können sie ja hinterher auch dem Alten Respekt erweisen - ist mir doch egal. Kein Problem - solange der Adam nur nach mir kommt. (Ganz unter uns: wär´s nur um die knusprige Eva gegangen, da wäre ich – möglicherweise! - nicht so pingelig gewesen!) Aber der Alte blieb hart. Und mit dieser Zumutung hat er sich von mir abgesetzt. Da waren wir nicht mehr wir, sondern da war ganz plötzlich ER und da war dann auch ganz überraschend für mich ganz plötzlich ich. Aber wenn schon ich, dann wenigstens ICH!!!

Also so - so kam´s zur Trennung. Und das hat so richtig höllisch wehgetan. Stellen sie sich vor, wenn siamesische Zwillinge auseinander geschnitten werden – ohne jegliche Betäubung! Genau so war das. Ob ER es wohl auch gespürt hat? Ich hoffe das doch!
Manchmal, wenn mich so eine depressive Brise anhaucht, kommt es mir vor,, als war es nicht nur so, sondern als sei es immer noch so!
Ganz typisch wieder, dass dies alles in den Evangelien nur angedeutet wird. Die berichten ja so was von einseitig – immer stellen sie sich nur hintern IHN. Nun ja – dafür berichtet ganz ausführlich der Koran darüber. Die heilige Schrift der Moslems! Ja, die macht wirklich eine ganz hervorragende *publicc relations* für mich. Das häufigste Stichwort in dem heiligen Buch ist – Sie können mir das ruhig glauben! - das Wort >Hölle<.
Ich selbst werde gern mit einem hübschen Namen belegt. Ich heiße >Iblis<. Wie >Teufel< ist es aus dem griechischen >Diavolos< verballhornt. Aber ich höre es gerne – Iblis – das Wort hat so einen hübschen Klang. Und ich bin immerhin die Nummer Zwei in der Rangfolge der Wort-Häufigkeit in dem Buch. Ach ja, der Koran wäre mir fast so ans Herz gewachsen, wenn ich wirklich eines hätte, wie die Bibel!"
Meinen Höllensturz beschreiben sogar vier verschiedene Stellen in dem Buch. Die sind allerdings ebenfalls erläuterungsbedürftig. Das muss man alles erklären, exegetisch auslegen - und das ist ja gerade meine Spezialität:

Und wahrlich erschaffen haben wir (der ALTE) den Menschen aus trockenem Lehm, aus schwarzem zur Gestalt geformten Schlamm.
Und die Djinnen erschufen wir zuvor aus dem Feuer des heißen Wüstenwindes.
Und denke daran, wie Dein Herr zu den Engeln sprach:
Sehet, ich bin dabei den Menschen zu erschaffen aus trockenem Lehm, aus schwarzem zur Gestalt geformten Schlamm.
Und wenn ich ihn nun vollendet geformt habe und ihm eingehaucht habe von meinem Geist, dann fallet vor ihm nieder und verehret ihn.
Und alle Engel fielen vor ihm nieder.
Nur Iblis, der wollte vor ihm nicht niederfallen.
ER sprach: Oh Iblis, was ist der Grund, dass Du nicht niedergefallen bist?
Und der sprach: Niemals werde ich niederfallen vor einem Menschen, den Du aus trockenem Lehm, aus schwarzem zur Gestalt geformten Schlamm gemacht hast.
Er sprach: Hinweg von hier (aus dem Himmel). Du bist der Verworfene, den alle steinigen sollen.
Verflucht sollst Du sein bis zum Tage des Gerichts.
....
Und Iblis sprach: Mein Herr, Da Du mich verstießest, will ich wahrlich sie mit schönen Schein betören und ich will sie alle in die Irre führen, außer Deine erwählten Diener.
Koran Sura 15, 26-40

Der Mohammed hat sich die Geschichte nicht nur so aus den Fingern gesogen. Darüber wird schon in einem Buch aus der Zeitenwende berichtet, in der Vita Adam und Eva. Die schildert den Sachverhalt zum ersten Mal und ganz genau, und darum hat man das eben weder in das Alte noch in das Neue Testament aufgenommen. Die haben eben auch damals schon Politik gemacht in ihrer Publizistik:

Und aufseufzend sprach der Teufel: Adam, meine ganze Feindschaft, mein Neid und mein Schmerz gegen Dich kommt daher, dass ich Deinetwegen vertrieben und entfremdet wurde von meiner Herrlichkeit, die ich im Himmel mitten unter den Engeln hatte, und weil ich Deinetwegen auf die Erde hinabgestoßen worden bin. Adam antwortete: Was habe ich Dir getan und was ist meine Schuld Dir gegenüber?.............
Der Teufel antwortete: Adam, was sagst Du da zu mir? Um Deinetwillen bin ich von dort verstoßen worden. Als Du geschaffen wurdest, wurde ich von SEINEM Antlitz verstoßen. Als ER den Lebensodem in Dich blies, und Dein Gesicht und Gleichnis nach SEINEM Bild geschaffen wurde, brachte Dich Michael und gebot Dich anzubeten in SEINER Gegenwart, und ER, der Herr sprach: Siehe Adam, ich schuf Dich nach meinem Bilde und Gleichnis.
Und Michael kam herauf und rief allen Engeln zu: Betet SEIN, des Herren, Ebenbild an, wie ER, der Herr, es befohlen! Und Michael selbst betete ihn (den ersten Menschen) als erster an., dann rief er mich und sprach: Bete an SEIN Ebenbild!
Und ich antwortete: Ich brauche Adam nicht anzubeten. Und als Michael mich drängte ihn anzubeten, sprach ich zu ihm: Warum drängst Du mich? Ich werde doch den nicht anbeten, der geringer und jünger ist als ich? Ich bin vor ihm erschaffen worden. Ehe er geschaffen wurde, war ich schon geschaffen worden. Er sollte mich anbeten. Als dies die anderen Engel hörten, die mir unterstanden, wollten sie ihn nicht anbeten.
Und Michael sprach: Bete SEIN (des Alten) Ebenbild an! Wenn Du es nicht tust, so wird ER, der Herr, in Zorn geraten über Dich.
Und ich sprach: Wenn er über mich in Zorn gerät, werde ich meinen Thronsitz hoch hinauf heben über die Sterne des Himmel und ich werden IHM, dem Höchsten, gleich sein.
Und ER, der Herr, geriet in Zorn über mich und verbannte mich mit meinen Engeln von unserer Herrlichkeit, und so wurden wir um Deinetwillen aus unseren Residenzen in dieser Welt vertrieben und auf die Erde verstoßen. Und dann überfiel uns Betrübnis, weil wir so großer Herrlichkeit verlustigst waren. Und Dich in solcher Freude und Wonne sehe zu müssen, das brachte uns großen Kummer. Und mit List umgarnte ich Dein Weib und brachte es dahin, dass Du ihretwegen von Deiner Freude und Wonne vertrieben wurdest, genauso wie ich vertrieben wurde von meiner Herrlichkeit
Das Leben Adam und Evas 12-17

Natürlich fiel ich – nein fielen wir, ich mit meinen Leuten – aus allen Wolken, als mich der ALTE da einfach von Michael mit der Lanze so mir nichts dir nichts nach unten schubsen ließ, und das nur weil ich ihn einmal – das erste Mal seit unserer beider gemeinsamen Existenz - widersprochen hatte.
Einmal ist doch eigentlich keinmal sagte die Jungfrau und – na ja, es ist schon hart, wenn einem nur, weil man einmal was gemacht hat, gleich die dicken Brocken um die Ohren fliegen. Und das obwohl wir doch bis dahin so exzellent zusammen-gearbeitet hatten.
Es wird ja oft auf riesigen Hochaltargemälden dargestellt, wie ich so aus dem Himmel flog. Ja, ja – auch die Frommen – und gerade die - weiden sich gerne am Unglück anderer Leute. Und um denen eine echte Schadenfreude zu bereiten, hat man das dann auf den Prachtgemälden so dargestellt, als ob ich kopfüber wie ein Felsbrocken herunter geschleudert würde und ungespitzt in die Erde donnerte, dass der Dreck nur so spritzte. Ich aber sage Euch: Glaubt das nicht – wirklich nicht! So war das nämlich nicht. Auch die Evangelien schildern das hanebüchen falsch: Dort steht zwar: >ich sah den Satan wie einen Blitz vom Himmel fallen.< Aber so schnell ging das nicht. Ich bin zwar gefallen – eigentlich weniger gefallen als gepurzelt - ganz langsam Stück für Stück immer wieder ein bisschen tiefer nach unten und dann noch ein kleines Stückchen nach unten.
Das ging eher frei nach Hölderlin:

> Doch uns ist gegeben,
> auf keiner Stätte zu ruhn;
> es schwinden, es fallen
> die teuflischen Engel
> blindlings von einer
> Stunde zur andern,
> wie Wasser von Klippe
> zu Klippe geworfen,
> endlos ins Ungewisse hinab

Genau so wie der Dichter empfand, dass es ihm selbst erging, und wie er ganz selbstverständlich meinte, auch allen andere Menschen müsse es so ergehen, so ist es uns ergangen. Er hat uns als Vorbilder für sein depressives Empfinden herangezogen.
Und heute wird unser Fall sogar regelrecht nachgespielt. Ich sage nur eines – Bunjeespringen! Genau so war´s.
Ich habe mich ganz so wie ein Flummi gefühlt, bin heruntergefallen wieder hochgetatzt, wieder nach unten geschwebt und wieder etwas in die Höhe gehupft – solange bis ich ganz unten war.
Ja, ja – ich weiß, Sie wollen einwenden, beim Bunjee käme man nie ganz unten an. Ja sicher – meist bleiben sie auf halber Höhe hängen. Aber nicht, wenn es mit dem Teufel zugeht. Und manchmal lasse ich´s mir einfach nicht nehmen, das Spiel so realistisch zu beenden, wie sich das für die irren Dummbeutel, die da am Gummiband herumhopsen, gehört.

Aber mein Bunjeegespringen - ich kann Ihnen sagen – das hat sich hingezogen. Da sind Jahrhunderte – was sage ich, Jahrtausende - darüber vergangen. Und manchmal will mir so eine dümmliche Stimme ganz tief in meinem Inneren einreden, dass das auch jetzt in Wirklichkeit noch gar nicht zu Ende sei. Zwar wäre ich im Augenblick ganz tief unten, aber ich würde doch vielleicht auch wieder ein ganz klein bisschen hoch gezogen. Aber ist natürlich alles kompletter Quatsch – das mit dem Gummi, der noch nicht abgerissen wäre und das mit der inneren Stimme und so.
O.k. - nach der allerersten Phase meines Fallens war ich noch gar nicht so sehr tief abgesackt. Ich gehörte immer noch zum Hofstaat des Alten. Schlagt nach bei Hiob alias Iob 1,6-22. Da bin ich der Ankläger vor seinem Thron und der Vater aller Denunzianten. Ich will Euch gleich das alles noch ausführlich erzählen, damit Ihr mich versteht und mich so richtig lieb gewinnt.
Aber jetzt will ich erst beobachten, was hier und dort passiert. Ich bin gleich wieder da und blas' Euch meine spannenden Erlebnisse in die Öhrchen. Bitte bleiben Sie dran!"

€$

Was den Satan interessierte waren die beiden Gestalten, die in dem verrotteten und vermüllten Keller des seit eineinhalb Jahren stillgelegten Fasanenhofes herumwühlten. Eingehüllt in schlapprige Regenmäntel und vermummt mit schwarzen Kopftüchern, hätte er sie nicht erkannt, wenn er nicht – schließlich ist man ja der Satan! – gewusst hätte, wer sich da auf seinem Bildschirm tummelte. „Teufel noch mal - die bringen es ja fertig, selbst den Satan noch zu verblüffen!" murmelte er vor sich hin! Hätte nie, nie, niemals gedacht, dass die beiden immer so penibel auf ihre Erscheinung achtenden Damen, sich derart in Sack und Asche hüllen."
Judith bekam eine Hustenkrampf, denn Yasmine hatte bei dem Versuch alte Kisten und Kartons von einer Blechtonne herunterzuheben, eine Staubwolke aufgewirbelt, die selbst in den gebündelten Strahlen ihrer Taschenlampen als grausiges Grau erschien.
„Ich verstehe ja, dass Du dem *Commissario* imponieren willst, Judith! Und Deine liebe Freundin Jasmina ist kein neidisches Weibchen. Das sei Dir alles gegönnt! Deshalb helfe ich Dir ja jetzt, meine Liebe! Aber vielleicht war es doch keine so gute Idee von Dir in dieses Rattenloch einzudringen. Hier werden wir nichts finden, in dieser Dreckshölle von Gerümpel."
Orginaldenke Satan: „Hölle – wenn die Menschen von ihrer mir mit Abstand am wohlgefälligsten Erfindung faseln – dann bin ja wohl ich gefragt. So, wie die da durch den Müll schlurren, finden die nie was. Aber machen wir ihnen die Freude. Lassen wir sie das Zeug entdecken. Mal sehen was draus wird. Wenn es dann einen Höllenspaß gibt, habe ich bestimmt nichts dagegen.

Nur - soll ich jetzt Höchstselbst eingreifen oder jemand beauftragen? Ich denke ich schicke ihnen lieber jemanden!"
Und so kam es denn auch, dass etwas vor Judiths Füßen kräftig raschelte: „Mein Gott Yasmina! – hier gibt's Ratten!„
„Iwo, Judith, das ist nur 'ne Maus – n'bisschen groß geraten vielleicht!" Jasmina war es gelungen das Tier mit dem Strahlenkegel ihrer Lampe anzuleuchten und seinen irren Zickzackkurs zu verfolgen. „Das Tierchen hopst herum wie ein Känguru. Ich wusste gar nicht, dass eine Maus so tolle Sprünge machen kann!"
Die Maus vollführte noch eine Hopser, der in eine tiefen Dröhnen, ähnlich dem eines angeschlagenen Gongs, ausklang. Judith setzte den Nager mit ihrem Strahlenkegel ins rechte Licht. Der Winzling sitzt auf einer verrosteten Eisenblechplatte, machte Männchen und scheint sie anzulachen. Die beide glaubten so etwas wie ein leises „Hi Hi Hi Hiiih" zu vernehmen. „Jasmina, da – eine Abdeckung. Sollen wir vielleicht...?"
Sie wollen zwar, aber die Platte war weitaus gewichtiger, als sie sie eingeschätzt hatten. Sie einfach so hoch zu heben, das klappte nicht.
„Manchmal wären Männer doch zu was gut! Aber was soll's – was die in den Schultern haben, haben wir in den kleine grauen Zellen!"
Jasmina regt an die Metallplatte nicht hoch zu heben sondern einfach hoch zu kippen und dann auf den Rücken fallen zu lassen. Mit erheblichem Kraftaufwand schaffen sie es die Zwei das Ding hoch zu kriegen. Aufatmend lassen sie es zu Boden donnern. Vor ihnen tut sich ein rechteckiges Loch auf. Der Lichtkegel von Jasminas Leuchte dringt hinein und beide schreien auf. Sie haben vor sich einen offensichtlich trockengefallenen Kanal. Unten türmt sich ein wüster Haufen von Gerippen. Denen haften noch Federn an – Fasanenfedern. Daneben ganze Berge gefüllter, mit Schnüren nur recht notdürftig zugezurrter Papiersäckchen. „Jasmina, das könnte das Pulver sein. Aber da bringen mich keine zehn und auch keine zwanzig Pferde runter!"

„Ihr braucht die Gäule doch gar nicht," murmelt der Satan vor sich hin. Er ist heute besonders guter Laune. Schließlich ist selbst er für die Reize der beiden nicht völlig unempfindlich, obwohl er sich bewusst ist, dass er das in seiner Position eigentlich sein müsste. Zudem amüsiert er sich über ihre Nacht- und Nebel-Aktion köstlich. So reicht er ihnen durch seinen Bildschirm hindurch den Bischofstab hinunter, den er stets um sich hatte. (Schließlich weiß man ja nicht, wann und wie man so was mal brauchen kann! Diese Bischofstäbe eignen sich hervorragend zum Langziehen von Hammelbeinen! Das hat schon so manches Schaf zu spüren bekommen.) Jasmina ist verwundert, dass sie erst jetzt, da sie die Lampe wieder auf das Gewirr im Keller richtet, den Krummstab entdeckt: „Mensch Judith, es müsste doch mit dem Teufel zugehen, wenn wir damit nicht ein paar Säckchen heraufangeln könnten!"

$

Ein Schauspiel ganz im Sinne des Satans entwickelte sich, als auf seinem Bildschirm das Chefzimmer im AVA-Haus erschien. Fritz Meyer faltete Konrad zusammen. Das hörte sich auch für die Mitarbeiter in weiter entfernten Räumen unangenehm an. Doch sie kannten das schon: Jedes Mal, wenn der Chef anfing grob zu werden, erwies sich seine quäkende Stimme als besonders durchdringend.

Konrad Konrad hatte einige schlaflose Nächte lang überlegt, ob es eine Möglichkeit gäbe, den Kurs der AVA zu verändern. Dann hat er eine Aktennotiz für den Chef verfasst, deren Formulierungen er selbst bis soeben für ein Musterbeispiel politischer Raffinesse gehalten hatte:

„Aktennotiz für Herrn Direktor Fritz Meyer
Wie ich, der ich die Pressemeldungen über uns zu kontrollieren habe, mit großem Bedauern und mit einer gewissen Besorgnis feststellen muss, hat der Ruf der AVA in der letzten Zeit in der Öffentlichkeit stark gelitten. Das hat besonders damit zu tun, dass die AVA sehr hartnäckig darauf beharrte, die 113 von den Behörden der veterinärärztlichen Untersuchung zugeführten Rinderkadaver in ihre Verfügungsgewalt zu bekommen. Das geht so weit, das die AVA über politische Lobbyarbeit versucht, eine Wiederaufnahme des für sie ungünstig verlaufenen Gerichtsverfahrens zu erreichen.
Ich möchte vorschlagen dies doch alles nochmals zu überdenken, die Anfechtung des Urteiles aufzugeben und öffentlich zu erklären, dass inzwischen keinerlei Interesse mehr daran besteht die besagten Tierkörper zu übernehmen.
Die AVA sei vielmehr selbst an der Durchführung einer objektiven veterinärärztlichen Untersuchung interessiert.
Meines Erachtens können wir erheblichen Boden damit wieder gut machen, dass wir eine entsprechende Meldung über die Medien verbreiten."

Fritz Meyer hatte nur einen Blick darauf geworfen, und dann Guste Languste beauftragt ihm den Konrad Konrad herbeizuschaffen, „tot oder lebendig," wie er ingrimmig schnauzte. Meyer war so was von wütend. Um in sich den Gedanken aufkommen zu lassen, dass es vielleicht gar nicht so besonders klug sein könnte, seinen Mitarbeiter gerade in dieser Angelegenheit in übelster Weise herunterzuputzen, hat er sich zu wenig Zeit gelassen.
Er ließ Konrad Konrad vor seinem Schreibtisch stehen und ärgerte sich darüber, dass dieser keinerlei Anstalten machten die Hacken zusammenzuschlagen.
So begann er seine kraftvollen, streckenweise saftigen Ausführungen mit: „Wie kommen Sie dazu...."
Was danach folgte wollen wir lieber überhören, zumal sich der Satan selbst veranlasst sah, sich Watte in die Ohren zu stopfen. Der Chef beendete seine Philippika mit den Worten:
„Da geht es um Geld - um viel Geld. Sie sind ausschließlich dazu da unsere Interessen zu vertreten und nicht dazu zum Rückzug zu blasen. Ich möchte so was von Ihnen nie wieder hören!
Mann - denken Sie doch daran, dass Sie hier gutes Geld verdienen."

Konrad Konrad antwortete nur: „Jawoll Herr Meyer", drehte sich um und ging.
Für Konrad Konrad war nunmehr klar, dass er sich fortan ernsthaft darum kümmern müsste, sein mehr oder auch weniger gutes Geld an anderer Stelle zu verdienen. Seine Tätigkeit hier konnte wirklich nicht der Sinn seines Lebens bleiben.
Guste Languste versuchte ihn zu trösten und fragte, ob er wirklich geglaubt habe, diesen Verein hier zu einer Änderung seiner Strategie bewegen zu können: „Es wäre besser gewesen, Du hättest mich ins Vertrauen gezogen und mir die Notiz zu lesen gegeben, bevor Du sie unserem freundlichen Chef reingereicht hast."

$

„Nun meine Lieben, ich bin ich wieder da – ganz für Euch da! Und für Sie soll es sich lohnen, dass Sie vor dem Bildschirm ausgeharrt haben. Ich erzähle Ihnen nämlich jetzt die heißesten Geschichten meiner *cooperation* mit dem ALTEN in den Zeitläufen, da ich zwar auf dem Weg nach unten, aber eben noch nicht ganz tief unten angekommen war. Ich befand mich also sozusagen *in between*, zwischen Oben und Unten, sozusagen *between the Devil and the deep blue sea*.
Und da habe ich eines Tages - und ich bin stolz darauf, weil ich das richtig fein ausgeheckt habe - die Menschen vor dem ALTEN bezichtigt, dass sie ihn nur deshalb anbeteten, damit er sie gut behandele. Nein – nein lieben, lieben täten sie IHN nicht! Warum sollten sie auch?! Sie täten nur so, damit ER ihnen ein gutes Leben ermögliche. Ausgerechnet dieser Hiob! Der kann gut gottesfürchtig sein. Der hat ja nun alles was ein Mensch so braucht – und noch ein bisschen mehr - ein ganz schönes bisschen. Aber er, der Teufelseibeiuns, der soll ihn mal so richtig reintunken in die, in die – na Sie wissen schon!. Dann sieht das gleich ganz anders aus. Dann schreien sie gleich: >Warum geht es mir so dreckig. Das ist doch nicht gerecht. Wenn es einen Teufelseibeiuns gibt, dann soll er mir doch helfen.< Und schon sind sie so weit und glauben, dass es IHN gar nicht gibt.
Mich selbst ließ er ja nicht richtig ran an den Hiob. Was mit den Menschen zu tun hat - da war er zu der Zeit noch eigen. Das wollte er alles selber machen. Aber - ihr müsst zugeben: Damals habe ich den Alten nochmals ganz schön dran gekriegt. Der hat den Hiob so richtig auf den Misthaufen gesetzt. Zum Schluss sogar wortwörtlich. Ich wusste zwar von vorne herein, dass das nichts bringt mit dem Hiob. Der ließ sich durch nichts erschüttern. Aber es war für mich ein Höllenspaß den Alten dazu zu kriegen, dass er den armen - Teufel hätte ich fast gesagt – , den armen Hiob so recht mit echt satanischen Methoden zugerichtet hat.
Gerechtigkeit? Liebe? Gnade? Eitel war er der ALTE, verteufelt eitel. Wollte unbedingt bestätigt haben, dass er um seiner selbst willen geliebt wird. Na ja – die Bestätigung hat er dann schließlich und schlussendlich gekriegt. Aber was war das doch für ein Theater, das ER deswegen in

Szene gesetzt hat – und ich, nur ICH allein habe es geschafft ihn dazu anzustiften. Das hätte keiner sonst hingekriegt – der bombastische Michael nicht, und der sanfte Gabriel schon gar nicht.
Ach ihr Menschenbrut – ihr seid doch – na ein bisschen naiv seit ihr schon. Ihr denkt immer der Satan ist an allem Schuld – der legt Euch Fallstricke aus, zwängt Euch in Zwickmühlen ein, führt Euch in Versuchung. Hand aufs Herz – auch Sie denken das doch. So nach der Melodie:

Groß' Macht und viel List,
sein' grausam Rüstung ist.
Auf Erd' ist nicht seinsgleichen!

Letzteres stimmt. Der Satan ist durch nichts zu ersetzen – nehme ich jedenfalls mal an! Dieser heiße Song von dem Doktor Martinus! Der alte Knabe erkennt mich wirklich einmal richtig an und das erkenne ich wiederum an. Doch die Sache mit der „großen Macht und viel List" und meiner ausführlichst besungenen Fähigkeit zur Versuchung - das glaubt ihr doch alles nur, weil ihr die Bibel nicht lest. Steckt Euer Nase da mal richtig hinein und Euch werden die Augen aufgehen! Schaut Euch doch 'mal das Vaterunser an - die sechste Bitte!! Wenn Sie das aus dem Katechismusunterricht nicht mehr im Kopf haben, dann zählen Sie doch nach! Wie betet Ihr da doch:

Und führe uns nicht in Versuchung!

Und wen ruft Ihr da an – bitte sehr?! Doch nicht etwa mich! Dazu fordert Ihr doch IHN auf. ER soll Euch keine Fallstricke stellen! Die Herrn Cölibatäre denken bei der Sechsten Bitte natürlich immer an Sex. Typisch!
Nebenbei bemerkt, das Cölibat habe ich der Kurie eingeflüstert. Ja ICH! Und da bin ich stolz drauf! Das bringt mir wirklich was. Wenn Sie den Leuten den Sex und die Liebe verbieten, kommen die im Handumdrehen in einen Zustand - da denken sie letztlich nicht mehr an IHN, sondern immer nur an das EINE. Die Aktion von damals mit dem Vatikan, die haben wir als unser satanisches Projekt so richtig durchgezogen und sie ist ein Selbstläufer von einer gar nicht zu überschätzenden Nachhaltigkeit.
Aber nehmen Sie erst die letzte, die siebte Bitte des Gebetes! Endlich, endlich! Die sorgt jetzt wirklich dafür, dass der Satan einen Platz im Gebet erhält. Da wird dann munter nachgehakt:

Sondern erlöse uns von dem Üblen.

Die Frage ist, ob das denn wirklich einigermaßen logisch ist: Wenn ER selbst der Versucher ist, der Euch die Fallen stellt, in die ihr dann so schön hineintappst, warum sollt ihr dann von meiner Wenigkeit erlöst werden? Nun – ich kann Ihnen das erklären! Auch zur der Zeit, da Jesus als Wanderprediger durchs Land zog und das Vaterunser als exklusives Standartgebet vorstellte, gab es immer noch einen Rest von Zusammenarbeit zwischen dem ALTEN und mir. Er war meist der Gute, ich der Üble. Einige Male

– zugegebenermaßen nicht immer und auch nicht so sehr häufig - haben wir auch die Rollen vertauscht. So ganz auf der Talsohle war ich auch zu der Zeit noch nicht angekommen. Ich hatte mich übrigens immer wie verrückt darum gerissen, den Bereich >Versuchung< an mich zu bringen. Keine Chance – das wollte ER immer höchst selbst in der Hand behalten.
Na – mit dieser siebten Bitte des Vaterunsers – das hat mir zwar zunächst richtig geschmeichelt. Ich habe aber dann schnell Bedenken bekommen. Dafür hatte ich auch meine Gründe: Warum sollten die Leute immer an der falschen Stelle an mich erinnert werden? Deshalb habe ich den modernen Bearbeitern der Evangelien und Übersetzern – wenn man sie so nennen darf – eines eingeflüstert: Sie sollten einfach aus dem Gebet ein N auslassen. Statt vom Üblen ist lediglich noch vom Übel die Rede. Wo ist den jetzt wohl Euer Satan abgeblieben? So einfach ist es den Satan los zu werden – denkste! >*Den Teufel spürt das Völkchen nie* ....<
Meine Verschleierungstaktik hat schon mit der lateinischen Fassung des Gebetes angefangen. Mein G... - oh – fast hätte ich's wieder gesagt – wie lange ist das schon her? Das war damals eine der einfachsten Übungen! Den Hieronymus, der sich das leistete - das Ding mit der Übersetzung aus dem Griechischen - den habe ich >den Üblen< mit *malum* übersetzen lassen. Nun – *a malo* kann bedeuten >vom Übel< oder >vom Apfel<. Und prompt haben sie alle an Adam und Eva gedacht und an die Frucht, die als die Ursache allen Übels galt. Und keinen störte es, dass das in Wirklichkeit eine Feige gewesen war.
Ach - diese ganze Adam und Eva Geschichte! Die hat sich ja noch lange vor der Arie mit dem Hiob abgespielt. Aber dabei war ich gar nicht selber tätig. Das hab ich an die Lelipi delegiert. Und die wurde auch aktiv – in Schlangengestalt natürlich. Eines der wichtigsten meiner Prinzipien: Immer die Frauen vorschicken, besonders wenn´s abwärts geht. Die Lelipi hat dann auch eine ziemliche Bauchlandung gemacht. Ich finde auch, dass der ALTE da nicht ganz fair gehandelt hat. Er hat ihr die Schuld daran gegeben, dass Adam und Eva das falsche Obst verzehrt haben. Aber war er nicht in Wirklichkeit der Versucher? Hat er ihnen den komischen Baum mit den Feigen nicht vor die Nase gepflanzt >lieblich und schön anzusehen?< Er sollte doch wissen, dass das nicht gut gehen kann! Und wie sollten die beiden denn nur die Lelipi als die Böse erkennen, wenn sie erst von der Frucht kosten mussten um überhaupt erst mal zu wissen, was gut und böse ist? Ist das den logisch? Ich habe doch die Situation die ER vorgegeben hat, nur ausgenutzt. >Lelipi,< habe ich zu Lelipi gesagt, >das ist doch eine Chance für uns. Wenn Du die Beiden dazu kriegst, dass sie sich die Frucht einverleiben, dann wissen sie plötzlich was gut und böse ist. Du musst sie dann nur noch – aber möglichst rasch – zu dem anderen Baum, dem Baum des Lebens, hinführen und sie davon naschen lassen. Dann haben sie auch noch das ewige Leben und sind wie Gott. Das ist doch unser Punkt, unser immerwährendes Anliegen, dass wir es schaffen neben Gott noch andere zu setzen, die ihm gleich und mit ihm gleichberechtigt sind. Und die werden uns dankbar sein, die beiden, dass wir so ein

upgrading mit ihnen gemacht haben. Und wenn wir dann alle zusammenstehen - Du natürlich und ich und der Adam und seine Eva, dann haben wir die Mehrheit. Was soll der ALTE dann gegen uns ausrichten. Den überstimmen wir glatt. Und wenn er nicht spuren will, muss er es spüren. Wäre uns doch ein seelischer Reichsparteitag, wenn wir ganz friedlich zusehen könnten, wie nun ER die Reise nach unten antritt."
Doch dann – dann haben die beiden alles vermasselt – aus lupenreiner Dummheit. Kaum haben sie vom Baum gefressen, fangen sie an sich zu schämen – nur weil sie nackt waren. Dabei war ständig so angenehm laue Luft im Paradies. Meine Lelipi hat sich so was von abgemüht sie noch zum Baum des Lebens hin zu lotsen. Aber die – nein, wenn ich nur daran denke werde ich so erbittert wütend auf Euch Menschenbrut – die haben nichts besseres zu tun, als in den Büschen herum zu kriechen und *ihre hot spots* mit Blättern zu garnieren. Als der ALTE dann auftauchte, war alles verloren. Der hatte schnell herausgekriegt, was los war. Und er wollte natürlich keine Götter neben sich haben. Von seinem Standpunkt aus kann ich das sehr gut nachvollziehen. Ich hätte das, wie ich mich kenne, genauso gemacht – da bin ich mir absolut sicher!.
ER hat den nächsten und letzten Schritt zur Göttlichkeit, den Genuss vom Obst des ewigen Lebens, sofort unterbunden. Und als er dann die beiden hochkant aus dem Paradies warf, stellte ich fest, nicht ohne klammheimliche Freude, dass er doch noch einiges von mir in sich hatte: Erst den Beiden die herrlichsten Früchte vor die Nase setzen - und sie dann, wenn sie zugreifen, kurzerhand rausschmeißen! Das Stückchen hätte doch auch von mir sein können.
Aber was soll's - mir konnte das nur recht sein. Raus mit den beiden – Dummheit gehört bestraft. Nur - dass er dann die Lelipi dazu verurteilte Erde zu fressen und auf dem Bauch zu kriechen - das hat mich dann doch gewurmt – ehrlich. Dagegen musste ich was unternehmen. Ich habe dem ALTEN dann eingeredet, wenn er schon Feindschaft säe zwischen der Schlage und dem Weib, dann sollte er doch, um die Damenwelt so richtig zu verunsichern, möglichst viele Arten und Unterarten von Schlangen in den schillernsten Farben und mit den zackigsten Mustern erschaffen, und sie überall herumkreuchen lassen. Wie soll ER dann noch merken, wo sich gerade meine Lelipi herumschlängelt. Die habe ich dann klammheimlich wieder zu mir geholt. Offen gesagt ist mir völlig klar, dass er den Trick schon durchschaut hat. Ich habe immer darauf gewartet, dass er sich dazu mal äußert. Aber darauf hat er bisher verzichtet.
Den Klerikern, die sich mit der Exegese der Schöpfungsgeschichte herumschlagen, habe ich einen andern Namen genannt. Ich habe ihnen was von Lilith vorgeflunkert – und dass die eine aufregende Frau gewesen sei. Man muss Klerikern nur eine Hauch von Sex servieren. Die fahren sofort darauf ab, schieben alles darauf, und merken überhaupt nicht mehr, dass da noch ganz andere Fallstricke in der Gegend herum liegen.
Ihr Menschen wisst also seit der Zeit, was gut und böse ist. Aber was hilft es Euch? Dies Wissen bezahlen Sie teuer damit, dass Sie der Sterblichkeit

45

unterworfen sind. Und manchmal kommt mir doch in den Sinn: Das ist auch gut so! Vielleicht hat der ALTE doch in dem einen oder andern Punkt mal recht. Denn wenn man sieht, wie dämlich Ihr elenden Erdenwürmer Euch verhaltet, obwohl Ihr sterblich seid, dann muss sich unsereins doch fragen: Wie würdet Ihr Euch erst benehmen, wenn Ihr unsterblich wäret. Ich bin sicher, dass würde selbst dem Satan zu bunt. Glaubt Ihr denn wirklich Ihr seid viel besser als ich?
Aber nun scheint sich wieder etwas im Kommissariat zu tun. Ich denke wir sollten jetzt mal da rein gucken. Sie wissen ja bereits wie es geht: Ich schalte um und sie entfalten ihre eigene Imagination. Fernsehen ist nur dann kreativ, wenn es sich auf dem Bildschirm im eigenen Kopf abspielt.

$€

Und wenn er unsterblich wäre – der Mensch
Wenn Belcanto seine Augen weit aufreist und seine Stirn mit lauter kleinen Querfalten verziert, dann ist davon auszugehen, dass er etwas ganz entscheidendes entdeckt hat. Nun - seine Querfalten sind jetzt gerade besonders tief ausgefurcht.
Was ist denn das? Wolken auf dem Bildschirm? Sie ziehen einem heftigen Wetter gleich ganz plötzlich von unten herauf und hüllen den *Commissario* ein. Dann tun sich zwischen ihnen Lücken auf. Der blaue Himmel blinkt durch und in orangenen Farben wächst eine Schrift heraus:

THEAVISION
Der folgende Beitrag ist gesponsert von der Gottheit

Neuer Text – jetzt in giftigem Grün:

Und wenn der Mensch unsterblich wär......

Eine blaue Kugel erscheint, rotiert im Rhythmus von sphärischen Klängen. Die Kamera rückt näher erfasst Kontinente und Meere, dann Länder Gebirge und Seen, dann Wälder und Wiesen und Bäche. Dazwischen Leben – Vögel, die herum fliegen und vor sich hin singen, irgendwo in lockeren Eichenhainen Hirsche, die ihr mächtiges Geweih heben, dort wieder weit im Süden in offenen Savannen Elefanten, die mit ihren Rüsseln ihrer Babys kraulen und dann wieder ganz in Norden zwischen weißen Gletscherströmen ebenso weiße Eisbären, die miteinander balgend durch den Schnee kullern und sich gegenseitige über die Abbruchkanten der Gletscher ins eiskalte Meer schubsen. Dazwischen ganz vereinzelt ein paar Menschen - schwarze, braune, weiße - , die versonnen und heiter mit Sonnenschirm im Sonnenschein oder mürrisch und mit umwölkter Stirn mit Regenschirm im Wolkenbruch spazieren gehen.
Und dann passiert es: Die Menschen vermehren sich - erst kommt ganz langsam da einer und dort einer dazu, dann schießen immer mehr immer schneller wie die Pilze aus dem Boden. Ihre Zahl verdoppelt sich erst in

Minuten, dann in Sekunden und schließlich in Bruchteilen davon. Die halbe Erde ist schon völlig überdeckt mit Menschen, und dann ist es auch schon die ganze. Alle Pflanzen sind zertrampelt, nur noch die stärksten Tiere bleiben übrig. Sie werden eingekesselt, der Menschenring um sie herum wird immer enger bis von allem anderen Lebendigen nur noch ein zerquetschter Brei unter den Füßen der Zweibeiner bleibt. Jetzt da die Menschenmassen dicht auf dicht wie auf dem Reichsparteitag in dem Film von der Riefenstahl stehen, aber die ganze Erde über- und überdecken, sollte eigentlich Ruhe sein.

Doch weit gefehlt. Die Geschichte geht weiter. Eine *Gang* von starken Männern überwältigt die anderen, fesselt sie, kastriert sie, türmt sie übereinander zu Bergen. So wird Platz geschaffen. Ein Viertel der Erde ist jetzt schon von Menschenstapeln bedeckt. Den Rest haben die wenigen Starken für sich frei gefegt. Aber die Erde ist wüst und leer, nur gelber Sand und fahlweißer Stein. Wohltuend nur fürs Auge das Blau des Meers. Die dominanten Typen holen sich einzelne, dem Morden gerade noch einmal entkommene Gefangene heraus und stehen mit einer Peitsche hinter ihnen. Die müssen jetzt die Erde mit Farben bemalen. Sie müssen rosenrote, sonnenblumengelbe und romantikblaue Blumen malen, dazu grünes Laub und dazwischen Tiere mit bräunlichem Fell.

Doch ehe die Jammergestalten ein Zehntel des freien Geländes angepinselt hatten, haben sich die dominanten Typen schon wieder vermehrt und vermehrt und immer schnelle vermehrt und jetzt greifen sie sich schon wieder gegenseitig an. Ein jeder will den andern in Ketten legen, aufs Haupt hauen und den Rest auf die bereits vorhandenen Stapel türmen.

Es ertönt eine Stimme:

„Die Unsterblichkeit des Menschen hier auf Erden zu wünschen – das ist eine Idee, die nicht einmal der Satan haben kann."

Ein feuerroter Schriftzug taucht auf.

Das ist das Ende

Neue Schrift:

Sie sahen eine Illusion der
THEAVISION

Dann verziehen sich die Wolken so schnell, wie sie gekommen sind, und dahinter tauchen wieder die malerischen Stirnfalten Belcantos auf – jetzt in einer Grossaufnahme.

$€

Die Rätsel des Großfürstin-Emilia-Stiftes
Der *Commissario* nahm die Säckchen mit dem verdächtigen Pulver aus dem Fasanenhof entgegen und leitete sie sogleich zur Untersuchung ins Labor weiter. Er wusste, dass es jetzt an ihm war den beiden Blondinen ein dickes Kompliment zu machen. Gefährlich niedrig über seiner Zunge flatterte so was wie: „Das ist ja superphantastisch meine Damen – ich wusste gar nicht, dass sie so viel körperlichen Einsatz bringen können!"
Es gelang ihm gerade noch mit einem beachtlich hohen Aufwand an Anstrengung den Satz herunterzuwürgen, woraufhin ihm ein Rülpser entfuhr. Er entschuldigte sich dafür und beschränkte sich darauf sich lebhaft für die geleistet freiwillige Zusatzarbeit zu bedanken, und er schloss mit: „*Lavorare* – mit solchen Einsatz - das ist eben typisch *tedesco*!" Der *Commissario* kannte sich zugegebenermaßen gut in allen Satansangelegenheiten, in Teufeleien und in Hexenkünsten aus, aber über die derzeitige Situation in der Bundesrepublik besaß er keine aktuelleren Erkenntnisse.
„Das Beste kommt immer zum Schluss!" sinnierte er, als die beiden dann auch noch die Mappe mit ihren Recherchen zu den Vorfällen im Großfürstin-Emilia-Stift auf den Tisch legten.
Bereits nach flüchtiger Durchsicht der Unterlagen war er überzeugt, dass an den Mutmaßungen von Yasmina etwas dran sein musste. Innerhalb von drei Jahren, waren in diesem Heim 177 alte Leute gestorben. Dem statistischen Mittel nach – darüber hatte er sich selbst in den letzten zwei Wochen schlau gemacht - hätten es unter Berücksichtigung der Zahl der Insassen auf der einen und dem Alter der Verblichenen auf der anderen nur 53 sein dürfen. Er hat sich auch die Mühe gemacht, den Altersdurchritt der Dahingegangenen mit dem statistische Soll-Sterbealter zu vergleichen. Der war gut um ein 17 Monate zu niedrig.
Das ganze sah so aus, als ob eine Epidemie ausgebrochen wäre oder sich eine heimtückische schleichende Krankheit im Altersheim festgesetzt hätte. Doch auch eine mehrmalige Durchsicht des Berichtes ergab keinerlei Hinweise auf irgendeine mehr oder weniger auffällige Häufung ansteckender Krankheiten.
Merkwürdig war nur:
Alle Dahingeschiedenen wurden auf dem stiftseigenen Kirchhof bestattet. Und: Den Totenschein hatte immer nur ein und derselbe Arzt ausgestellt. Yasmina war behilflich die gesammelten Kopien der Totenscheine herbei zu schaffen. Und sie hatte auch gleich die Auswertung übernommen. Bei 158 von den 177 Verstorbenen war als Todesursache Herzversagen eingetragen.
Die tüchtige Blondine wies in einer Aktennotiz auch gleich auf die höchst bemerkenswerte prozentuale Diskrepanz in der Verteilung der Todesursachen hin.
„Heißen Dank *Signorina*. Das haben Sie wirklich gut gemacht. Ich denke diesen *Signore Dottore* – den kauf ich mir!" bemerkte der *Commissario* und in Gedanken fügte er für sich selbst hinzu: „Da brauch´ ich gar keine

Statistik dazu um zu sehen, dass da was faul sein muss. Wo bleiben die zu erwarten Krebserkrankungen, Nierenversagen, Demenzerkrankungen? Doch vielleicht sollte ich auch das *alá teutonica* solide absichern, bevor ich es mit dem Inspektor bespreche. Ich brauche noch statistische Daten – und zwar die einer Krankenkasse."
Die pfiffige Yasmina konnte diesmal nicht weiterhelfen, doch Judith wusste Rat. Wir wissen ja bereits, dass die Mischung aus Eleganz, Intelligenz und aus Handlungskompetenz, die sie verkörperte, den *Commissario* Belcanto als unwiderstehlich empfand. So zögerte sie auch nicht lange ihren Ex-Freund Klemens zu beanspruchen, zu dem sie nach wie vor ein ausgeglichen neutralfarben freundschaftliches Verhältnis pflegte – nur sehr gelegentlich unterbrochen von kurz aufflackernden Blitzgewittern in wesentlich intensiverer Farbigkeit. Klemens arbeitete im Archiv der APL, einer Agentur, die sowohl mit Kranken- als auch mit Lebensversicherungen befasst war. Natürlich hätte Klemens ohne offizielles Gesuch polizeilicher Dienststellen nie die statistischen Angaben über die prozentuale Verteilung von Exitus-Ursachen gegliedert nach Altergruppen aus dem Computer herausziehen dürfen. Aber Judiths vielversprechenden Augen im Sinne – und außerdem war es ja ohnehin für eine gute Sache! Er stufte das Ganze für sich als eine private Form der Amtshilfe ein. Und als solche erwies sie sich denn ja auch. Klemens schaffte es sogar die prozentuale Streuung der Herztode über sieben Jahre hinweg seinem Rechner zu entlocken.
Während der Gute zwei Abende für seine Fleißarbeit (sowie für ein verheißungsvolles Lächeln Judiths) geopfert hatte, genügt dem *Commissario* ein Blick auf die Tabellen, um sicher zu sein, dass da etwas vor sich hatte, was er auch dem Inspektor vorlegen konnte.
Zuvor versuchte er natürlich noch den „*Signore Dottore*" ausfindig zu machen. Der war tatsächlich inzwischen selbst als Insasse im Grossfürstin-Emilia-Stift gelandet. Auf seinen Anruf im Stift hin – der *Commissario* hat sich selbstverständlich als Großneffe des Arztes ausgegeben - wurde ihm deutlich bedeutet, der Exdoktor sei weder in der Lage Verwandte zu erkennen, noch überhaupt eine vernünftige Unterhaltung zu führen. Ob er angesichts dieser Situation einen Sinn darin sähe, seinen Großonkel aufzusuchen - dies müsse er schon selbst entscheiden. Belcanto versuchte dort unerwartet aufzukreuzen, wurde auch zwar sehr unwillig, aber immerhin vorgelassen. Doch dann hatte er einen Patienten mit Alzheimer im fortgeschrittenen Zustand vor sich. Da war wirklich nichts mehr zu holen.
Der Inspektor war schon einigermaßen überrascht, dass Belcanto ihm, der erst gestern aus dem Krankenhaus entlassen worden war, bereits heute morgen einige neue interessante Ergebnisse vorlegen wollte. Zwar hatten sie ständigen Kontakt miteinander gehalten, aber der *Commissario* hatte auf die Frage nach weiteren Ergebnissen in letzter Zeit einsilbig reagiert: Er könne noch nichts genaueres sagen.
Müller-Gürtelneurose teilte auch die Ansicht des *Commissario*, dass da ein Kriminalfall vorliege, und er ließ sich sogar zu der Bemerkung hinreißen: „Da hat Yasmina tatsächlich einen recht guten Riecher gehabt!" Diese

49

knappe Bemerkung war viel für ihn - war sie doch mit einer gewissen Neueinschätzung von Yasminas intellektuellen Fähigkeiten verbunden. Dies hätte er so allerdings nie wortwörtlich zugegeben, wenigstens beim derzeitigen Stand der Ding noch nicht.
Als Müller-Gürtelneurose aus einer Pause des Nachdenkens wieder auftauchte, blickte er Belcanto an, nicht ohne seinen Kopf leicht zu wiegen: „ Oh *Commissario*! Sie sind ein gutes Stück weitergekommen! Und doch hängen wir beide fest - wie mein Computer, wenn sein Arbeitsspeicher überlastet ist. Sicher - da steckt ein richtig dickes Ei dahinter. Sie haben da völlig recht. Aber natürlich wissen wir nicht, ob das alles wirklich mit unserem Fall zusammenhängt. Mag ja sein! Aber irgendeine Evidenz dafür haben wir nicht!"
„Noch nicht – im Augenblick leider noch nicht!" unterbrach ihn Belcanto. „Aber ich bin sicher, ein paar hübsche Ausgrabungen im *camposanto*, würden uns das nötige Beweismaterial liefern!"
„Das ist es eben, *amico mio*! Um Beweise sichern zu können, müssen wir den Beweis liefern, dass diese Beweise, auch wirklich das beweisen, was wir uns von ihnen versprechen. Das ist eben so hier bei uns in unserem Administrationistan! Was soll ich dem Staatsanwalt vortragen? Der wird seine Stimme zu einem sonoren Ton absenken:
>Mein Lieber< wird er sagen, >mein Lieber< - Sie müssen wissen Belcanto, hier bei uns bedeutet mein Lieber, soviel wie >Blödes – wie sagen Sie auf Italienisch? – Ach ja ich denke *buco del culo* – also *buco del culo*, bescheuertes, lass mich mit Deinem Quatsch in Frieden!< - Ja genau das wird er denken: >Was haben Sie denn für Beweise? Statistik! Ich bitte Sie Statistik! Das alles beweist doch nur eines: Der Arzt hat sich bei der Ausstellung der Totenscheine kein Bein ausgerissen. Aber das ist doch ganz normal. Davon kann man doch bei Gott keine fahrlässige Tötung, geschweige denn noch was schlimmeres, ableiten.<
Wenn ich die Genehmigung dafür bekommen soll den ganzen Apparat in Bewegung zu setzen – Ausgrabungen, Obduktionen, Hausdurchsuchungen, eventuell auch noch Festnahmen wegen Verdunklungsgefahr – dann benötigen wir mehr, viel mehr, wesentlich mehr Beweise für einen Verdacht, der bereits unmittelbar an Gewissheit angrenzt. Lassen wir das für heute. Ich bin auch noch etwas weich in den Knien. Schauen Sie heute Abend bei mir auf ein Glas Wein vorbei? Wie heißt es doch so schön: *In vino veritas*. Vielleicht bringt uns das ja ganz spontan auf eine Idee. Eine Idee, die die *veritas* ans Licht bringt, das ist das, was wir jetzt wirklich brauchen."
Und genau diese Idee lief dem *Commissario* über den Weg als er sich leicht enttäuscht entschloss, erst etwas mit den beiden blonden Damen zu plaudern, sich von ihnen seinen *Cappuccino* brauen zu lassen und dann einen Blick in „Das Blatt" von heute zu werfen, das Yasmina jeden Tag zu kaufen pflegte, um es in der Mittagspause zu lesen. (Manchmal hatte sie eben doch etwas Blondes an sich!)

Protest gegen eine Zufahrtsstraße
Plötzlich haut er, der *Commissario*, mit seiner flachen Hand auf die glatte Oberfläche des Schreibtisches. Es hörte sich wie ein Peitschenknall an: „*O Dio mio – questa cosa....*" Der Bericht, auf den sein Auge – genauer gesagt es sind eigentlich beide Augen – fällt, hat es in sich: Es geht um die dringend benötigte Zufahrt zu einem neuen Industriegelände. Die Heimleitung, aber auch alle Einwohner des Grossherzogin-Emila-Stiftes haben eine Demonstration dagegen inszeniert. Der Grund dafür: Für den Straßenabschnitt werden einige Quadratmeter des Kirchhofes benötigt, weswegen vier oder fünf Gräber verlegt werden sollen.
Später - beim vierten oder fünften Glas Wein im Appartement des Inspektors brachte der *Commissario* zum Ausdruck, dass das doch eine Gelegenheit sei „Material" für eine Obduktion zu beschaffen.
Müller-Gürtelneurose horchte zwar wie elektrisiert auf, gab aber zu bedenken, dass illegal beschafftes Beweismaterial keinesfalls verwendet werden könne:
„Mensch Belcanto, wenn wir das versuchten, wanderten wir beide in den Knast. Und eine Anklage wegen Leichenfledderei wird uns auch noch nachgeschmissen."
„Inspektor – wir wollen uns ja zunächst *con attenzione* nur für uns selbst Gewissheit verschaffen. Die gute Yasmina war von Anfang an überzeugt, dass das da irgend etwas war, das mit unserem Fall zu tun hat. Ich nehme das nach Studium der Akten ebenfalls an und Sie, Inspektor, - geben Sie es doch zu - verspüren auch so etwas wie eine leise Ahnung da ganz weit hinten in Ihrem Hinterkopf. Sollten wir durch die Ergebnisse widerlegt werden, brauchen wir das Material nicht. Sollten sich aber unserer Ahnungen bestätigen, so haben wir immer noch genug Zeit darüber nachzudenken, ob wir und wie wir das Material präsentieren."
„Mein Gott – Ihr Italiener, ihr macht so etwas mit einer entwaffneten Nonchalance. Mir ist zwar nicht ganz wohl bei der Sache! Aber mir ist noch weniger wohl, wenn ich daran denke, dass uns da was durch die Lappen geht. Wissen Sie, wir machen jetzt schön brav eines nach dem anderen. Als erstes besorgen wir uns die Pläne der Friedhofverwaltung und vergewissern uns, ob dort überhaupt der eine oder andere von den fraglichen Toten liegt. Wenn ja, erkundige ich mich, welcher Unternehmer für die Arbeiten zuständig ist. Dann sehen wir weiter."
„Na dann *salute* Inspektor! Und *buono successo!*"
„Ja Prost – vor allem darauf, dass wir mit dem Fuß, mit dem wir in der illegalen Sauce waten, nicht im Kittchen hängen bleiben."
„Aber lieber Inspektor – lassen sie uns munter waten. Wir sollten dabei wirklich keine kalten Füße bekommen."
Der Inspektor bekam jedoch welche. Es hat sich nämlich beim Studium des Planes schnell herausgestellt, dass die Toten, die dort bestattet waren, tatsächlich zu den Interessanteren unter den Entschlafenen gehörten.
Nun würde er nur noch ohne Gesichtsverlust aus der Sache herauskommen, wenn ihm der für die fraglichen fragwürdigen Arbeiten vorgesehene

Tiefbauunternehmer völlig unbekannt wäre. Das würde ihm dann wenigstens eine Ausrede liefern. Doch wie das Leben gerade in solch' heiklen Situationen so spielt: Er war ihm bekannt – sehr gut bekannt sogar. Und er war – das musste sich der Inspektor eingestehen - nach Lage der Dinge der denkbar geeignetste Mann für das riskante Unternehmen. Müller Gürtelneurose hatte ihn, Bert Bullrich, im Rahmen der Untersuchungen zu einem Mordfall kennen gelernt. Zwar hat sich schnell herausgestellt, dass B.B., wie ihn seine Angestellten, seine wenigen Freunde und natürlich auch seine um so zahlreicheren Neider nannten, gerade in dieser Hinsicht eine mehr als blütenweiße Weste hatte. Allerdings kamen bei der Gelegenheit einige Flecken anderer Art zu Tage - keine ganz so buntfarbig grellen zwar, aber immerhin Flecken. B.B. hatte eine nicht unwesentliche Zahl ausländischer Arbeitnehmer illegal beschäftigt. „Was sollen die armen Teufel denn machen, wenn ich ihnen nicht ab und zu eine Arbeit zuschanze?" versetze er auf die diesbezügliche Frage des Inspektors. Der führte bei sich eine innerliche Blitz-Gewissensumfrage durch mit dem ziemlich eindeutigen Ergebnis, dass letztlich nur die Illegalen darunter zu leiden hätten, wenn er die Angelegenheit aufbrächte. Dennoch erwiderte er trocken: „ Ihr Argument wäre wesentlich glaubwürdiger, wenn Sie die Leute auch nur einigermaßen anständig bezahlten. Dann wären es keine armen Teufel mehr. Sie beuten doch nur ihre Teufelchen schamlos aus." „Das könnte man eigentlich ändern!" warf B.B. hastig und wider seien Willen sogar etwas verschämt ein. Und so machten sie ab, das B.B. die Gehälter seiner Illegalen um 75 Prozent steigert, und der Inspektor dafür die eigentlich fällige Anzeige unter den Tisch fallen ließ. Ein Verfahren wäre B.B. noch wesentlich teurer zu stehen gekommen und Müller-Gürtelneurose wusste, dass B.B. das wusste und dass er deshalb bei ihm einiges gut hatte.
Dennoch bestand die letzte Hoffnung des Inspektors aus der leidigen vom *Commissario* angeregten Sache herauszukommen, darin, dass B.B. seine Beihilfe zur illegalen Sicherstellung von Leichen schlichtweg als ein viel zu gefährliches Unternehmen verweigerte. Doch B.B. fand – risikofreudig wie er nun einmal war – die ganze Vorhaben recht spannend. Kaum war er eingeweiht begann er auch schon sich über die Durchführung Gedanken zu machen:
„Wenn ich die Lage so richtig einschätze, haben wir gute Chancen, das Ding unbemerkt über die Bühne zu bringen. Die Arbeiten sollte nach dem ursprünglich Zeitplan erst in vier Wochen beginnen. Da aber Schwierigkeiten durch das Stift und dessen Trägergesellschaften zu befürchten sind, haben mich die Behörden dringend gebeten, die Aktion auf nächsten Freitag vorzuverlegen und die Aushebung der Gräber nachts vorzunehmen."
„Na ja," so der Inspektor, "theoretisch gesehen könnten wir die Toten dann übernehmen. Die sollten doch ohnehin irgendwo zwischengelagert und dann neu bestattet werden. Aber es geht doch nicht, dass wir die einfach so verschwinden lassen?„

„Da verschwindet auch nichts. Ihr bekommt die Toten in Säcken. Die Särge kommen, wie vorgesehen, ins Lager des Friedhofes. Dort wird ja kaum einer auf den Gedanken kommen, sie zu öffnen und reinzusehen. Und wenn doch, fragen wir mit unschuldigem Augenaufschlag: >Mein Gott wir - woher sollten ausgerechnet wir wissen wir wissen, dass da niemand drinnen war?<"
Belcanto war hellauf begeistert als er hörte, wie das Unternehmen abgewickelt werden sollte. Der Inspektor versuchte ihn zu dämpfen: „Aber passen Sie mal gut auf, mein Lieber! Wenn die Toten übergeben werden sollen, dann beginnen doch für uns erst die eigentlichen Schwierigkeiten. Wo soll ich sie aufbewahren? Durch wenn soll ich sie obduzieren lassen? Ich kann doch keine illegalen Aufträge an unsere Labors geben! Das geht hier bei uns einfach nicht! Wir sind nicht in *Roma nobile!*"
„Non c´e problema! Ich mache das schon. Ich schicke eine Mail nach Italien. Meine Kollegen fordern dann Amtshilfe an. Eine *cosa* finden die schon. Da kann mich ganz auf sie verlassen. Ihr stellt dann also ganz im Sinne unserer guten innereuropäischen *collaboratione* für unsere italienische Polizei die Kühlfächer zur Verfügung. Ob ihr dann auch für uns die Obduktionen macht, oder wir sie für Euch in der *Capitale* durchführen – das können wir dann entscheiden."
Das klang alles ganz gut. Dennoch überkamen Inspektor, als er sich zu Ruhe legte, um sich einen flüchtigen Fetzen Schlaf zu gönnen, so einige ihm nicht gerade sonderlich willkommene Gedanken. Doch gerade die hätte er sich ersparen können, hätte er gewusst, was der Satan schon im Voraus wusste.

Durch Misserfolg zum Erfolg
„Kommen Sie einfach mit Ihren Mannen so gegen drei Uhr in der Nacht vorbei, dann liegt alles für sie bereit." So hatte B.B. es vorsichtig am Telefon formuliert. Doch gegen halb zwei rief er nochmals mit hörbar atemloser Stimme im Büro an: „Inspektor! Blasen Sie alles ab." „Ja, mein Gott – was ist denn los?"
„Was los ist – es ist eben nichts los. Überhaupt nichts! Es gibt nichts! Es gibt keine Leichen. Es gibt auch keine Särge. In den Gräbern nichts als Erde. Wir haben nichts, aber auch gar nichts gefunden."
Belcantos spontane Reaktion: „*Dio mio* - Da werden meine Kollegen in der *Capitale* aber frustriert sein! Wieder nichts mit der Amtshilfe! Und dabei habe ich doch das alles mit typisch mediterraner Sorgfalt eingefädelt."
„Ach Belcanto, irgendwie haben wir hier kein Händchen für illegale Aktionen. Wir sollten das vielleicht so was besser lassen. Das ist ein Fehlschlag, wie er im Buchs steht"!
„Fehlschlag – sagten Sie Fehlschlag, Inspektor? Lassen Sie uns die Sache erst einmal persönlich überprüfen."
„Machen wir, machen wir - und Karsten, Dieter und die Erika aus dem Labor nehmen wir auch noch mit. Erst brauche ich aber einen Kognak, einen doppelstöckigen."

Trotz der Scheinwerfer, die sie in aller Eile noch hatten aufstellen lassen, brachte der Augenschein vor Ort auch nichts Neues. Sie hatten offengestanden es auch gar nichts anders erwartet."
„Ich fühle mich – ich kann es wirklich nicht anders sagen – echt beschissen. Wir hätten von vorneherein von der ganzen Sache die Finger lassen sollen. Wir sind keinen Schritt weitergekommen."
„Aber Inspektor. Das hier sieht mir eher aus, als hätten wir einen fundamentalen Durchbruch erzielt. Wir wissen jetzt, wonach wir in unserem Futtermitteln suchen müssen. Und da werden wir mit absoluter Sicherheit fündig. Und dann muss auch die Staatsanwaltschaft ordentlich mitziehen!"
„Sie meinen wirklich, dass....."
„*Si*, Inspektor, ich meine wirklich – *Io so*, ich bin mir sicher mit einer an Sicherheit grenzenden Wahrscheinlichkeit – das muss so sein!"
Die Bedenken, des Inspektors, dass bei einem Aufrollen des Falles vor der Staatsanwaltschaft ihre illegale Buddelei herauskämen, ließen sich rasch beiseite wischen: B.B. wollte ganz einfach eine Meldung machen. Schließlich seien leere Gräber kein alltäglicher Fall. So etwas dem Inspektor mitzuteilen, meinte er, indem er eines der verschmitztesten seiner jederzeit abrufbaren Lächeln aufsetzte, sei doch seine staatsbürgerliche Pflicht und Schuldigkeit.
Die Aufgabe erschien den Laborleuten so spannend, dass sie ihre TV-krimibekannte berufstypische Bedächtigkeit für eine Weile an den Nagel hängten und sich mit einer Zügigkeit, die ihnen selbst schon als Hast erschien, ans Werk machten. Schon am Nachmittag des Tages, der auf die Nacht des Unerwarteten folgte, kommt der Chefchemiker ohne anzuklopfen – was er sonst niemals unterließ – hereingeschossen, wirft seinen schnell heruntergekritzelten Bericht auf den Tisch und verkündet in ungewohnter Aufgeregtheit: „Es ist drin! Inspektor! Es ist drin!"
„Da haben wir ja doch wirklich Schwein gehabt, und Sie *Commissario* einen tollen Riecher! So ein Glücksfall. Und Hut ab vor´m Labor – gute Arbeit und vor allem schnelle Arbeit!" Müller-Gürtelneurose geriet so in Begeisterung, dass er um ein Haar seine übliche Steife aufgeweicht und dem Chemiker mit betonten Wohlwollen auf die Schulter geklopft hätte. Er schaffte es jedoch – kontrolliert wie er sich zu sein bemühte - gerade noch im letzten Augenblick seine schon erhobene Hand auch wieder betont lässig zurückfallen lassen.
„Menschliche Rückstände aufzuspüren ist an sich gar nicht so sehr schwierig, wenn man weiß, wonach man zu suchen hat!" meinte der Chefchemiker, indem er versuchte seinen Worten und Gesten einen Schein von Bescheidenheit zu verleihen. „Quantitativ gesehen hat die Probe der Substanz X aus dem Fischrestaurant einen Anteil von 33,72 Prozent an Humansubstanz ergeben, die Probe aus dem Fasanenhaus sogar 38,47. Und jetzt das Interessante: Das Fasanenfutter erbrachte nahezu das gleich Ergebnis wie die Probe aus der – wenn ich es einmal salopp formulieren darf - Zuchtanstalt für Terrorrinder. Die hatte einen Anteil von 38,76 an Humanmaterial.

Der gesamte Rest stammt nahezu vollständig aus der Tierverwertung – Schweine, Rinder – auch Hunde und Katzen."
Der Inspektor sah sich jetzt doch veranlasst wieder seine Miene allgegenwärtiger Vorsicht aufzusetzen und merkte an: „Aber dass das, was in den Gräbern nicht drin ist, im Viehfutter steckt – das muss ja erst noch erwiesen........"
„Na ja - Inspektor! Das zu klären - dazu sind ja schließlich wir da!" warf der *Commissario* ein und überlegte schon bei sich im Stillen, nach welchen weiteren Stoffen, insbesondere Chemikalien, er den Kannibalenfraß noch untersuchen lassen könnte.
Doch den Inspektor überkommt einen aktuellen Anfall nachdenkliche Betroffenheit, die seine anfängliche Euphorie abrupt verscheucht: „Mir erscheint es einfach unglaublich, dass da jemand fähig sein soll, Verstorbene in das Futter für Rindviecher reinzuschnippeln. Wir sollten vielleicht es doch vermeiden verfrühte Schlüsse zu ziehen. Für mich ist das schlichtweg unvorstellbar. So was hat es doch noch nie gegeben!"
„*Attentione*, Inspektor, jetzt sind es aber Sie, der voreilige Schlüsse zieht. So was hat es tatsächlich gegeben! Es existiert da sogar eine Tagebucheintragung von 1847 - und die stammt von keinem geringeren als Victor Hugo. Und der hat es wieder aus der britischen Presse. Geschäftstüchtige Leutchen hatten damals die mit Kadaverresten von Pferden vermischten Gebeine von Gefallenen auf den Schlachtfeldern von Austerlitz, Leipzig, Jena, Friedland, Eylau und Waterloo zusammengekratzt und nach England verfrachtet. Es soll sich um mehrere Schiffsladungen gehandelt haben. In Yorkshire wurden die gefallenen Helden zusammen mit ihren krepierten Rössern zu feinem Pulver zermahlen. *Si, si, si*, Inspektor - wie sagten doch meine geschätzten römischen Vorfahren >*dulce et decorum est pro patria mori*<.".
„Ja, ja - >süß und ehrenvoll ist es....< - na ja! Aber was hat man denn mit dem Pulver gemacht?"
„Dass wurde in Duncaster in Säcke verpackt und als Mastfutter verkauft."
„Eine wahnwitzige Geschichte! Das gibt dann einen hübschen in sich geschlossenen Kreislauf: Vom Schlachtfeld in den Rindermagen. Das so gefütterte Rind kommt in den Schlachthof und wird dort zu Roastbeaf verarbeitete. Damit stärken sich die Beefeater und die Soldaten ihrer Majestät und, wenn sie dann auf dem Schlachtfeld fallen - na ja - dann werden mit ihren Knochen wieder die hungrigen Rindermäuler gestopft. Ein wirklich perfektes *recycling*! Der Schleißheimer, mein Münchner Kollege, pflegt in solchen Fällen zu sangen: >Ja mai - des woas doch a jeder - der Möönsch is halt a Viach!"
Der Chefchemiker ganz aufgeregt: „Sie brauch gar nicht so weit zurückgehen! Haben Sie den >Spiegel< vom 5.9.2005 gelesen? Nein? Zwei britische Forscher behaupten, dass zusammen mit den von indischen Landleuten aus dem Ganges gefischten Kadavern von Rindern und anderem Getier auch halbverbrannte menschliche Körper nach Großbritannien verkauft und dort zu Futtermitteln verarbeitet worden seien. Darunter seien auch an CJK

Verstorbene gewesen. Über die Futtermittel sei die Krankheit auf die Rinder übertragen worden und hätte die BSE-Epidemie in England ausgelöst. Wie immer in solchen Fällen wird die These, dass der Leichenschmaus der britischen Rindviecher den Ausbruch von BSE initiiert habe, von anderen angezweifelt. Im Prinzip scheint sich jedoch auch heutzutage kein Mensch darüber aufzuregen, dass menschliche Leichen zu Futter verarbeitet werden und schon gar keiner findet etwas dabei, dass man pflanzenfressende Tiere mit Kadavermehl füttert! Und dazu sind dann auch noch die Überreste ihre Artgenossen drinnen!"

Der Inspektor: „Es ist einfach nicht zu fassen. Jede andere Kultur lehnt so was als barbarisch und unethisch ab. Die Neandertaler wären entsetzt, wenn sie erfahren könnten, was hier bei uns so gang und gäbe ist. Jetzt wundert mich gar nichts mehr. Sie haben mich überzeugt! Es ist bedauerlicherweise nicht auszuschließen, dass auch unser Fall etwas mit derartigen unappetitlichen Machenschaften zu tun hat!"

Der *Commissario*: „Ich vermute mal, Inspektor, das hinter unserem Fall aber doch noch ein bisschen mehr steckt. Wir sollten jetzt wirklich mit Nachdruck in dem Viehmehl nach Giften suchen, mit denen ein Herztod glaubhaft vorgetäuscht werden kann. Ich bin überzeugt, wir finden was! Falls meine Annahme richtig ist, dass die fraglichen 177 alle in den Rindermägen bestattet worden sind, dann ist es recht unwahrscheinlich, dass sie alle eines natürlichen Todes gestorben sind. Das ist doch irgendwie ganz schlüssig, Inspektor!"

„Teufel auch, *Commissario*. Vielleicht haben Sie recht! Wenn die Menschen erst mal der Leibhaftige packt......"

„*Io non so*, Inspektor – die Menschen machen es sich sehr sehr einfach. Sie schieben ihre Schandtaten alle dem *diavolo* in die Schuhe. So was ist kolossal bequem - damit ist man dann alle Verantwortung los. Aber ich meine, zu morden um Viehfutter zu erhalten, – zu so was ist doch nicht einmal der Teufel im Stande. Auf die Idee muss ihn erst das pervertierte Gehirn eines Menschen bringen."

„Sind Sie sich da sicher *Commissario*? Na ja - hat aber schon was für sich, was Sie das sagen!

„Wissen Sie was, Inspektor? Ich verrate Ihnen jetzt einmal etwas über das Geheimnis meines Recherche-Erfolges in supranormalen Fällen: Konzentrieren wir uns! Schalten wir einfach mal unserer Phantasie ein – Sie haben doch welche Inspektor, auch wenn Sie es nicht so gerne zugeben und immer den Nüchternen spielen - und lassen sie uns einen Blick auf den Bildschirm unserer Imagination werfen. Ich finde es schon *molto interesssante* mitzubekommen, was so im Augenblick gerade bei Teufels zu Hause diskutiert wird.

$€

Da ist doch ein Rinderfuß dran!
Satanello hatte zusammen mit seinem Vater und seiner Schwester die Vorgänge im Amt verfolgt. Er war jetzt aufgebracht - aber wie! "Was die da so herumlabern, dass Menschen bessere Teufeleien hinkriegen als wir! Das ist doch so was von bescheuert – aber echt! Da soll doch gleich...."
„Nicht so stürmisch junger Mann! Lass man gut sein, mein Sohn . Ich brauche etwas Zeit darüber nachzudenken."
„Wow Alter, wir sind doch die Satane! Ich kriege das nicht gebacken: Erst sollen wir die Menschen anbeten, und dann wollen sie auch noch besser sein, als wir! Oh mein – Scheiße, das darf ich ja nicht sagen – also, mich laust der Affe! So was abgefucktes! Das gibt´s doch nicht! Da müssen wir doch was dagegen tun!"
„Beruhige Dich, Söhnchen! Vielleicht wollen diese Leute ja endlich mich anbeten! Darum geht es doch! Das haben wir ja schon immer so gewollt! Lass mich mal gründlich nachdenken. Ich werde schon herausfinden, was das zu bedeuten hat."
„Ach Papa," meldet sich Satanella zu Wort "Nello hat schon recht. Das ist was oberfaul. Vielleicht will uns der ALTE wieder wie die rohen Eier behandeln - und in die Pfanne hauen! Da muss doch ein Pferdefuß dran sein an der ganzen Geschichte!"
„Pferdefuß, Pferdefuß! Was redest Ihr immer von Pferdefuß!"
„Na - Nella meint Deinen, Alter! Ist doch klar!"
„Aber Kinder! Das ist doch kein Pferdefuß. Ich habe keinen Pferdefuß, Ich habe etwas ganz anders.!"
„Aber Alter, die Leute denken doch alle, dass Du.........."
„Mein Sohn merke Dir eines: Die Leute sehen fern und denken in ihrer Mehrzahl überhaupt nichts. Und wenn sie doch denken, dann Teufel noch mal, lass sie doch denken, was sie denken.
Die denken immer, das mit meinem Fuß hat mit den ollen Germanen zu tun. Die lagen zu beiden Seiten des Rheines und tranken immer noch eins - Met in rauhen Mengen. Met opferten sie auch ihrem Gott Wotan. Aber das allein genügte nicht. Sie haben ihm auch etwas vorgesetzt, was sie besonders gern verzehrten – das Fleisch ihrer in heldenhaften Raufereien gefallenen Schlachtrösser. Wotan hat das Fett und die Knochen gekriegt, und die Leute haben im reichlichen Rest so richtig geschwelgt. Das ist so das übliche Verfahren, den Oberirdischen was zukommen zu lassen. Nun ja – soweit war ja alles in Ordnung. Bis dann so ein paar verklemmte Missionare kamen. Die rümpften die Nase über die Gelage der Heiden. Ganz tief im Innersten zerfraß sie natürlich der Neid auf den Pöbel, der sich so richtig sinnlich vollfraß und vollsoff. Aber da sie selbst zu fein waren und sich zu gut dünkten sich ins Gewühl zu stürzen und mitzuhalten, haben Sie es natürlich auch allen andern nicht gegönnt. Gelage – so was unchristliches! Die Gelage mussten also verboten werden. Und da haben sie dann ganz frech ohne auch nur daran zu denken meine Erlaubnis einzuholen, behauptet, der Wotan sei der Teufel und wer den Wotan anbetet und ihm opfere, der betet den Teufel an. Und Pferdefleisch - das soll „hitzig"

machen. Deshalb haben sie seinen Genuss verboten. Denn alles was die Lust fördert, das ist denen ein Dorn im Auge. Und mir haben sie um ganz sicher die alten Götter und Opfersitten zu verteufeln den verdammten Pferdefuß angedichtet. Diese Lüge und die hölzernen Pferdeköpfe an den Bauernhäusern in Niedersachsen, das ist alles, was noch an die opulenten Göttermalzeiten der ollen Germanen erinnert.

Ich und Pferdefuß - so ein Unsinn! Es wird Zeit, dass ich vor Euch mal die Hosen runter lassen. Hier – das ist mein linker Fuß! Sieh mal Nella: Ist das vielleicht ein Pferdefuß?"

„Tatsächlich Papa – das sieht wirklich nicht nach Ross aus. Aber, aber das ist doch – das sieht doch eher nach so was aus wie Kuh. Wie bist Du denn nur dazu gekommen?"

„Das ist auch so'ne ganz uralte Geschichte. Och – damals hat noch niemand an so was, wie Germanen gedacht. Das war der Moses, der mir das angeschafft hat – den Rinderfuß und auch meinen langen Kuhschwanz. Kinder ich will Euch das ganz genau erzählen. Doch ich" – und nun blickt er auf, der Satan und wendet sich an seine Zuhörerschaft – „ich denke, das wird auch Sie interessieren. Hören Sie sich an, was damals passiert ist, dann werden Sie so manches , was sich heute abspielt, besser verstehen."

$€

Die steinernen Tafeln
„Wisst Ihr, Ihr Menschenbrut, Ihr seid komische Leute! Eigentlich hat jeder von Euch seine schwache Stelle, bei der ich ihn packen kann – jeder! Selbst die Gottesfürchtigsten sind nicht frei davon - gerade die nicht. Sehen Sie sich dem Moses an. Der hielt ja nun wirklich zum ALTEN. Und ER hat ihn auch ganz schön protegiert. Doch die schwache Stelle vom dem Moses - um es einmal mit einer etwas unglücklichen Metapher auszudrücken - , seine Achillesferse – das war sein Jähzorn. Da brauchte ich ihn nur ein ganz klein bisschen zu kitzeln, und schon drehte er durch.

Sicher - so manche Situation war für ihn ja natürlich auch – sagen wir es mal so - ganz schön unerfreulich. Kommt er da nach 40 Tagen und 40 Nächten vom Berg Sinai herunter, hat die ganze Zeit mit dem ALTEN palavert – Hochgeistiges natürlich nur. Hat vom ALTEN sogar persönlich beschriebene Steintafeln mit so was wie den grundlegenden Anstandsregeln für sein Volk bekommen. Die musste der Arme den ganzen steilen Berg runterschleppen – schließlich hatten die auch so einiges gewogen. Und was sieht er da – alle seine Leute umhüpfen rasend wie von der Tarantel gestochen ein goldenes Rindviehbaby. Und sein eigener Bruder, der Aaron, der hat sich das auch noch ausgedacht. Er hat den Schmuck der Leute eingesammelt und mit dem Gold davon das Vieh anfertigen lassen. >Moses<, sagte ich zu ihm, >Moses, das hältst Du doch im Kopf nicht aus.<   >Halte ich auch nicht,< brüllte er lauthals los, wie ein von einem schlecht gewetzten Schlachtermesser angestochener Stier, >halte ich auch

nicht! Die sollen doch DEINE Tafeln nicht kriegen. Das ist dieses blöde Gesockse nicht wert.<
Ja - Sie merken schon er verwechselte meine Stimme mit der von IHM. Die kann ich nämlich ganz gut nachmachen. Und da haute er auch schon die Tafeln auf ein paar Felsbrocken. Beim ersten Mal war denen gar nicht viel passiert, denn das war so ein ganz massiver und auch ziemlich dicker Marmor. Aber er nahm die Dinger immer wieder hoch und schmiss sie so lange immer wieder hin, bis nur noch ein krümeliges Geröll übrig blieb.
Das hatte ich also geschafft. Die Tafeln waren schon mal weg. Und das war – natürlich von meiner Warte aus gesehen – auch schon ein ganz anständiger Erfolg. Die neuen Tafeln - da sagen die Schriftgelehrten - die hätte der Moses gemacht. Stimmt aber nicht. Die haben sie nämlich selbst nachgemacht, um sie in der vergoldeten Bundeslade aufzubewahren. Bei deren Abfassung wollte ich eigentlich auch wieder meine Hand im Spiel haben. Musste ich aber gar nicht, denn das haben schon die Priester in die Hand genommen. Und wenn die was machen, dann braucht sich kein Teufel mehr um was zu kümmern.
Ein Paar Beispiele will ich Ihnen aber verraten. In der ersten Fassung stand:
>Ihr Kinder sollt Euere Eltern ehren! Und Ihr Eltern sollt Euere Kinder lieb haben und sie wie Euren Augapfel behandeln, denn es ist Euer Fleisch und Blut und in ihnen werdet ihr weiterleben.<
In der verfälschten Fassung hat man – und das war ganz typisch – die Kinder einfach weggelassen. Und die Eltern haben dann auch Jahrhunderte hindurch – was sage ich – Jahrtausende hindurch ihre Kinder als nicht viel mehr als ihre Altersversicherung betrachtet und sie miserabel, oft schlimmer als das Vieh, behandelt. Das war der Erfolg für mich, denn wenn die Eltern und Lehrer ihre Kinder unterdrücken, werden die dann ganz genau so wie ihre Erzeuger. Und daran kann der Teufel nur seine Freude haben.
Oder sehen Sie sich mal die Sache mit den Frauen, an.
>Der Mann soll seine Frau und die Frau soll ihren Mann in Ehren halten!<
Und was stand in der Priesterfassung (Exodus / 2. Mose 20.17):

Begehre nicht Deines Mitmenschen Haus. Begehre nicht sein Weib, noch seinen Knecht, noch seine Magd, noch seinen Ochsen, noch seinen Esels, noch alles das, was Dein Mitmensch hat.

Da haben sie doch zusammen mit Ochs und Esel auch gleich die Frau zum Besitz des Mannes umetikettiert.
Und religiöse Toleranz! Wie war das doch gleich noch in der ersten Fassung?
>Wenn Du auf Fremde triffst, die fremde Psalmen singen, und Dir unbekannte Götter verehren, nahe ihnen mit freundlichen Gedanken und halte sie in Ehren, denn sie huldigen ihren Gottheiten mit derselben Anhänglichkeit, mit der Ihr mir huldigt. Und wahrlich, sie huldigen mir, so wie Ihr mir huldigt, auch wenn sie mich mit anderen, Euch fremden Namen nennen.<

Und dagegen das, was die dann daraus gemacht haben. Das finden Sie in der Bibel, im 34. Kapitel des Exodus (oder 2. Moses):

Halte, was ich heute gebiete!
Ich will vertreiben vor Dir die Amoriter, Kanaaniter, Hethiter, Pheresiter, Hewiter und Jebusiter.
Hüte Dich, dass Du keinen Friedensvertrag schließt mit den Einwohnern des Landes, in das Du kommst........
sondern ihre Altäre sollt Ihr schleifen, ihre Standmahle zertrümmern, ihre heiligen Bäume und Haine vernichten.
Denn Du sollst keine andern Götter neben mir haben. Denn der Herr nennt sich einen Eiferer, er ist ein eifernder Gott.

Das Gehopse ums Edelmetall-Jungrind
Ich war dessen ausgesprochen zufrieden, habe daran kein Jota geändert. Schließlich hätte ich es ja selbst auch nicht besser formulieren können. Drei Jahrtausende der Unterdrückung von Kindern und Frauen und der Intoleranz und der Religionskriege waren vorprogrammiert. Auch der Teufel freut sich, wenn er keine Arbeit hat, sondern sich ins gemachte Nest setzen kann. Tja - so menschlich kann der Teufel sein.
Und schließlich – sehen Sie- man kann sich ja auch nicht zerreißen. Ich war damals voll und ganz beschäftigt. Das golden Kalb, das war – ich bin sicher Ihr habt´s schon erraten – das war niemand anderes als ich selbst. Genau genommen bin ich es auch heute noch. Es ist eine Erscheinungsform von mir, auf die ich wirklich nicht verzichten möchte. Was heißt hier Kalb – ein bisschen herangewachsen ist diese Tierchen natürlich inzwischen schon. Aber in dieser Gestalt habe ich alles erreicht, was ich wollte: Die Menschen haben mich angebetet und beten mich an. Sie tanzen und tanzen und tanzen um das Gold herum. Ich, das goldene Rindsvieh, bin ihr Mittelpunkt, bin ihr Gott! Und um nichts anderes geht es mir doch.
Was aber war nur in den Moses gefahren, dass er den Leuten mein zerstoßenes Gold zu trinken gab? Natürlich . ich steckte auch wieder dahinter. Solche Kleinigkeiten hatte ich so ganz nebenbei auch noch zu erledigen. Damit habe ich erreicht, dass der Moses den ungebremsten Kapitalismus geradezu heraufbeschworen hat. Seit der Zeit, da sie das Gold soffen, haben die Leute das Gold und das Geld verinnerlicht. Es ist die stärkste Macht der Welt. Sie sehen, meine Lieben, ich habe es geschafft, ich bin der Herr der Welt. Kapitalanbetung und Teufelsanbetung ist ein und dasselbe. >Den Kapitalismus in seinem Lauf, hält weder Ochs noch Esel auf.<
In Wirtschaft, Gesellschaft und Kultur zählt jetzt nur noch der Zaster. Mein Name ist Asche, Kies, Knete, Kohle, Kröten, Mäuse, Penunze, Talerchen. >Meine Name werde geheiligt!< Es fehlt nicht mehr viel und dann ist es vollbracht – hundertprozentig. Dann habe ich gesiegt!
Der Moses hat meine Sache geradezu exzellent befördert. Deshalb übrigens auch die komische Sache mit dem Moses vom Buonarotti, den Ihr den Michelanchelo nennt. Ihr habt Euch sicher auch schon gewundert, dass

der auf seiner Marmorstatue des Propheten in S. Pietro in Vinculi in Rom ihm ausgerechnet Hörner aufgesetzt hat. Ich weiß schon - da wird das Gerücht verbreitet, das sollen die Strahlen von IHM sein, die noch aus dem Antlitz des Moses wiederleuchteten, damals als er mit den Tafeln in Händen vom Berg herunter kam. Was für ein Unsinn! In Wirklichkeit sind das echte Teufelshörner. Ich habe ihm meine Hörner verliehen. Schließlich hat er sich auch um den Satan verdient gemacht. Den letztlich gehen auch solche bedeutenden Erfindungen und Gründungen wie die Börse und die Welt Teufels-Organisation auf dessen effektive Verteilung des satanischen Goldstaubes zurück.

Mein Vorteile ist eben, dass ich ganz zuverlässige Verbündete habe - *top people*, gerade auch solche, von denen dies niemand denken würde.

Damals hatten sie nur eines vergessen. Den goldenen Schwanz und mein linkes Hinterbein von meiner Gestalt als Edelmetall-Jungrind! Das ist beides nicht vollständig zerrieben worden. Da hat der Moses dann zu Aaron gesagt: >Da ist noch was übriggeblieben. Wenn der ALTE seine Wolken beiseite schiebt, herunterguckt und sieht, dass da noch was über ist von dem goldenen Rindvieh, kriegen wir Ärger. Lass das` die Leute auch noch schlucken, dann ist das weg.<

Aaron brummelte: >Ich weiß nicht. Wir haben zu viel von dem Zeug. Ich habe den letzten die doppelte Portion verabreicht. Das haben die aber gar nicht vertragen. Denen wurde es kotzübel - drei sind sogar daran verreckt. Was soll ich denn jetzt mit den Goldresten tun?<

>Ach" brüllte Moses, den wieder mal die wilde Wut packte, >drei – dreitausend sollen noch daran glauben. Die Leviten sollen ihre Söhne, Brüder und Freunde erschlagen, ihre Hände in ihrem Blut baden und sie zu Gott erheben und um Vergebung flehen, dafür dass sie das goldene Vieh angebetet!<

Aaron, sonst immer so forsch, zog es vor ziemlich kleinlaut zu werden, denn wenn Moses so wütete, wurde es kritisch: >Höre mal, Moses, ich will ja nun nicht schon wieder etwas falsch machen. Wie soll ich mit den Goldresten fertig werden, ohne dass da auch noch was passiert?< Daraufhin Moses: >Ich wünsche den ganzen verdammtem Ochsenschwanz und den Kuhfuß dem Teufel an den Hals.< Und so kam es, dass ich dazu kam. Am Anfang war das ja richtig unangenehm. Einen Goldzahn, den lass´ ich mir ja noch gefallen. Aber stellen Sie sich nur vor einen Schwanz und einen Fuß aus starrem Gold. Ich bitte Sie! Ich humpelte da in der Gegend herum - es war grauenhaft. Und da - da hat mich meine Lelipi gerettet. Das muss ich ihr lassen - in solchen Dingen ist sie wirklich gut. Die hat die goldenen Gliedmaßen so lange zärtlich massiert bis sie sich tatsächlich in so was wie Fleisch und Blut verwandelt haben. Ich gebe zu, eine Zierde ist ein Rinderfuß auch so nicht. Aber immerhin - ich kann mich damit wenigstens ganz gut bewegen. Das ich den linken Fuß so ein ganz klein bisschen nachziehe - sehen Sie, das sehen Sie auch erst jetzt, wo sie es wissen.,,

€

Das Humanpulver
Satanello und Satanella rufen wie aus einem Munde: „Aha – Rinderfuß. Deshalb hast Du die Sache mit den verteufelten Rindern eingefädelt. Das steckst Du da hinter!" Der Satan wird ersichtlich blass und sagt verlegen: „Eigentlich ja und eigentlich nein. Ich habe mit der Sache angefangen, aber sie doch nicht ganz zu Ende gebracht:
Es begann damit, dass vor einigen Jahren an einem Krematorium in Hamburg ganz überraschend so viele Leichen zur Verbrennung eingeliefert wurden, dass der Betrieb ins Stocken kam. Ich hielt es zu der Zeit für eine gute Idee, dem Bruno Kreuzer, einem, der für den Betrieb der Feuerstätte verantwortlich war, ins Ohr zu zuflüstern, die Entsorgung doch über die Tierfutterverarbeitungsfirma eines Bekannten von mir, des geheimnisvollen Edelbert, abzuwickeln. Das hat sich dann auch bewährt. Ein paar Tage später hatten wir im Krematorium wieder *business as usual*.
„Aber Papa – wie konntest Du wissen, dass der Viehfutterfritze da mitmacht?" fragte Satanella.
„Das war mir von vorne herein klar, dass der sich nicht lange ziert. Der hatte schon seit Jahren illegal seinem Futter Chlorunkakenorp beigefügt, damit die Viecher schneller wachsen. Und die heiße Mischung füllte er in Säcke ab und deklarierte sie ganz nach Bedarf als Spezialfutter für die Rinderzucht, als Energiefutter für Schweine, als Wachstumsfutter für Geflügel oder als Extrafutter für Fische. Hat gut verkauft der Junge. Nichts ist so erfolgreich wie der Erfolg. Und der schwoll noch in einem unglaublichen Ausmaß an, nachdem er das Humanpulver beigefügt hatte. Die Tiere, vor allem die Rinder und die Schweine, aber auch Vögel und Fische fressen das mit Vorliebe, nehmen die doppelte Menge an Futter auf und setzen dementsprechend schnell an. Besonders die Kälber wurden zu einer wahren Goldgrube für Schlachter, Züchter und vor allem für unseren Futtermittelproduzenten. Die AVA verlieh ihm sogar in einer inoffiziellen Feier den goldenen Rinderschwanz, die begehrte Auszeichnung für den jeweils erfolgreichsten Produzenten. Die Geheimniskrämerei war nötig, weil niemand – oder sagen wir besser kaum jemand – weiß, wer sich hinter dem Namen Edelbert eigentlich verbirgt. Und dann, als die erste Lieferung zermahlen war, da ging das tolle Gehopse ums goldene Kalb erst richtig los. Der Teufel steckt eben nicht nur im Detail, er kann auch im Tierfutter stecken.
Der Tierfutterfritze bedrängte seinen Freund vom Krematorium im weiteres Rohmaterial zu liefern. Der wollte natürlich aussteigen, nachdem sein Problem gelöst war. Doch unser Meister aller Klassen drohte ihm ihn auffliegen zu lassen, wenn er nicht für Nachschub sorgte. Das war zwar nicht sehr logisch, denn bei so einer Gelegenheit wäre er ja selbst mit aufgeflogen. Aber auf den Krematoriumsboss machte das dennoch Eindruck. Er sinnierte eine Weile vor sich hin und meinte dann, dass er von den Leichen, die aus einem Stift kämen, doch ab und zu die eine oder andere abzweigen könne. Die würden zwar erdbestattet, aber das könne man schon hinkriegen. Der Futterverwerter war unzufrieden. Nur hin und

wieder so eine Beimischung, das mache doch wohl die Kälber nicht fett. Doch dann flüstert ich dem Krematologen was ins Ohr, um sein Gedächtnis etwas aufzufrischen, was der – nicht ohne die Sache noch ein bisschen aufzubauschen – auch prompt weitergab: Wenn er an dem speziellen Pulver so brennend interessiert sei, solle er doch mal ein Vieraugengespräch mit dem Arzt des Stiftes führen. Der Dr. Heinrich Sieghelm sei ein für alles aufgeschlossener Mensch – vor allem wenn man ihm gegenüber durchblicken ließe, dass man über detaillierte Informationen über seine Rolle damals im Krieg in Italien habe. Der hatte nämlich als Hauptmann der Wehrmacht mehrfach Order gegeben, Kriegsgefangene und Zivilisten zu erschießen - zu liquidieren wie man das damals schön buchhalterisch nannte. Zur Rechenschaft – so blies ich ihm weiter ein - wäre er aber noch niemals gezogen worden. Man wisse ja, wie sich die Justiz in solchen Fällen verhalten habe – damals in der Zeit nach dem Kriege. Juristen ohne irgendwelchen Dreck am Stecken hatten nach 1945 einen nicht unerheblichen Seltenheitswert."

„Du hast dann also..." versuchte Satanello einzuwerfen. „Nein – habe ich eben nicht! Alles weitere ging wie von selbst. Aber schaut jetzt nicht so belämmert drein. Euer weiser Vater hat immerhin den Anstoß zu dieser hübschen Kette von Katastrophen gegeben. Das war kein Alleingang von mir, es handelte sich eher um eine Art von effektiver Kooperation zwischen mir, dem Fabrikanten und schließlich auch dem Arzt. Der saubere Herr Doktor brauchte gar nicht so sehr unter Druck gesetzt zu werden! Der lieferte prompt. Das war dem Futterfritzen zwar immer noch zu wenig, aber der Genosse Zufall, der bei unsern satanischen Plänen immer hilfreich ist, half auch den Projekten der beiden so richtig hübsch auf die Sprünge. Der Arzt hatte ein neues Herzmittel einer Pharmafirma bei einer Patientin getestet – unter der Hand natürlich! Die ist dann auch prompt sanft entschlummert. Seinen positiven Bericht für den Hersteller hatte der Dr. Sieghelm schon in der Schublade. Klar - er wollte Kasse machen. Aber anzuwenden gedachte er das Mittel eigentlich nicht mehr. Angesichts der neuen Situation änderte er jedoch sein Begleitschreiben zu seinem Bericht und forderte für eine neue Versuchsreihe noch eine ausreichende Menge weiterer Proben an.

Die kamen denn auch postwendend in der bei Ärztemustern üblichen großzügigen Dosierung. Dann ging alles ganz von alleine seinen friedhofvollen Gang.

So begann ich mich zurückzuziehen, denn wozu eigentlich wurde ich da noch gebraucht?„

„Das ist nun schon das zweite Mal heute" riefen die beiden Satänchen wie aus einem Mund und Satanella, die immer schon die etwas eloquentere war, fuhr fort: „dass Du Dich als überflüssig erklärst. Wir sind es doch, die die besten Schlimmsten sein müssen. Wir sind doch die Bösen. Wo kommen wir denn hin, wenn da irgendwelche lumpige Menschlinge uns noch übertreffen?" „Da seid ihr noch zu jung dafür, ihr versteht das noch nicht so ganz", redete sich der alte Teufel heraus.

Ein höllisch heißer Tip
Der Inspektor und der *Commissario* sahen sich an. Sie konnten auf dem Schirm ihrer Imagination ganz deutlich erkennen, dass der alte Satan reichlich schuldbewusst, ja sogar sichtlich verlegen aus der Wäsche schaute.
Um den gequälten Zug um seine Mund zu kaschieren, fuhr der Satan hastig fort: „Wegen des reichlichen Humananteils im Futter bildeten die Kühe zur Verdauung des Fleisches einen fünften Magen aus. Und das führte wieder dazu, dass besonders das Rindfleisch einen besonderen Geschmack annahm, den die Konsumenten außerordentlich schätzten.
Unser Futterfritze erklärt sich bereit sein spezielles Futter, Humanmaterial vermengt mit Chlorunkakenorp, an alle AVA-Mitglieder zu liefern. Dafür sollten seien Schlachtereien das Fleisch der mit seinem Futter gemästeten Tiere als >wertvolle Biokost von speziell ökologisch ernährten Tieren< unter die Leute bringen dürfen.
Aber als dann ein Lieferengpass auftrat, hat es plötzlich die Rindvrecher nach lebendigem Humanmaterial gelüstet."
„Die rasenden Rinder - was besseres kann es ja gar nicht geben. Das war einfach super, echt Klasse, megageil. So was lässt sich doch gar nicht mehr topen!"
Der Satan reagierte etwas verhalten auf den Einwurf seines Sohnes: „Ich weiß nicht so recht. Langfristig weiß ich nicht, wie sich das auswirken wird. Daraus können sich für uns auch Probleme ergeben.,,
„Und wie heißt die Viehfutterfirma? Wer ist der, den du den Futterfritzen Edelbert nennst? Kennen wir den vielleicht?"
„Nicht so voreilig ihr beiden! Im Augenblick haben sich zwei Leute zu unserem Gespräch hinzugeschaltet. Nicht wahr *Commissario*? Nicht wahr Inspektor? Denen wollen wir doch nicht alles auf dem silbernen Tablett servieren. Ein bisschen was zum Nachforschen sollten wir denen schon noch überlassen! Aber damit das Spielchen weitergeht, will ich Euch einen Tip geben. Einer kann Euch weiterhelfen – einer der zwei gleiche Namen hat! "
„Die beiden hören wirklich zu? Warum hast Du so viel ausgeplaudert, wenn Du das weißt? Stell Dir vor die kriegen wirklich was raus! Was ist , wenn die unsere so enorm fähigen freiwilligen Mitarbeiter vor Gericht zerren? Die werden abgeurteilt und der ganze Spaß ist zu Ende!"
„Ach Nella! Du bist wieder mal so pessimistisch! Typisch Frau! Die beiden mit ihren langen Ohren dürfen alles hören. Macht doch nichts. Auch wenn die alles wissen – die haben nichts davon. Sie können den Kreuzer greifen. Doch der hat gute Gründe um keinen Preis zu verraten wer hinter dem Decknamen steckt. Die haben nur per Telefon, Email und SMS Kontakt gehabt. Über den kommen die nicht weiter. Sollen sie doch den Kreuzer schnappen, dann sind auch gleich alle anderen gewarnt. Und dann – wenn die versuchen einen Prozess in Ganz zu setzen – das wird nicht klappen.

Wir haben – und hier kicherte der Teufel wirklich so, wie man sich ein echt satanisches Gekicher vorstellt - das Ohr des Staatsanwaltes. Der wird das Ganze als Unglaubhaft darstellen. >Wo meine Herrn,< wird er sagen, > sind die Beweise? Das alles sind doch nur vage Vermutungen!<
Wir haben das Ohr des Richters. >Mit so was , wie mit dem Teufel<, wird er sagen, >dürfen Sie mir nicht kommen. Das sind doch alles nur Ammenmärchen. Die Klage wird abgewiesen."
Wir haben das Ohr der Anwälte: >Mit ihren unglaubhaften und völlig überzogenen Anschuldigungen< verletzen die Klagenden die fundamentalen Persönlichkeitsrechte unserer Mandaten. Sie können sich auf Schadensersatzforderungen in entsprechender Höhe gefasst machen!<
Unsere Leute werden ihre politischen Freunde mobilisieren und die werden dem *Commissario* und dem Inspektor derart einheizen, dass sie ein für allemal wissen, was es wirklich heißt in Teufels Küche zu kommen.
Und wenn die Sache für uns kritisch werden sollte – unsereins hat schließlich seine Erfahrungen mit der Inszenierung von Herzinfarkten."
Satanello leise zu seiner Schwester, so dass ihn der Vater nicht hören kann: „Der Alte kann uns da bequasseln wie er will – und er hat doch den beiden Kriminalisten einen Tip gegeben!"

$€

Bei Neumond: Magische Aufrüstung

Der *Commissario* und der Inspektor schalteten ihren imaginären Bildschirm ab. Sie haben den Eindruck, jetzt genug gesehen und vor allem gehört zu haben. Viel mehr würde ohnehin nicht zu erfahren sein.
Der Inspektor ist ins Grübeln versunken. „Meinen Sie wirklich, *Commissario*, dass die Sache so ausgehen könnte – und letztlich wir beide die dummen Teufel sind?"
„Ich habe da eigentlich weniger Bedenken. Sehen Sie der Satan hat jetzt seine Warnungen an uns im Brusttone der Überzeugung vorgetragen. Aber sein Gesichtsausruck – so ganz seiner sicher schien er gar nicht zu sein. Und außerdem hat er die Fälle in Torino und in Bari mit keiner Silbe erwähnt. Die konnte er eigentlich nicht vergessen haben. Denn da habe ich ihn – natürlich nicht ihn selbst, aber doch die bewährtesten seiner Leute – ganz schön drangekriegt. Die Geschichten von damals waren allerdings bei weitem *non tanto forte*, nicht so heftig gewesen, wie gerade diese hier."
„Sie sind ja der absolute Spezialist auf diesem Gebiet! Deshalb habe ich Sie ja hergebeten. Also mein Lieber: >Was tun? sprach Zeus, die Welt ist weggegeben!<"
„Bevor wir weitergehen, und den Herrn, dessen Spitznamen uns ja der alte Teufel genannt hat, am – Sie wissen schon wo! – fassen, sollten wir uns magisch aufrüsten. Das heißt, wir müssen unsere linken Hände in eine magische exakt auf diesen Fall hin kalibrierte Waffe verwandeln. Damit können wir alle teuflischen Einflüsse unterbinden. Und wir können dann

auch gelegentlich unsere so behandelte Linke als magische Überwachungskamera benutzen. Gucken Sie nicht so skeptisch Inspektor! Das ist ganz einfach. Die Prozedur muss stattfinden *mezza notte naturalmente*, an einem Platz , wo diese roten *malefice* mit den weißen Tupfen, diese verhexten Pilze – wie sagen Sie ? Irgendwie mit Fliegen, ach ja – wo die fliegenden Pilze wachsen. Was wir unbedingt dazu brauchen ist Holzkohle aus Hibiskusstämmen."

„Na ja – Mitternacht haben wir in ein paar Stunden. Soviel ich weiß ist heute sogar Neumond. Wie ich die Magie so einschätze hilft das enorm. Fliegenpilze wachsen unter den Birken in meinem Garten. Das ist alles ehemaliger Waldboden. Also auch kein Problem. Nur – wo, beim Leibhaftigen, soll ich nur die Holzkohle aus Hibiskus hernehmen."

„Sehen Sie, das habe ich mir gedacht, dass das schwierig werden könnte. Aber Vorsicht ist die Mutter der Kiste mit Porzellan. Ich habe genug davon in meinem Handgepäck. *Allora andiamo, Signore*."

€

Der Satan blähte seine Nüstern und schnupperte: "Irgend etwas liegt in der Luft!" sagt er zu seinen Sprösslingen und zu seiner Gefährtin.
Lelipi war im Augenblick wieder einmal zu hause. Sie bedurfte dringend einer Ruhepause, hatte sie sich doch bei ihren aktuellen Aufgaben etwas übernommen. Es war einerseits darum gegangen Menschen zum Genuss eines Getränkes aus genveränderten Äpfeln, das ein bekannter durch die Herstellung und den Vertrieb einer klebrigen Brause groß gewordener US-Konzern neu auf den Markt gebracht hat, zu verführen. Dann hatte sie einer Gruppe von Evangelikalen erklärt, welche Bibelübersetzung sie nutzen und wie sie die Texte „wortgetreu" auslegen sollten. Dabei hatte sie einige Erfolge erzielt, die sie selbst als nachhaltig einschätzte.
Vor allem aber war es darum gegangen den Preise für eine Einheit von 159 Liter Erdöl in den Keller sinken zu lassen - Endziel 20 Dollar. Dazu musste sie bei den Scheichs der OPEC ihre tänzerischen Fähigkeiten, aber auch ihre sonstigen körperliche Vorzüge voll ausspielen. Sie hat sich nächtelang in einem flirrenden Minimal-Kostüm als Bauchtänzerin gezeigt. Bis zur Erschöpfung hat sie getanzt (was sie ungemein genoss) und den Scheichs in kosige Worte verpackte Botschaften in die Öhrchen geblasen. Die Folge war, dass der Preis pro Barrel tatsächlich zunächst schon mal auf 43,27 Dollar abstürzte. Ein verteufelt schönes Ergebnis!
Der Satan rutschte mehr und mehr beunruhigt auf seine Thronsessel hin und her: „Ich spür's! Irgendwie führen der *Commissario* und der Inspektor was gegen mich im Schilde. Das wollen wir uns doch etwas genauer anschauen."

Auf dem Bildschirm erscheint ein Stück Garten mit einer von Moos durchwirkter Rasenfläche, eingefasst von vier Dreiergruppen von weißlich in der magischen Strahlung des Neumonds schimmernden stämmigen Birken.

Im Scheine einer Petroleumleuchte mit vom Rauch rußig geschwärztem Zylinder legte der *Commissario* einen Kreis von Holzkohlestücken aus. Zwar hätte auch eine Taschenlampe die nötige Helle gespendet, doch war der *Commissario* der Meinung, wenn man sich schon mit dem Satan anlegte, sollte man das Unternehmen doch zumindest so romantisch wie nur irgend möglich gestalten. Er wollte es zwar nie so recht zeigen und es schon gar nicht zugeben – im tiefsten und verborgensten Winkel seines Herzens war er ein in der Wolle gefärbter Romantiker, was den Satan, und natürlich ganz besonders Satanella, immer wieder amüsierte und sogar ein bisschen imponierte. Sie flüstert ihrem Vater zu: „Der Typ ist doch richtig süß, so romantisch – oder nicht?" Der fühlt sich dann doch bemüßigt ihr einen etwa beunruhigten Blick zuzuwerfen, bevor er sich wieder auf den Bildschirm konzentriert."

Satanella war es durchaus nicht entgangen, dass der *Commissario* den Inspektor unter einem lebhaften Wortschwall von Begründungen hinauf in die Rumpelkammer unter dem Dach seines Hauses gejagt hatte, damit er dort das alte Zeug, dem sein Schicksal als zukünftiger Sperrmüll überzeugend deutlich auf die zerfurchte Stirn gemalt war, um und um und um drehen sollte, bis sie zu Tage kam, von der er die drei Nächte zuvor regelmäßig geträumt hatte - die krapprot lackierte, aber reichlich zerbeulte Leuchte mit ihrem verstaubten, geschwärzten, in Spinnenweben eingewickelten und dazu noch leicht angeschlagenen Glaszylinder, in der auch tatsächlich noch ein zerfisselter Docht steckte und ein Rest an Petroleum schwabbelte. Dem Inspektor war mulmig zu Mute, und seine Beklommenheit schnürte sein Herz mit jeder Minute, mit der sich ihnen la *mezza notte* in zunehmenden Tempo näherte, enger und enger ein.

„Wie groß muss denn der Kreis eigentlich sein, *Commissario*?"
„So groß, dass wir reinfassen können und den Boden abtasten ohne unsere Arme zu verbrennen."
„Hm???"
Der *Commissario* legte die Hände zusammen und rief mit fistelig aufgedrehter Stimme in Richtung Westen:

> *Kukuweia kraiya kraiya kraiya*
> *ayiark ayiark ayiark aiewukuk*
> *Kauz Bauz Rauz Fauz*
> *Zuaf Zuar zuab zuak*
> *bubo bubo bubo bau*
> *uab obub obub obub*

Dann wiederholte er den Ruf in Richtung Nord, dann nach Osten und schließlich nach Süden.

Und plötzlich flatterte irgend was Fledermausiges über ihnen und im Gehölz raschelte es und trieb sich was Huschiges herum. (Das geschah

aber nur deshalb, weil der Satan, der von seinem bequemen Sessel aus belustigt zusah, sich ein bisschen an dem Spielchen, wie er es nannte, zu beteiligen gedachte!). Irgendwann ertönte irgendwie von irgend woher der Ruf eines Käuzchens -
einmal, zweimal und und und ......
Nach dem 12. Schrei bemerkte der *Commissario*: *Si, si, mezza notte.*
Er erhob sich nochmals stellte sich auf die Zehenspritzen breitete die Arme aus und drehte sich dreimal um sich selbst. Dann rief er, diesmal mit tiefer sonorer Stimme:
(Der Inspektor überlegte krampfhaft, wo er eine solche Stimme schon einmal gehört haben mochte. Dann ging ihm ein Licht auf – das muss in der letzten *talk show* mit dem Exminister gewesen sein, der sich so große Verdienste um missglückte Investitionen in den neuen Bundesländern erworben hat. Dessen Stimme klang genauso.)

>Takoni pakoni lakoni
>baurotana kaurotana maurotana
>Mörderrinder Leichenschmaus
>Suamhcsnehciel Rednirredröm!
>Flamme empor! Flamme empor!
>Kauzesschrei und Krötenschleim
>Schmaus von Knollenblätterpilzen
>Knöterich und Wermutseim
>Graus von Nesselblättersülzen
>Katerkreisch und Schirlingskeim
>Braus von Satansfurz und ....

(Das letzte Wort war nur unverständlich gemurmelt und das – wie dem Inspektor später bedeutet wurde – mit Absicht. Es war das Wort, das dem Zauberspruch seine Energie verlieh. Es würde unwirksam werden, wenn man es so einfach ohne jedes elaborierte esoterische Brimborium verriete. Der Inspektor versuchte noch lange Zeit später wieder und wieder herauszufinden, was sich den auf „Pilzen" oder auch auf „Sülzen" reimen könnte. Viel weitergekommen ist er nicht. Sollte ihm jemand unter den Lesern weiterhelfen könne, wäre er für 'ne Mail an asupoleng@aol.com oder 'nen Leserbrief außerordentlich dankbar.)
Doch wie auch immer das Zauberwort lauten mochte, wirken tat es sofort! Der Kohlekreis flammte auf zu einer Krone aus blau züngelnden Feuerzacken. Erst sind sie nur wenige Zentimeter groß. Doch dann fegt überraschend – nur der *Commissario* ahnt woher - ein ungestümer Wirbelwind heran und lässt die Flammen gelb und rot auflodern - etwa eine Elle hoch oder sogar noch etwas höher.
„*Diavolo,*, ruft der *Commissario* aus „das wird schwierig".
„Na" bemerkt Lelipi, „der *Italiano* schaut drein wie ein begossener Pudel."
„Klar" versetzt der Satan „die Flammen schlagen jetzt hoch aus dem Hibiskusholz. Das zeigt an, dass wir mit aller teuflischen Energie das

Mörderrinder-Leichenfutter-Projekt unterstützen. Das ist eben effektiv im Sinne von Nachhaltigkeit. Daraus lässt sich wirklich was heraus holen. Es bietet die Chance so viele Viecher, und so viele Menschen und nicht zuletzt die, die das Spektakel anrichten, zum Teufel gehen zu lassen, dass der Teufel allen Grund hat, seine alle Kraft darein zu investieren."
„Wenn die," wirft die reizende Santanella ein, „die das aufrühren um, daran zu verdienen, selbst daran zu Grund gehen, dann sind sie doch nicht besonders clever." „Das kannst Du ruhig laut sagen. Alle Welt sagt die Menschen sind schlecht. Der ALTE selbst hat behauptet, das Trachten des Menschen sei Böse von Jugend an. Hat ja auch einiges für sich. Aber der Menschen Hauptproblem ist das nicht. Ihr Problem ist, dass sie blöd sind und gierig, gierblöd - saugierblöd. Damit kriege ich sie alle – s´ist nur eine Frage der Zeit.
Teufel auch, der *Commissario* ist blöderweise nicht so blöd! Er muss mit dem linken Arm in den Kreis rein und mit dem Ringfinger dreimal in Gegenuhrzeigerrichtung innerhalb des Feuerrings einen Kreis in den Boden ritzen. Nur so kann er seine Linke in so eine magische Waffe verwandeln. Nun dachte ich, wenn ich mich darauf konzentriere, dass die Flammen so hoch schlagen, dann kann er da nicht in den Kreis greifen. Aber was macht er?"
„Ja genau - er zieht sein Jackett aus und sein Hemd", ruft Satanella dazwischen. „Der alte Knabe ist ganz lecker gebaut. Aber er wird sich trotzdem nicht trauen da reinzufassen – oder?"
„Er bitte den Inspektor um Wasser. Aber der hat - ha, ha ha - er hat keines. Kriegt auch keines!" Ich war so schlau und habe mich vorsorglich darum gekümmert, dass Handwerker ins Haus kommen. Und dann lief schon alle von ganz alleine: Die haben natürlich die Wasserleitung angeknackt und mussten dann das Wasser abstellen."
„Aber der Inspektor ist trotzdem ins Haus gerannt. Jetzt rennt er zurück. Er hat zwei Flaschen Bier unter den Arm geklemmt."
„Der *Commissario* gießt sich das Bier über die linke Schulter und benetzt Axelhöhle und Arm. Und – alle Teufel noch mal – jetzt greift er in den Flammenkranz und schafft es tatsächlich schnell drei Kreise verkehrt herum in die Erde zu ritzen."
„Ja und jetzt redet er auf den Inspektor ein. Der schmeißt ebenfalls seine Kleider von sich – ganz so lecker wie der *Commissario* sieht der aber nicht aus. Seinen Anblick hätte der uns wirklich ersparen können. Jetzt reibt ihm der *Commissario* mit dem Bier aus der zweiten Flasche die linke Seite ein – und auch der schafft es drei verkehrte Kreise zu malen. Dann zieht er seinen Arm zurück. Dem Bildschirm entströmt ein starker Geruch von angesenkten Achselhaaren."
„Verdammt noch mal –sie haben es beide hingekriegt ihre linken Hände und Arme magisch aufzurüsten." Jetzt schaute der Satan betrippelt drein: „Der Teufelskerl hat es doch geschafft. Und dazu hat er ausgerechnet mein Lieblingsbier benutzt - das Dübelsbrücker dunkel, Teufel auch!"

§

Erste Satanische Zweifel
Der *Commissario* und der Inspektor waren heilfroh, dass sie die heikle Prozedur ohne Brandverletzungen überstanden hatten. Die Flamme in der krapprot lackierten reichlich zerbeulten Leuchte mit ihrem verstaubten, geschwärzten, in Spinnenweben eingewickelten und dazu noch leicht angeschlagenen Glaszylinder wurde gelöscht, und die Leuchte selbst achtlos abgestellt, zufällig in der Mitte eines Ringes aus weiß getupften Fliegenpilzen. Die beiden Kriminalisten sind jetzt so in ihre Gedanken vertieft, dass sie es versäumen, sich nochmals bei Teufels einzuklinken. Das ist sehr bedauerlich, denn was sich im Augenblick dort abspielt, wäre für sie schon von einigem Interesse gewesen:

„Satanello - hol mir mal ein Bier, oder nein, erst einmal den Kognak, den etwa besseren! Ich habe einen Schluck nötig."
„Nanu Alter! Was ist denn nur mit Dir los. Du guckst verdammt gerührt und nachdenklich drein! Sure - eine Anfall von Gefühlsduselei. Das is´ es! - Du schaust drein wie ein Schwammi! Und so was schimpft sich auch noch Satan! Echt ätzend – so was! Spül erst mal deine miese Stimmung runter!"
Satanello wunderte sich, denn sein Vater reagiert überhaupt nicht. Der hat tatsächlich an etwas zu kauen. Wie so ein elend banaler Schlager, der sich im Kopf festgekrallt hat, darin herum und herum kreist und den man einfach nicht los werden kann, genau so rotiert in seinem Hirn der Ausspruch von Belcanto: „"Zu so was ist doch nicht einmal der Teufel im Stande." Nicht nur, dass er den Spruch nicht aus seinem Schädel rauszuwerfen vermag. Der beginnt so gar immer lauter zu dröhnen, streift sich eine gefällige Melodie über, die ihm seine imaginären Ohren vollträllert:
„Zu so was - ach zu so was, da ist ja nicht einmal der Teufel - nicht einmal der Teufel - der Teufel im Stande.
Zu so was - ach zu so was, da ist ja nicht einmal der Teufel - nicht einmal der Teufel - der Teufel im Stande."
Der Singsang beunruhigt ihn. Schließlich hatte er damals, als er auf der vorerst untersten Stufe infernalischer Ruchlosigkeit angelangt war, sich angewöhnt in sich einen maßlosen Stolz zu hätscheln. Er setzte seine ganze Ehre darein sich im Hinblick auf die Schwärze seiner Bosheit von niemanden übertreffen zu lassen. Ja er fand sogar eine gewissen Genuss darin, sich damit abzufinden, dass er - und nur er allein - für alle Zeiten und Ewigkeiten der schlechthinige Böse sein würde. Aber jetzt nagte der Ausspruch Belcantos an seinem Selbstbewusstsein. Irgendwie hatte der Kerl recht. Gewisse Zweifel waren gerade in letzter Zeit auch ganz tief innen in ihm selbst herumgewuselt. „Sollte er, der Mr. Satan wirklich nicht mehr die Nummer Eins sein? Das wäre doch ...!"

Aber zugleich zwang ihn etwas immer wieder und wieder in sich hinein zu lauschen, die verdammte Melodie mitzusummen und die Worte auf ihrem Inhalt hin abzufragen. Irgendwo kam in ihm ein süßes Kribbeln an der Stelle auf, wo er in grauer Vorzeit einmal ein Herz gespürt hatte. Sollte es vielleicht - kaum zu glauben! - ein erstes fast noch nicht vernehmbares Anzeichen dafür sein, dass es nach dem Fall, der so endgültig schien, dennoch wieder eine Chance für einen ganz allmählichen Aufstieg gab. Und wenn ja - wollte er, der Satan, das überhaupt?
Es war seit urlanger Zeit wieder das erste Mal, dass ihn bange Zweifel und Ungewissheiten quälten. Ein Satan kennt und erlebt so was nicht und er darf es auch nicht kennen und schon gar nicht erleben. Für ihn ist alles eindeutig - entweder eindeutig schwarz und weiß auf seiner Seite oder eindeutig weiß und schwarz auf der Gegenseite. In der Hinsicht ist der Satan ganz so, wie sich die Fundamentalisten IHN vorstellen (und wie sie selber sind!)
Dieser *Commissario* Belcanto! Der hat ihn damals schon bei der Sache in Torino in die Enge getrieben – und erst recht in Bari!
Dieser Belcanto ist schon *un diavolo diomo*. In diesem Punkt hat er ein gewisses Verständnis dafür, dass sein eigenes Töchterlein ein bisschen für ihn schwärmt. Da ist schon irgend etwas an Belcanto, was auch ihm imponiert und da ist auch irgend etwas, was ihn reizt dessen Hintergrund näher auszuleuchten.
Ob er sich davon irgendeinen Aufschluss oder eine Klärung versprach - wer weiß? Einer gewissen Klärung jedoch sollte er tatsächlich näher kommen. Ob er das ahnte und ob er das sogar wollte? Wer weiß? Es begann jedenfalls damit, dass er mit Hilfe seiner magischen Leinwand versuchte die Familienverhältnisse Belcantos auszuspähen. Und das sollte Folgen haben – für ihn, den Satan, aber nicht nur für ihn.

€

Im appartemento
Der Wohnraum im *appartemento* der Belcantos in Rom ist sparsam eingerichtet. Belcanto wollte dies so. Denn nur so konnte er einen auffälligen Blickpunkt schaffen. Die Wände und die Decke sind mit einer cremefarbigen Satín-Tapete überzogen. Vom zartem Untergrund heben sich sehr dezent geringfügig dunklere Ranken ab. Nur ein Bild hängt im Raum - mitten an der den beiden Fenstern gegenüber liegenden Wand. Jetzt eben bei tiefstehender Sonne ist das Gemälde mit seinen mediterranen Hain, seiner rastenden Familie, die mit einem Esel unterwegs ist und seiner zinnenbewehrten, in den mit flirrenden Wolken gemusterten Himmel ragenden Burg im Hintergrund warm beleuchtet.
Belcanto ist kein wohlhabender Mann und hat nie viel für Kunstwerken aufwenden können, aber dies recht beachtliche Werk der italienischen Frührenaissance hatte es ihm ganz besonders angetan, und so hat er es erworben. Damals als er mit dem Kauf schwanger ging, hatte er - für

seine Verhältnisse recht zaghaft - Lucretia um ihr Meinung gefragt. Doch ihr gefiel das Bild auch und sie hat sofort zugestimmt. Jetzt steht sie davor um es, wie so oft, wenn sie ganz alleine ist, in aller Ruhe zu betrachten. Sie hat auch genügend Zeit, denn Marietta, die sie gerade erwartet, pflegt mit schöner Regelmäßigkeit immer zumindest eine gute halbe Stunde zu spät zu kommen.

Lucretia und Marietta waren sich seinerzeit, lange bevor sie sich von ihrem ersten Mann trennte und Belcantos Frau wurde, aus dem Städtchen im Norden in die *Capitale* umgezogen ist, überaus nahe gewesen. Aber auch jetzt tat Lucretias Herz einen Hüpfer als es läutete, sie die Tür öffnete, und sie Marietta mit ihre nussbraunen Nougataugen anstrahlte. Obwohl die freundliche Frau mit dem olivenen Teint tiefe Verletzungen durch Amors Pfeile erlitten hatte - eine Beziehung die sie selbst als ihre große Liebe empfunden, hatte nicht gehalten, was sie sich von ihr versprochen - sah sie frisch und jung aus und eher noch hübscher als zuvor. „Es ist eigentlich erstaunlich," sagte Lucretia zu sich selber, „dass so eine charmante Frau immer noch alleine durch die Welt wandelt."

So ist zu verstehen, dass das Gespräch über alte Zeiten, das Lucretia vom Zaun brach, Marietta mit Wehmut erfüllte. Doch es war eine süße Schwermut. Sie erzählte ihrer Freundin nun zum ersten Mal, dass sie zwar ihren damaligen Auserwählten immer schon geliebt habe, aber dass sie eines Tages von einer ganz besonders tiefen Empfindung für ihn überwältigt wurde. Es war merkwürdig gewesen. Er hatte gerade eine Bergtour hinter sich und war dabei verunglückt. Zwar war weiter nichts schlimmes passiert, aber er zog sein linkes Bein in einer so charakteristischen Weise nach sich, dass diese sparsame Andeutung von Hinken sich ihr ganz tief einprägte und sie aus irgendeinem Grunde - sie hätte nie zu sagen gewusst warum - mit einem Gefühl abgrundtiefer Zärtlichkeit erfüllte.

Auch jetzt ließ die Erinnerung daran das alles wieder aufleben. Und ihre Gedanken kreisten noch darum, als sie, nachdem sie ihren Plausch mit Lucretia beendet hatte, zu Fuß dem nahen Bahnhof zustrebte.

$

Aus welchem undurchsichtigen Grund wird der Teufel durchsichtig?
Die beiden Satänchen sahen sich plötzlich allein gelassen. Die Mutter hat sich wieder aufgemacht, diesmal um Schaden zu begrenzen. In Sachen genmanipulierter Apfeltrunk aus dem Hause des Herstellers der pappigen Klebstoffbrause lief zwar alles nach Plan. Auch bei ihren Evangelikalen hat sie es geschafft, dass die, die jungen Leute massiv indoktrinieren, sich dem Joche angeblich „wortgetreuer" Auslegungen der Bibel beugten - ein erfolgreicher Schlag gegen selbstständiges Denken und gegen die Unabhängigkeit von falschen Autoritäten.
Was jedoch den Ölpreise anbelangt - der war inzwischen wieder auf 77 Dollar pro Barrel geklettert. Das konnte nur passieren, weil ihr eine der Gänsefedrigen in die Suppe gespuckt hatte. Lucella, ein Kätzchen mit flauschigem tiefschwarzem, zart braunrot geflammten Fell, und lindgrün scheinwerfernden schrägstehenden Augen gehörte zu Lelipis erfahreneren Hilfskräften. Wie das gescheite Tier mit einen IQ von 156 ihr berichtete, soll das „englische" Wesen Raphaela heißen und den Hüftschwung ganz toll raushaben. Der ALTE höchstpersönlich soll sie beauftragt haben den Ölpreis auf 1,32 Dollar pro Liter hochzujubeln (etwa 210 Dollar pro Barrel). Vater Satan hatte vor sich hingemurmelt, dass er sich doch besser an Ort und Stelle umsehen müsse und dass er auch ein paar Worte mit dieser Marietta zu wechseln habe. Dann begann er transparent zu werden, durchsichtiger und durchsichtiger, bis seine Gestalt im Hintergrunde zerfloss und nichts, aber auch gar nichts mehr von ihm zu sehen war.
„Ich denke, Nella, wir müssen ihn im Auge behalten. „
„Und wie willst Du das machen, bitteschön?"
„Wir sorgen dafür, dass wir die Marietta nicht vom Bildschirm verlieren. In deren Nähe muss er auftauchen. Hat er doch selbst gesagt! Wetten, dass unser Mr. Satan, wieder einmal die ausgeleierte Platte vom süßen Teufelchen auflegt?" Satanellos Gesichtszüge versuchten sich in einem süffisanten Lächeln, doch sie entgleisten zu einer grienenden Fratze.

Der Teufel mag keine Schokolade, aber er mag ....
Marietta war unsicher, ob sie es wirklich sah oder ob sie dabei war, einem vom vorausgegangen Gespräch forcierten Sinnestrug zum Opfer zu fallen: Der Mann, der etwa 20 Meter vor ihr ging, zog das linke Bein leicht nach – fast unmerklich, aber für sie doch bemerkbar. „War er es oder war es ein Phantom?"
Sie beschleunigte ihre Schritte um ihn von der Seite aus den Augenwinkeln betrachten zu können. Er war es nicht - leider nicht! Doch sei´s drum: Es war doch ein Mann von ganz passablen Aussehen. Aber vielleicht hat nur das ihr so vertraute Nachziehen des Beines sie so eingestimmt, dass er ihr sofort gefiel. Es wäre übertrieben zu sagen, sie wäre wie vom Blitz getroffen worden. Aber sie war doch einigermaßen aufgewühlt und dachte zugleich in einem Anflug von kühler Nüchternheit über sich nach: „Ach - warum sollte es mir eigentlich nicht auch mal passieren, einer Liebe auf den erstbesten Blick zu begegnen?"

Sie hatte ihn mittlerweile überholt, auch bereits einige Meter Abstand von ihm gewonnen. Nun blieb sie vor einem Schaufenster stehen und tat so, als ob sie die hell angeleuchteten Preziosen darin mit aufs äußerste konzentriertem Interesse musterte. Sie wollte die Möglichkeit nutzen kurz - und wie sie dachte - unauffällig zu ihm zurückzublicken. „Gibt es sie wirklich - diese Liebe auf den ersten Blick? Wenn ja, dann mag dies die Gelegenheit sein - und die werde ich ganz bestimmt festhalten."

„Man muss festhalten, was man hat - immer ganz fest!" Er war ihr schon wieder viel näher gekommen, als sie gedacht hatte, lächelte sie mit eine Lächeln an, das sie unwiderstehlich zwang es zu erwidern.

„Mein Gott - können Sie Gedanken lesen?" Er zuckte bei der Anrufung von IHM etwas zusammen, es gelang ihm aber doch, seinem Lächeln einen schelmischen Zug zu überprägen und er warf mit etwas ironisch eingefärbter Stimme so hin:

„Natürlich kann ich das. Ich weiß sogar, dass Sie mit der Bahn in Richtung Norden fahren - nein, nein - Sie brauchen nicht zu erschrecken. Das müssen Sie keineswegs als Hellseherei auffassen. Sie vertreten eben den mir durchaus nicht unsympathischen Menschentyp, der dort am südlichen Fuße der Alpen zu Hause ist. Und schließlich streben Sie auch, wie ich, gerade dem Bahnhof zu. Oder irre ich mich?"

„Sie haben mich tatsächlich richtig eingeschätzt. Doch bei Ihnen fällt es mir schwerer zu erraten, wohin Sie zu reisen beabsichtigen."

„Oh - ich komme viel herum. Aber selbstverständlich - ich begleite Sie nach Norden. Ich finde es immer lästig alleine zu reisen. Es ist doch viel angenehmer sich im Zug mit einer Reisebekanntschaft zu unterhalten, besonders, wenn sie so charmant ist, wie Sie!

Sie finden mich doch hoffentlich nicht etwa zu aufdringlich? Das würde mir wirklich Leid tun. Ansonsten darf ich mir vielleicht erlauben aus jenem bekannten klassische Drama zu zitieren: >Edles Fräulein darf ich´s wagen Ihnen Arm und Geleit anzutragen?<"

„>Bin weder Fräulein weder schön, kann ungeleit´ nach Hause gehen!< Spaß beiseite - so zickig will ich Sie nicht abblitzen lassen. Ich bin kein deutsches Gretchen - und an meinen Jungfernkranz, na ja - an den kann ich mich auch nicht mehr so recht erinnern.„

Sie ärgerte sich, dass sie bei diesen Worten leicht errötete, denn sie hatte bis zum heutigen Tag immer noch nicht begriffen, dass ihr das recht gut stand. Etwas zögernd fuhr sie fort: „Geleit können Sie mir gerne antragen. Das mit dem Arm – das muss ja sicherlich nicht unbedingt sein!"

€

„Unser Alter ist ja heute wieder einmal groß in Form," bemerkte Satanello zu seiner Schwester. „So elegant hätte nicht einmal ich das hingekriegt. Und das mit der heißen Tante hier entwickelt sich sicher noch besser!"

„Ach Kleiner - Du bist ja so wie so ein Flegel! Immer hast Du Dich über die klassische Bildung unseres Erzeugers lustig gemacht. Nun siehst Du endlich mal in der Praxis, was man mit der alles anfangen kann. Vielleicht hätte Dich die – wie heißt sie noch mal? Na Du weist schon! – nicht abblitzen lassen, wenn Du ..." „*Shut up*! Sei bloß still! Ich ärgere mich immer noch höllisch, wenn ich nur an die blöde Zicke denke!"

Kaum in den Zug eingestiegen bot sich den beiden ein leeres Abteil freundlich zur Benutzung an. Marietta packte eine Tafel Schokolade aus und hielt sie ihm entgegen. „Danke, nein danke - ich mag keine Schokolade. Ja - wenn es Nougat wäre, dafür verkaufe ich sogar mein Erstgeburtsrecht." Bei diesen Worten blickte er ihr tief in ihre braunen Augen.
„Sie sind aber ein richtiger kleinen Teufel und verstehen es einer Frau den Hof zu machen. Es ist als ob Sie genau wüssten, dass alle meine Freunde behaupten, ich hätte Nougataugen!" Er lächelte vielsagend, schluckte aber dann ein Bisschen, weil er sich mit der Anspielung auf die Bibelstelle über das Erstgeburtsrecht einen etwas zu deftigen Brocken zugemutet hatte.
„Tatsächlich - wenn man genau hinsieht - Sie haben Nougataugen, wunderschöne süße Nougataugen. Darf ich Sie Lilibeth nennen. Sie sehen nämlich genau so aus, wie ich mir eine Lilibeth vorstelle."
„Nun gut dann nennen Sie mich Lilibeth. Aber wie darf ich Sie ansprechen?"
„Sie haben mir schon eine Namen gegeben. Einen richtigen kleinen Teufel haben Sie mich genannt. Bleib´ doch einfach dabei, Lilibeth! Nenn mich einfach Teufelchen."
„Na gut Teufelchen - aber wo sind denn Deine Hörnchen". Sie wischt ihm mit einer raschen Handbewegung über die linke und dann über die rechte Schläfe und tat so, als ob sie ihn mit einem suchenden Ausdruck im Gesicht anstarrte."
„Ach mein liebes Mädchen - was meinst Du - wer ist denn schon wirklich fähig Teufelshörnchen aufzuspüren. Die zieht der Teufel einfach ein, wie die Katze ihre Krallen - wenn er sie aber ausfährt, dann... „
„Was dann - Du scheinst ja mächtig gefährlich, Teufelchen!"
„Na ja mag sein - aber vor allem möchte ich Dir gefährlich werden. Dir mit Deinen süßen Nougataugen!"
Der Zug hält an, Leute steigen ein. Als er wieder anfährt, versucht ein dickliches Ehepaar ihr Abteil zu entern. Doch er beschreibt mit der Linken einen fünfzackigen Stern in der Luft - die beiden schrecken zurück und sind auch schon verschwunden."
„Oha - das war ja toll. War das eines von Deinen Teufelkünsten."
„Aber natürlich war es das. Du hast es gesehen. Ich habe die beiden weggezaubert - und das nur damit wir allein sind und ich – er rutscht auf seinem Sitz nervös hin und her - eine andere Teufelei inszenieren kann."
Sie lässt ein warmes Lachen hören, erhebt sich, wendet sich zu ihm und knickst galant, wie eine Dame alter Schule:
„Mein Herr erlauben Sie, dass ich Sie küsse."

„Gnädige Frau, eigentlich pflege ich mich in solchen Situationen etwas zu zieren. Sie tragen ihr Anliegen aber mit so viel Charme vor, dass mir gar nichts anderes übrigbleibt, als ihrem Wunsche zu willfahren."
Sie ergreift sanft seinen Kopf mit beiden Händen, zieht ihn zu sich hin, drängt ihre Lippen gegen die seinen – und dann ist sie plötzlich ganz hingerissen und verwirrt! Sie hatten noch nie zuvor erlebt, dass ihre Küsse so unheimlich feurig erwidert wurden.
Doch auch er war völlig durcheinander und von ihr hingerissen, denn ihre Lippen hatte die schwache Glut in seinen Herzen, die schon zuvor darin für sie vor sich hin kogelte, angeblasen und zu einem hellen und wilden Flammenmeer entfacht.
„Mein G...– nein, nein, nein – o.k., wer auch immer, ich verspüre plötzlich eine Feuer an einer Stelle, wo ich früher so was wie mein Herz vermutete. Habe ich wirklich immer, die ganze Zeit über ein Herz gehabt. Oder hat es sich unter ihrem Einfluss neu herausgebildet? Um sich zu verlieben braucht man doch ein Herz! Aber ich darf mich doch gar nicht verlieben."
Die Gedanken begannen ihn ihm zu kreisen und zu kreisen und immer größere und noch größere Kreise zu ziehen.
Dann beruhigte er sich wieder. „Ich werde sie f.... - nein so darf ich nicht denken. Ich drücke mich immer, wenn ich mit mir selbst spreche sehr gewählt aus, weil ich mir das wert bin. Der Lapsus ist nur auf meine Verwirrung zurückzuführen. Also nochmals vorn vorne angefangen mit den Denken. Ich werden mit ihr eine besonders heiße Nacht verbringen, eine Nacht, die sie nie wieder vergessen soll. Aber dann - schwuppdiwupp - werde ich sie unter höhnischem Gelächter verlassen und in Verzweiflung mit einem Satansbalg im Bauch zurücklassen. Das wird ein richtig gutes Satansstück werden!"
Satanella und Satanello sehen sich betreten an. In ihrem Inneren macht sich ein nagender Zweifel breit, ob ihr Vater das diesmal wirklich so satansmäßig korrekt, wie er sich das im Augenblick einbildet, und wie er es auch schon so manches Mal hingekriegt hat, durchzuziehen vermag.

€$

So ein Theater
Zur gleichen Zeit, als die beiden Teufelskinder ihren virtuellen Beobachtungsposten aufgaben, erklärte der *Commissario* dem Inspektor, wie sie sich über Leute informieren könnten, die gegebenenfalls in der Lage wären bei der Aufklärung des Falles mitzuwirken. Der Inspektor solle einfach seine magisch gut präparierte Linke zu der von zahlreichen asiatischen Götterbildern her bekannten Geste der Argumentation formen, dabei aber Mittel-, Ring- und kleinen Finger nicht nach oben, sondern nach unten strecken. Das sei zwar ein bisschen mühsam, aber falls er das ernsthaft wolle, bekäme er das sicher hin. Wenn er jetzt durch den aus Zeigefinger und Daumen gebildeten Ring blickte, könne er – er habe dafür schon einen geeigneten Zauberspruch parat – etwas Spannendes, wie auf

einem Bildschirm erblicken. Das einzige Problem sei, man müsse den Namen desjenigen kennen, den man magisch überwachen möchte.
„Da haben wir doch etwas gehört von einem mit zwei gleichem Namen. Was kann das sein? Vielleicht ein Doppelname wie Meyer-Meyer oder Schröder-Schröder?" Oder eher ein Nachnahme, der wie ein Vornahme klingt, etwas Klaus Klaus oder Walter Walter!"
Judith und Jasmina bekamen den Auftrag, die Telefonbuch-CD nach solchen Doppelnamen zu durchforsten. Judith begann von A an die einzelnen Adressen zu überprüfen. Yasmina versuchte eine Formel für die Suchfunktion Doppelnamen zu entwerfen. Tatsächlich gelang es ihr innerhalb einer halben Stunde 36 Ergebnis herauszufiltern. Das meiste kam allerdings nicht in Frage, weil die Vornamen abgekürzt und daher nicht genau zu identifizieren waren.
Übrig bleiben noch fünf Namen:
Betina Betina
Elsa Elsa
Carl Karl
Günter Günther
Konrad Konrad.
Da der Satan von einem Männernamen gesprochen hatte, fielen die Frauen schon mal weg. Und der Karl Carl, wie auch der Günter Günther – unwahrscheinlich! Die Schreibweise der beiden Namen war ja nicht identisch. Aber mit dem fünften Kandidaten – mit dem sollte man es ja doch mal versuchen!
Beide hielten jetzt die Linke vors linke Augen, der *Commissario* murmelte was Abrakadabrisches und fügte „Konrad Konrad" an, und schon erschien auch vor beiden dasselbe Bild. Sie blickten in das Büro von Konrad Konrad.

€

So wie er jetzt aussah und nachdem zu urteilen, welche Tätigkeit er im Augenblick ausübte, hätte kaum jemand Konrad Konrad zugetraut, dass er ein geradezu fanatischer Theaterfan war. Zwar besuchte er nicht so sehr häufig eine der einschlägigen Anstalten öffentlicher Bildung. Im ging es vielmehr darum selbst Theater zu spielen. Allerdings lag – und dies durchaus zu seinem nicht geringem Bedauern – sein letzter Auftritt schon geraume Zeit zurück. Die revolutionäre Schultheatergruppe, an die er sich immer wieder so gerne zurückerinnerte, hatte sich bereits während seines letzten Schuljahres aufgelöst.
Später hatte er sich dem „Thespiskarren", einer Amateur-Theatergruppe in der nahen Kreisstadt - so was wie den, hat es in den 80ern und 90ern tatsächlich sogar im nüchternen – das ist hier nur im übertragenen Sinne gemeint! – Niedersachsen gegeben. Sie hatten zunächst auch einige ganz passable Erfolge hingelegt, bis dann Peter Petersilie, der mitspielte und

gleichzeitig Regie führte, auch noch versuchte ihnen ein eigenes Stück auf den Leib zu schreiben.

Unglücklicherweise hatte er das Stück in Verse gekleidet und die waren plattdeutsch, aber auch ganz schlicht und einfach platt geraten. Es hat dann Streit gegeben und das hat das Aus für die Gruppe bedeutet.

All' das schoss Konrad Konrad in den letzten Tagen durch den Kopf. Er war zuvor in seiner drögen Tätigkeit fast so etwas wie erstarrt gewesen. Der Bundschuh aus seinem Schreibtisch inmitten der Scherben hat ihn aber aufgerüttelt – und zwar heftig. Er fragte sich jeden Tag erneut, was er hier denn eigentlich mache. Sich letzte Klarheit mit Hilfe der heimlich kopierten Diskette zu verschaffen, scheute er sich – wahrscheinlich nicht nur, weil er zu Hause keinen PC hatte und weil er sie aus verständlichen Gründen im Büro natürlich nicht aufrufen wollte. So schob er seine Gedanken von einer Ecke seines Gehirnes in die andere. Je mehr er nachdachte, desto mehr Ungereimtheiten im Gebaren der AVA drängelten sich ihm in den Sinn. Und dann erwachte sie und rieb sich die Augen – die unausweichliche Frage, die schon immer in ihm geschlummert hatte: „Kann ich es eigentlich verantworten, bei so was mitzutun?"

Kurz bevor er sein zunächst vages Nein in ein glasklares umgestalten konnte, ertönte die von einem Glockenspiel erzeugte Melodie: „Üb immer Treu und Redlichkeit bis an Dein stilles Grab..." Es war das Signal seines privaten Funkphons, das er ins Büro mitgebracht hatte und es war tatsächlich Peter Petersilie, der am andern Ende der Funkstrecke sprach, über die das Gespräch übertragen wurde.

Nach dem üblichen Austausch von Herzlichkeiten, den sich Leute leisten, die sich weiß der Himmel wie lange nicht getroffen, kam Petersilie zur Sache: „Also – ich fand das damals echt .... (das Wort, das er jetzt benutzt, ist zwar mittlerweile tatsächlich druckfähig, aber davon, dass es unbedingt gedruckt werden muss, kann ernstlich wohl kaum die Rede sein!), dass wir damals so auseinander gegangen sind. Ich habe jetzt schon ein paar Leute von früher gesprochen und auch einige neu interessieren können: Wir sollten es doch noch einmal versuchen – mit dem >Neuen Thespiskarren<. Ich habe auch ein neues Stück geschrieben.,, Hier seufzte Konrad Konrad, auch durchs Telefon deutlich vernehmbar, auf. „Nein, nein, nein – keine Angst! Es ist reine Prosa und außerdem will ich mich diesmal bestimmt nicht an meiner eigenen Interpretation aufhängen. Unsere Freunde von damals meinen ohnehin, das Manuskript solle jemand noch genau durcharbeiten, wenn nötig, sogar überarbeiten. Ja – und sie halten Dich für den richtigen Mann dafür. Ich finde das übrigens auch."

Konrad Konrad wollte sich eigentlich erst etwas zieren. Aber schließlich war ihm klar, dass er endlich wieder einmal etwas ganz anderes tun musste und dies auch tun wollte, und dass dies die Gelegenheit war, die er im Grunde seines Herzens suchte. Und so sagte er unumwunden und selbst für den Anrufer überraschend schnell:

„Ja wenn ihr mich für den richtigen Mann haltet und Du mir wirklich völlig freie Hand mit dem Manuskript lässt, dann kann ich ja gar nicht anders – dann bin in Euer Mann.",,
Anschließend setzte er sich sofort hin und verfasste ein, diesmal sehr höflich und vorsichtig formuliertes Schreiben an seinen Vorgesetzten:

„Sehr geehrter Herr Direktor,

entschuldigen Sie, wenn ich Sie höflich bitte, mir einen Urlaub vom letzten Jahr, der noch aussteht, und den Urlaub von diesem Jahr, der mir noch zusteht, zu gewähren. Auf Grund der Ihnen bekannten Vorfälle stehe ich unter einer Art von Schock und bitte Sie daher mir zu gestatten, dass ich ausnahmsweise den Urlaub sofort antrete. Ich hoffe, dass Sie dafür Verständnis haben!
Es ist schon so, dass ich in meinem augenblicklichen Zustand nicht in der Lage bin, meine Arbeit so effektiv fortzuführen, wie Sie es von mir gewohnt sind und es auch erwarten können.

Ich danke Ihnen vielmals im voraus für Ihr Verständnis und verbleibe mit freundlichen Grüßen

Konrad Konrad"

$

Der Inspektor bat den *Commissario* in den nächsten Tagen noch mehrfach im zu helfen über den imaginären Bildschirm sowohl Bild- als auch Toninformationen über Konrad Konrad herbeizuzaubern. Er tat dies, indem er vorgab, es bestünde die absolute Notwendigkeit mehr über einen mutmaßlich in naher Zukunft wichtigen Informanten und Mitarbeiter herauszufinden. In Wirklichkeit war er geradezu versessen darauf, etwas über das erwähnte Theatermanuskript zu erfahren.
Er hat selbst seit langen den stillen Wunsch einmal ein Bühnenstück zu verfassen in sich gehätschelt, hatte sogar schon mehrere Anläufe dazu unternommen, die er aus zeitlichen Gründen - und es waren tatsächlich nur solche - immer wieder abzubrechen hatte. Das mit dem „stiller Wunsch" ist wörtlich zu nehmen, denn er hat zu niemanden jemals etwas darüber verlauten lassen.
Tatsächlich ist es ihm auch gelungen zunächst den Entwurf von Peter Petersilie und dann die Überarbeitung von Konrad Konrad auf den imaginären Bildschirm zu bannen. Dank der magischen Fähigkeiten des *Commissario* konnte er sogar Kopien davon anfertigen. Was er nicht mehr konnte, war seinen bisher so sorglich gehegte geheime Leidenschaft noch länger vor den anderen zu verbergen.

☹

Samantha und Julian – erster Entwurf
Der ursprüngliche Entwurf von Peter Petersilie:

Personen
Nana, Dr. med. Julians Frau, Beamtin
Dr. med. Julian Giselher
Egon, sein Sohn
Josephine, eine Oberschwester
Madeleine, eine intime Freundin des Dr. Julian
Ein Parteifunktionär

Szene 1: Zu Haus bei Nana und Dr. Julian:
Nana ist Beamtin. Sie erlebt in ihrer Behörde, wie leichtfertig die Politiker mit dem Schutz der Umwelt umgehen. Um das zu ändern, strebt sie ein politisches Amt an. Aber, Julian, ihr Mann, Chefarzt in einer Geburtenklinik, ist strikt dagegen. Als typischer Macho, der er ist, stört es ihn, dass sein Frau eine politische Laufbahn einschlagen will. Er würde sich dadurch zurückgesetzt fühlen. Und außerdem passt ihm ihre gesamte politische Richtung nicht. Darüber streitet er sich oft mit ihr und mit seinem Sohn.

Szene 2: Im Arbeitszimmer von Oberschwester Josephine:
Egon und seine Mutter Nana erfahren an Egons 18. Geburtstag von Oberschwester Josephine, dass Egon nicht Nanas Sohn ist. Nana war damals auf der gleichen Station in der Klinik ihres Mannes gelegen, in der auch Madeleine, eine Freundin Julians lag. Und die hat fast zur gleichen Zeit mit ihr entbunden. Nanas Baby war eine Totgeburt. Das aber bot Julian die Chance das Kind der noch minderjährigen Madeleine seiner Gattin Nana unterzuschieben. Dr. Julian konnte damit drei Probleme auf einen Schlag lösen. Sein außereheliches Kind war gut versorgt, die Minderjährige war von ihren Problemen befreit und Nana musste nicht erfahren, dass ihr Kind bei der Geburt verstorben war.
Geraume Zeit später hat Dr. Julian ein Verhältnis mit Schwester Josephine angefangen, sie aber – leichtsinnigerweise - unlängst abserviert. Die Oberschwester hatte die Angelegenheit damals mitgekriegt, nunmehr Dokumente gesucht und auch gefunden und dazu – was sie nicht erzählte, aber was dennoch recht offenkundig war – mit Ihrem Wissen versucht den Dr. Julian Giselher um einige größere Scheine zu erleichtern. Er unternimmt daraufhin einen Mordanschlag mit Medikamenten auf sie, der aber misslingt. Josephine wird dadurch veranlasst, die ganz Angelegenheit sowohl den beiden, wie der Polizei zu beichten.

Szene 3: Zu Hause bei Nana:
Nana und Egon, die sehr aneinander hängen, sind geschockt. Nana betont aber, dass sie Egon immer noch als ihren Sohn betrachte und ihn immer lieb haben werde. „Keine Sorge", versetzt er, „ich liebe Dich auch." Er bittet darum, sich drei Tage zurückziehen zu dürfen um nachzudenken. Was ihm ganz besonders auf der Seele liegt ist, dass sein Vater einen Mordversuch auf dem Kerbholz hat.

Szene 4. Egon und Madeleine in einem Park:
Egon trifft sich mit seiner richtigen, zur Zeit seiner Geburt minderjährigen Mutter Madelein. Sie ist völlig verwirrt und weigert sich zunächst überhaupt etwas zu sagen. Erst nach langem guten Zureden überwindet sie sich und gibt zu, dass er ihr Kind ist.
Madelein versucht Egon mit einem Schwall von Rechtfertigungen zu überschütten. Doch er erklärt ihr, dass sie sich keine Gedanken machen soll, denn er sei eigentlich mit dem, wie die Dinge lägen, ganz zufrieden.
Sie ist einigermaßen erstaunt, teilt ihm aber noch mit, bevor sie auseinander gehen, dass der Dr. Julian damals versucht habe sie zu einem Abbruch der Schwangerschaft zu drängen. Das hätte sie aber unter keinen Umständen gewollt. Daher habe sie sich ihm widersetzt, obwohl Julian richtig Druck gemacht habe.

Szene 5. Zu Hause bei Nana:
Egon berichtet Nana, was er herausgefunden hat. Sie erklärt ihm, dass sie für immer seine Mutter bleiben wolle, und dass sich doch auch sicher für ihn daran nichts ändern werde. Er würde sich doch weiterhin als ihren Sohn betrachten: „Für mein Herz bist Du immer noch mein Sohn und wirst es immer bleiben."
Egon: „Ich weiß, dass Du es so meinst. Aber es klingt so ein bisschen zu edel. In jedem Roman, der sich mit so einem Thema beschäftigt, versichern sich die Mutter und der ihr unterschobene Sohn, dass sich nichts zwischen ihnen ändern wird. Ich will aber gerade, dass sich etwas zwischen uns etwas ändert. Ich will nicht Dein Sohn bleiben, ich will etwas viel besseres: Ich will mit Dir zusammen einen Sohn haben - und vielleicht auch noch eine Tochter. Ich will Dich als Geliebte. Ich wollte Dich immer schon. Hatte dabei aber ein schlechtes Gewissen, weil ich das für eine inzestuöse Anwandlung hielt. Aber das war offensichtlich nicht nötig und ist nicht nötig. Wir wissen jetzt, dass wir nicht miteinander verwandt sind. Ich liebe Dich!" Er nimmt Nana in die Arme und drückt sie heftig an sich. Doch Nana ist total verwirrt und unfähig irgendetwas zu äußern.

Szene 6: In einem Sprechzimmer des Gefängnisses. Nana und Dr. med. Julian Giselher.
Julian sitzt schon einige Zeit im Gefängnis. Nana erzählt ihm zögernd, dass sein Sohn und sie soeben ein Verhältnis angefangen haben. Zunächst hatte Nana Hemmungen gehabt, Egon nicht mehr als ihren Sohn anzusehen. Doch die Zeit heilt nicht nur Wunden, sondern auch eingefahrene Verhaltensweisen. Nach einiger Zeit bekommt sie dann wirklich einen Sohn von Egon. Als Dr. Julian das erfährt, erklärt er, er wolle sich nun scheiden lassen. Sie hatte das aus Anstand und weil sie doch trotz allem noch eine warme Ecke für ihn in ihrem Herzen hegte, von sich aus nicht angestrebt.

Szene 7: In der Kirche:
Egon und Nana heiraten. Er erbittet sich als Hochzeitsgeschenk, dass sie ein Angebot ihrer Partei annimmt, sich zur Wahl zu stellen. Ein Parteisekretär betritt durch eine zentrale Tür in der Kulisse die Bühne. Er geht mit einem großen Blumenstrauß in der Hand auf Nana zu. In diesem Augenblick fällt der Vorhang

☺

Konrad Konrad fand die Story von Peter Petersilie nicht ohne Reiz, vor allem recht dramatisch und spannend. Allerdings gefiel im die Verwechslung der Kinder nicht. Das erschien ihm als seifiges Thema, abgelutscht in Hunderten von Romanen und Geschichteten mit prolo-trivialen Charakter. Außerdem kam die Sache mit dem Kind von Nana und Egon zeitlich kaum hin. Nana musste eigentlich schon einiges über die Vierzig sein. Er dachte zunächst daran, um das überzeugender darzustellen, noch irgendeinen medizinischen Zauber einzubauen, verwarf aber dann die Idee. Stattdessen entschloss er sich das Mutter-Sohn-Drama in eine Vater-Tochter-Arie umzuschreiben. So konnte er die beiden kritischen Punkte elegant ausklammern:

☹

Samantha und Julian – endgültige Fassung
Der von Konrad Konrad über- und überarbeitetet Entwurf:

Personen
Julian Giselher, Beamter
Nana, seine Frau
Samantha, ihre Tochter
Joseph, ein Freund des Hauses
Marion, Josephs Frau
Jessika, Samanthas Freundin, Marions und Josephs Tochter

Szene 1: Zu Haus bei Julian und Nana.
Julian ist Beamter. Er erfährt, wie leichtfertig die Politiker mit Umweltschutz umgehen und will unbedingt in die Politik. Aber Nana, seine Frau, hält ihn zurück. Ihr erscheint das Leben eines Politiker zu unsicher. Außerdem passt ihm seine ganze politische und weltanschauliche Richtung nicht. Darüber geraten sie und ihre Tochter sich häufig in die langen blonden Haare. Samantha hängt sehr an ihrem Vater und sie teilt auch seine eher idealistische Gesinnung.

Szene 2: In Samanthas Zimmer.
Ihren 16. Geburtstag feiert Samantha zusammen mit Jessika. Jessika gesteht ihr, dass sie Samanthas Vater toll findet und seine Frau Nana um ihren Mann und Samantha um ihren Vater beneidet. Samantha meint: „Das ist ja kein Wunder. Wir beide sehen uns doch sehr ähnlich und wir haben doch auch sonst viel gemeinsam." Daraufhin neckt sie Jessika: „Ja – aber wir beide sehen eigentlich auch meinem Vater Joseph sehr ähnlich, ähnlicher jedenfalls als Deinem Vater Julian. Vielleicht ist ja Julian gar nicht Dein Vater!" Beide schütten sich aus vor Lachen über den Scherz. In Samantha bleibt allerdings ein Stachel zurück.

Szene 3: In einem Labor.
Zwar hat Samantha immer wieder den Gedanken, der sich ihr wieder und wieder aufdrängt, von sich gewiesen: „Ist ja alles doch nur ein Scherz – und ein schlechter dazu". Nachdem sie aber wochenlang schlecht geschlafen hat und unter Alpträumen gelitten, rang sie sich schließlich dazu durch sich Gewissheit zu verschaffen. Sie hat ihrem Vater eine Zahnbürste gleich nach Gebrauch stibitzt. Jetzt hat Samantha ein Labor aufgesucht und will Reimond, einen Bekannten überreden die Bürste gentechnisch zu untersuchen.
Der will sie erst abweisen: „Du hast keinen anderen Anhaltspunkt als eine lediglich oberflächliche Ähnlichkeit mit jemanden. Deine Befürchtungen sind doch mit Sicherheit aus der Luft gegriffen. Außerdem es gibt da ein brandneues Gesetz, nachdem zu so einer Untersuchung die Einwilligung aller Betroffenen nötig ist. Einen Test über Vaterschaft ohne die Einwilligung dessen, um den es dabei geht, durchzuführen ist illegal. Der Teufel weiß warum, aber es ist so".
Sie dringt aber weiter in ihn, schaut ihm mit ihren großen blauen Augen hilfeheischend an, verspricht ihm hoch und heilig nichts zu verraten. Und so lässt er sich schließlich breit schlagen ihr diesen Gefallen - etwas jenseits des Randes der offiziellen Legalität - zu tun.

Szene 4: In einem Park am Wasser:
Der Vergleich der Genproben hat eindeutig im Sinne der Entwicklung des Dramas erwiesen, dass Julian unter keinen Umständen ihr Vater sein kann.
Samantha ist erst wahnsinnig erregt. Sie spricht mit einem Schwan, der sie um Futter anbettelt. Allmählich beruhigt sie sich bei dem Gedanken, vorläufig alles dies erst einmal bei sich zu behalten:
„Ja, ja – mein lieber Schwan. Ich erzähle das alles nur Dir. Was meinst Du? Ist dieser blöde Kerl, der Joseph, wirklich mein Vater. Du blinzelst mir zu! Ach je, mein lieber Schwan – das wäre echt doof!"

Szene 5: Auf einem krimigerecht verlassenen und total heruntergekommenen Hafengelände mit alten Kranen.
Joseph ahnt nichts von Samanthas Verdacht. Tatsächlich hatte sich ihre Mutter damals mit ihm eingelassen. Jetzt steckt er in Geldnöten. Er trifft sich Nana auf dem unzugänglichen Gelände und versucht sie zu erpressen. Sie ergreift einen Wagenheber und versucht ihn umzubringen. Der Mordanschlag wird aber durch zwei Wachtleute im – wie sich das gehört – allerletzten Augenblick verhindert.

Szene 6: Auf dem Polizeirevier.
Die Polizei spielt im Verhör Nana und Joseph geschickt gegeneinander aus und die ganze Geschichte kommt ans Tageslicht. Ein Reporter beschafft sich die Unterlagen und bringt die Story in „Das Blatt" groß heraus.

Szene 7: Im Arbeitszimmer von Julian.
Der gute Julian ist natürlich völlig geschockt. Er weiß nicht, wie er das alles Samantha, die inzwischen 18 Jahre alt geworden ist, beibringen soll.
Er versucht Samantha ganz vorsichtig darauf vorzubereiten. Sie aber gesteht ihm, dass Sie bereits seit einiger Zeit etwas mehr weiß, aber nichts sagte, um die Familienkonstellation nicht zu gefährden: „Weißt Du – ich hatte genug Zeit um über die Sache hinwegzukommen."
Julian betont, dass er Samantha immer noch als seine Tochter betrachtete und sie immer lieb haben werde. „Keine Sorge", sagt sie, „ich liebe Dich auch". Sie erbittet sich zwei Tage zurückziehen zu dürfen um nochmals nachzudenken. Was sie vor allem bedrücke sei der Mordversuch ihrer Mutter. (Sie hat auch erfahren, dass diese damals einen glücklicherweise misslungenen Versuch unternommen hatte, sie abzutreiben.)

Szene 8: Im Arbeitszimmer von Julian.
Nunmehr wird Samantha bei Julian vorstellig und schlägt ihm vor, dass sie sich beide nochmals – diesmal ganz offiziell und in der Konstellation sogar völlig legal – einem seriösen Gentest unterziehen, um auch amtlich zu dokumentieren, dass sie nicht miteinander verwandt sind. Julian will dieses Ansinnen erst zurückweisen:
„Du wirst sowieso immer meine Tochter bleiben!"
Doch sie lächelt ihn mit einer intensiven für ihn ungewohnten Zärtlichkeit an und sagt ihm:
„Ich weiß, aber auch ich habe meine Gründe. Wir müssen es offiziell dokumentieren. Mach´ Dir jetzt keine Sorgen. Es wird alles gut werden."

Szene 9. Im Park
Samantha holt die Ergebnisse ab. Sie wartet im Park, in der Zwischenzeit mit dem Schwan sprechend, auf Julian. Der kommt und betont nochmals:
„Nun gut, wir wissen jetzt, Deine Mutter hatte es damals mit Joseph getrieben. Aber für mein Herz bist Du immer noch meine Tochter."
Samantha: „Ich weiß, dass Du es so meinst. Aber es klingt mir ein bisschen zu edel. In jedem Roman, der sich mit solch´ einem Thema beschäftigt, versichern sich der Vater und die ihm unterschobene Tochter, dass sich nichts zwischen ihnen ändern will. Ich will nicht Deine Tochter bleiben, ich will etwas viel besseres: Ich will Dir eine Tochter schenken - und vielleicht auch noch einen Sohn. Was ich will ist, dass Du mich zu Deiner Geliebten machst. Wir haben es hier schriftlich, dass wir nicht miteinander verwandt sind. Ich liebe Dich, nicht sanft töchterlich, sondern als Frau." Sie wirft sich dem total verwirrten Julian an den Hals."

Szene 10 Zu Hause bei Julian.
Samantha setzte alles daran Julian zu verführen und so haben sie auch beide versucht sich zu lieben, aber Julian wird durch Hemmungen blockiert, weil er sie immer noch als irgendwie als seine Tochter empfindet.
So klappt es – verständlicherweise - nicht so recht mit dem Durchsetzen ihrer Absicht ein Mädchen oder einen Jungen von ihm zu bekommen.
Samantha: Keine Scheu, mein Liebster, es wird schon werden. Ich liebe dich, und will Dich. Aber ich will auch, dass Du meine Mutter ordentlich mit mir betrügst. Das ist doch wohl das mindeste, was sie verdient hat.
Samantha sieht sich gezwungen Julian zu gestehen, dass sie schon seit ihrem 16. Lebensjahr Beziehungen zu Jungen hatte.

Insgesamt waren es drei gewesen. „Du hast Hemmungen, weil Du denkst ich bin noch immer eine Jungfrau. Aber das kannst Du vergessen!"

Szene 11 Zu Hause bei Julian.
Samantha hat sich diesmal gut vorbereitet. Dabei hat sie davon profitiert, dass sie zufällig in der Bibel gelesen hat, wie Noahs Töchter in einem nicht ganz genau so, aber doch einigermaßen ähnlich gelagerten Fall mit ihrem Vater umgegangen sind: Samantha setzt Julian erst einmal ordentlich unter Vernatsch – sie wusste genau, dass das sein Lieblingswein war. Er wird ziemlich heiter und immer heiterer, fängt schon an zusammenhangslos zu brabbeln. Da verschwindet sie kurz und kommt betont sinnenfroh aufgetakelt zurück.

Szene 12 Zu Hause bei Julian.
Durch ihre neue Taktik war es ihr schließlich doch gelungen Julian zu verführen. Sie bekommt ein Mädchen. Telefonisch teilt sie das Nana, die in U-Haft sitzt, mit. Als die das erfährt reicht sie die Scheidung ein. Samantha und Julian beschließen zu heiraten. Samantha: „Siehst Du, der gefürchtete Gentest kann doch auch etwas Gutes haben. Eines erbitte ich mir aber als Verlobungs- und als Hochzeitsgeschenk: Bitte, bitte gehe in die Politik und zeige denen endlich einmal, dass auch ein Politiker wirklich etwas für die Menschen tun will und kann."

☺

Unter den Eindruck der Diskussion um ein gesetzliches Verbot der heimlichen Tests, hat Konrad Konrad dann noch die Formulierungen hinten angefügt:

„Und bei der Gelegenheit will ich noch eines tun. Ich will alles daran setzen dieses Gesetz gegen heimliche Vaterschaftstests zu Fall zu bringen. Ein solches ungerechtes Gesetz kann sich ja nur der Teufel ausgedacht haben."

Allerdings hat dann Peter Petersilie noch am Abend angerufen und ihm klar gemacht. „Du – den Zusatz lass man lieber weg. Dein Julian will in die Politik und richtig was verändern. Wenn eine so was vorhat, ist diese Arie doch viel zu nebensächlich."
„Du hast recht. Das wirkt zu läppisch. Das streichen wir und ich denke mir noch was wirklich Knackiges aus. Das muss so in Richtung Umverteilung von unten nach oben oder Globalisierung oder die Beeinflussbarkeit der Menschen durch die TV-Werbung gehen."
Peter Petersilie: „Ja natürlich – Du selbst wirst schließlich den angehenden Politiker spielen! Denk Dir also was richtig Süffiges aus!"

Die Pflastersteine auf des Teufels Weg zur Hölle?
Als Konrad Konrad den letzten Satz an seinen Entwurf anklebte, den er zuvor schon abgeschlossen wähnte, schrillte das dem Teufel in die Ohren. Der hatte nämlich tatsächlich die Einbringung der Gesetzesvorlage gegen heimliche Tests im Parlament durch seine willigen Lobbyisten veranlasst. Natürlich weiß jeder denkende Mensch, dass dies nicht die einzige Teufelei war, die im Parlament zum Tragen kam. Das war auch der Grund, weswegen sich keiner ernsthaft darüber aufregte. Aber im Augenblick beeindruckt die realsatirische Bemerkung Konrads den Satan zwar, aber er kann sich jetzt damit nicht abgeben. Er hatte jetzt ganz andere Sorgen. Und das Schlimmste war, dass er sich nicht so recht traute sich mit den Seinen darüber auszusprechen.
So brabbelte er vor sich hin, stellte sich dabei vor, den Menschen was zu erzählen, wobei er anderseits das auch wieder fürchtete, weil er ja auch nicht zu viel von sich preisgeben wollte. Kein Teufel will das!

„Ach ja! Ich sag's ja immer: Der Weg zur Hölle ist mit guten Vorsätzen gepflastert. Und weil ich eben so einen ganzen Sack voller guter Vorsätze mit mir herumgeschleppt habe, geht es mit heute nicht so gut. Mein Fuß und mein Schwanz fühlen sich ganz steif an und tun mir weh. Das sind Phantomschmerzen. Sie schmerzen so, als ob mein Rinderfuß und mein Kuhschwanz noch immer aus dem starren Gold wären. Irgend wie ist mir so dunkelgrau zu Mute. Das kommt davon, wenn der Satan sich wie ein Weichei benimmt. Das darf eben nicht sein: Schnaps ist Schnaps und Dienst ist Dienst - und schwarz ist schwarz, und muss schwarz bleiben, sonst gibt es nur Komplikationen. Und mit so was hab ich jetzt zu tun, nur weil ich nicht konsequente genug war."
Sie ahnen sicher schon, was gestern Abend und last not least heute morgen vorgefallen war.
Gestern Abend mit Lilibeth! Wenn ich nur daran danke! Wenn der Satan seufzen dürfte, würde ich sagen: Seufz! Seufz! Ach ja! Für mich war das wirklich die Nacht der Nächte.
Sie hatte mich am späten Nachmittag >auf einen Kaffee<, wie sie betont unbetont bemerkte, eingeladen. Es entwickelte sich alles so, wie ich es mir wünschte, und das Schöne und für mich und Einmalige daran war dabei, dass das alles so geschah, ohne dass ich dem irgendwie satansmäßig oder so nachhelfen musste.
Sie gefällt mir derart unerlaubt gut, das ich im ersten Moment sogar zögerte mich mit ihr einzulassen. Doch dann fragte sie mich mit einem reizenden koketten Lächeln: >Kann den Liebe Sünder sein?<
Was soll ausgerechnet ich dagegen sagen! Wo sie recht hat, hat sie recht. Sie hat mich überzeugt – obwohl es eben nur ein einziges Wesen gibt für das Liebe wirklich Sünde sein kann und das ist nun mal der Satan. Das war aber nicht der einzige Grund, weswegen es mir im entscheidenden Augenblick zunächst etwas bänglich zu Mute wurde.

Als wir das Bett bestiegen, versuchte ich meine langen rotseidenen Unterhosen anzubehalten. >Die sehen doch toll aus!< warf ich so hin, als sie mich mit einem langen Blick ansah.

Sie können sich aber sicherlich denken, was der eigentliche Grund war: Ich wollte es natürlich vermeiden ihr meinen linken Fuß – Sie wissen schon, den Rinderfuß - zu zeigen. Aber Lilibeth tastete sich mit ihren zarten Händen ganz behutsam immer näher an meine untere Hälfte heran, streichelt mich zärtlich überall und besonders an meinem linken Fuß. Und dann zieht sie mir die Beinkleider ganz vorsichtig aus. Ich gerate in einem fürchterlichen Zwiespalt. Ich finde es so angenehm und so lieb von ihr, wie sie mich behandelt. Aber ich bin auch zutiefst erschrocken. Wie wird sie das verkraften, was sie nun zu sehen bekommt?

Doch sie sagt nur: „Oh, mein Gott, Du hast so eine tolle Figur, so göttlich schöne Beine und so verteufelt schönes Anderes. Ich bin verwirrt, blinzele verlegen und versuche meinen Rinderfuß zu taxieren. Doch was ist nun los?! Er ist nicht da - stattdessen ein menschliches Bein, und ich muss zugeben sogar ein recht schönes Bein, soweit man ein Männerbein überhaupt als schön empfinden kann.

„Deine Beine sind wirklich wunderschön, fast so schön, wie die der Lucretia, Verzeihung natürlich nicht der, sondern der Aphrodíti!" „Wieso Aphrodíti - ich denke sie gleichen eher denen der kuhäugigen Hera" warf ich ihr so hin und dachte insgeheim, dass ich ja tatsächlich einen weiblichen Fuß gehabt hatte - den einer Kuh.

Aber irgend etwas war passiert. Irgendwie gleichen jetzt meine beiden vormals knuppeligen Flossen hübschen Frauenbeinen. Wenn Lilibeth und ich sich ganz ineinander verflechten, kann niemand mehr auseinanderhalten, welches Bein zu wem gehört.

Nun war alle Furcht, ich könne unbeabsichtigt mein wahres Ich outen, dahin. Und ich konnte mich ganz Lilibeth Marietta überlassen.

Seufz! Seufz! Das war so unsagbar schön, dass ich die neue Gefahr für mich, die sich ganz heimlich an mich heranschlich, zunächst gar nicht bemerkte. Ich begann nämlich so ganz allmählich Lilibeth lieb zu gewinnen – richtig lieb - , zunächst nur ein ganz klein bisschen. Aber für den Satan ist auch das kleinste bisschen Liebe ein unhaltbarer Zustand.

Was meinen langen Kuhschwanz anbelangt – wenn ich den verbergen wollte, konnte ich ihn schon von jeher nach innen in meinen Körper einziehen. Aber auch der war jetzt weg, wie nur was weg sein kann. Ich habe keinen goldnen Rinderschwanz mehr. Dafür ist aber mein Freudenspender wesentlich ausgeprägter und erregbarer. Billige Witze über Viagra u.s.w. überlasse ich an dieser Stelle den bis zum Überdruss bekannten Blödelbarden im privaten Fernsehen. Mit mir war alles in Ordnung. Ich fühlte mich total gut und Lilibeth fühlte sich total gut – und so kam wie es eben kommen musste – mein Sündenfall.

Und hinterher verhielt ich mich noch viel viel unmöglicher:

Wir saßen eng umschlungen auf dem flachen Dach ihres Häuschens und blickten gen Westen. Das Gestirn des Tages war schon glühendem Metalle gleich hinabgetropft und weggetaucht.
Vor uns rollen die geschwungen Wogen der Hügelkuppen des Voralpenlandes gen Unendlich dahin. Ihre Rundungen in Schichten gestaffelt, werden der Ferne zu kleiner und kleiner und heller und heller bis sie - so scheint es – sich mit den Wellen des Meeres einen und in ihm verlieren. Und noch ferner dahinter glimmt der tief dunkelblaue Himmel über dem lichtrötlichen Streifen, der das Oben und das Unten trennte. Darüber schimmert in zartem Gelbton die gläsern zerbrechliche Sichel des Mondes. Sie neigt sich zärtlich dem im Süden neben ihr funkelnden Hesperos zu, dem Abendstern der Liebe.
Und da – leise Cecak-Cecak-Rufe. Die Geckos künden – so heißt es – davon, dass die von da oben sich eingefunden haben.
Ein Paar von gleißenden Linien umsäumte dunkelrosa Wölkchen schwellen zu menschengestaltigen Silhouetten – die eine asketisch hager, die andere gedrungen und wulstig wie ein weinseliger Gnom. Hände entwachsen ihnen, die sich dehnen und nach uns greifen, uns in ihre rosenduftenden Wolkenarme ziehen.
An der Stelle, an der einst mein Herz gesessen, überkommt mich eine süße Wehmut und eine tiefe Sehnsucht mich zusammen mit meiner Lilibeth hineinzuschmiegen ins Unendliche. Alle Grenzen zerfließen und ich mit ihnen.
In mir beginnt ein Gedanke zu kreisen: >Augenblick verweile doch Du...< - und da schrecke ich zusammen und die Grenzen zwischen all den Dingen und zwischen ihnen und Lilibeth und mir rasseln als eiserne Gitter herunter, formen wieder betonkantige Dämme, die unserem Inneren verwehren über seine Ufer zu treten.
Oh, oh, oh – so was muss ausgerechnet mir passieren!
Am Morgen verließ ich sie mit einem hingebungsvollen Kuss, gab ihr nochmals zu verstehen, wie abgrundtief ich sie liebte und versprach ihr hoch, wenn auch nicht so ganz heilig, so schnell wie möglich wieder zu ihr zurück zu kehren. Alle meine guten Vorsätze von wegen Schwängern und sie unter Hohnlachen und Absonderung teuflischer Schwefelwasserstoffgerüche sitzen zu lassen, waren wie weggeblasen. Ach ja. Seufz, seufz, seufz!
Und die Arme, sie tut mir ja so leid. Sie weiß ja gar nicht, wer das eigentlich ist, der hinter ihrem Liebling steckt! Seufz, seufz – ach ja!"

$€

Nochmals Feuerzauber – diesmal mit Blondinen
„Der Teufel steckt natürlich dahinter!"
Das war des *Commissario*s Antwort auf Judiths Frage.
Er hatte die beiden Damen beauftragt eine Übersicht über alle bereits bekannten Fakten zu dem Fall und natürlich auch über die noch offenen Fragen anzufertigen. Judith wollte wissen, wen er als den eigentlichen Drahtzieher hinter der ganzen Angelegenheit ansah. Seine Antwort hatte sie und auch Yasmina dann doch ziemlich erschreckt,. zugleich aber auch fasziniert und geradezu „waaaahnsinnig" gepackt. Judith hat schon immer insgeheim eine Vorliebe für Teufel, Hexen, Kobolde, Trolle und Schlossgespenster in ihren Herzen genährt. Manchmal entrutschte ihr so eine Bemerkung, aus der Jasmina Schlüsse auf die geheime Leidenschaft ihrer Kollegin , die sich gerne kühl und besonnen gab, ziehen konnte. Die lustige Blonde konnte es denn auch nicht lassen, anlässlich Judiths letztem Geburtstag ihr mit verschwörerischer Miene ein Taschenbuch der besonderen Art zu überreichen. Das Geschenkpapier, in das es gehüllt war, zierte ein Muster von gelben und roten Reisigbesen auf nächtig blauem Grund. „Die Hexe in der Papierwelt" war es dann auch gewesen, die im „Bürogeflüster" der Beiden in den letzten Wochen eine nicht unwesentliche Rolle gespielt hat.
So kann es nicht verwundern, das Jasmina jetzt versucht, sich noch etwas dichter an diese heiße Geschichte heranzuschlängeln:
„Lieber Commissario! Gerade Sie gelten ja als der große Spezialist für das Teufelswesen Aber was wollen Sie im Ernstfall gegen den Satan unternehmen. Ist das alles nicht recht gefährlich für Sie?"
„Ach nein – da haben wir schon unsere Gegenmittel! Wir wappnen uns mit magischen Tricks gegen den Bösen." Kaum war dies Wort seinem Mund entfahren, wollt' er's im Busen still bewahren. Denn eigentlich hatte er die Absicht - einmal abgesehen vom Inspektor - sein Geheimnis für sich behalten. Nun hakte – und das war ja wohl unausweichlich - Yasmina nach:
„Wie machen Sie das? Das ist ja interessant! Erzählen Sie *Commissario*!"
„Bitte, bitte, bitte, biiittee *Commissario*," stimmte Judith ein, „erzählen Sie! Bitte, bitte!"
Jetzt gab es für ihn kein Halten mehr, denn er sah ein, dass wenn er jetzt lange zwischen asketischer Schweigsamkeit und der Versuchung sich den beiden blonden Schönheiten als großer Beherrscher der Magie darzustellen, schwankte, schließlich sein überragender Wunsch der Versuchung zu erliegen, doch obsiegen würde. Also konnte er auch gleich die Waffen strecken.
Womit er jedoch überhaupt nicht gerechnet hatte, war die entschlossene, ja halsbrecherische Unbekümmertheit, mit der die beiden auf seine Erzählungen reagierten.:
„*Maestro magico* - wir wollen Ihnen beistehen, komme was das wolle."
Yasmina verstieg sich sogar dazu lauthals heraus zu schmettern: „Und wenn die Welt voll Teufel wäre, es muss uns doch gelingen!"
„Ja *Commissario*" meinte Judith, dieses magische Aufrüstung ist ja wwaaaaaahhhnsinnig interessant. Sie helfen uns doch, dass auch wir

gegen den Teufel gewappnet werden? Wann zünden Sie für uns den Feuerkreis an?" Die Einwände, dass sich die beiden zarten Damen Brandblasen holen könnte, und dass er auch nicht wisse, ob jetzt bei zunehmende Mond die Zeremonie so erfolgreich verliefe, ließen die beiden enthusiastischen Blondinen nicht gelten. Dann kam auch noch der Inspektor, blickte Yasmina erst tief in die Augen und wurde dadurch bewogen sich für die beiden Damen einzusetzen: „Eigentlich hat es schon was für sich, *Commissario*, dass............"
So traf man sich eben spät am Abend im Haus des Inspektors. Der fand zunächst die krappot lackierte, aber reichlich zerbeulte Leuchte mit ihrem verstaubten, geschwärzten, in Spinnenweben eingewickelten und dazu noch leicht angeschlagenen Glaszylinder nicht und meinte: „Die brauchen wir vielleicht gar nicht, der Halbmond draußen ist ja heller als jeder Scheinwerfer."
Der *Commissario* schaute zum Fenster hinaus und sang halblaut vor sich hin: *Sul mare lucica l'astro d'argento..* Dann wandte er sich abrupt um: „Doch meine Lieben, wir brauchen Licht. Die verflixte Laterne muss doch in einem Hexenring der *malefice* herumliegen! Wir brauchen Licht! Die zunehmende *Donna Luna* ist heute exakt halb. Daher wird sie auch *exactamente mezza notte* unter den Horizont rutschen. Für unser Ritual steht dann das Mondlicht nicht mehr zur Verfügung."
Judith staunte ihn gewollt großäugig an: „Woher wissen Sie denn so was? Ich dachte Sie sind ein Teufelsspezialist und jetzt kommen Sie uns mit Himmelskunde?"
„Das ist kein großes Kunststück. Wir Italianos sitzen abends im Sommer auf dem Balkon oder im Garten, trinken unseren Wein und freuen uns am gestirnten Himmel über uns. *La Luna* ist unser himmlische Geliebte. Das hat sogar die Kirche *nolens volens* anerkannt. Jedes halbwegs anständige Bildwerk der Madonna zeigt, wie sie auf der Mondsichel steht. Auf jeden Fall kriegen wir immer mit, wann die geviertelte, die halbe und die völlig gefüllte *Luna* auf und untergeht. Wir sind gerade zu süchtig nach dem Mond. Aber das könnt ihr armen Nordler in euren trüben Nebel- und Wolkenländern nicht so verstehen."
Als der Halbmond dann wirklich ganz tief gesunken waren, zogen die beiden Damen ärmellose Blusen an und rasierten sich auch vorsichtshalber die Achselhöhlen. Schließlich wollten sie ja nichts anbrennen lassen. Und ebenso vorsichtshalber gedachte der Inspektor auch einen Kanister Wasser mitzunehmen. Aber der *Commissario* wandte ein, dass sich das *birra* das erste Mal doch besonders gut bewährt habe und man doch besser beim Bewährten bliebe.
Glücklicherweise fand sich die krappot lackierte, aber reichlich zerbeulte Leuchte mit ihrem verstaubten, geschwärzten, in Spinnenweben eingewickelten und dazu noch leicht angeschlagenen Glaszylinder inmitten der *malefice* und der *Commissario* versuchte sie zu entzünden. Obwohl er die Dochthöhe sorgsam einstellte, leuchtet die Flamme der roten Petroleumleuchte ganz ohne ersichtliche Ursache für einen Moment gleißend auf. In ihrem Licht erglühten die roten Schirme, die die inzwischen einhundertdreizehn ortsan-

sässige Fliegenpilze aufgespannt hatten. Ihre Stiele phosphoreszierten grünlich blau.

„Scheint doch eine gute Zaubernacht zu werden", murmelte der *Commissario* vor sich hin. Nach seinem ersten Zauberspruch und nachdem wieder ein Kauz den Eintritt der Mitternacht bestätigt hatte, begann der *Commissario* mit seiner Beschwörung: *Takoni pakoni lakoni........*

Doch auf dem ausgelegten Hibiskus-Holzkohlekreis zeigte sich keine Flamme und nicht einmal die Spur irgendeines Aufleuchtens. Er versuchte es nochmals, und dann nochmals. Wäre es etwas heller gewesen, hätte er auf Judiths Antlitz schon einen etwas ironischen Ausdruck lesen können. Sie selbst verkniff sich jede Bemerkung, obwohl ihren geschwungenen und sorgsam nachgezogenen Lippen sonst gerne etwas Lakonisches entfuhr. Des öfteren hatten ihre Bemerkungen sogar einen spürbaren Hauch von Zickigkeit. Doch da sie jung und hübsch war, hat man es ihr immer nachgesehen. Erst wenn die Schönheit geschwunden, aber die Zickigkeit geblieben, wird das übel vermerkt – dann aber umso mehr. (Jeder kennt doch die einschlägige Damen!) Doch im Augenblick drohte sie eher sich an ihren Lakonismen zu verschlucken, als sie auszuspucken. Mit dem *Commissario* wollte sie es unter gar keinen Umständen verderben.

Yasmina jedoch, die realistische, kramte ein Fläschchen aus ihrer Handtasche: „Vielleicht hilft ja mein >Odocholonch<!" Schon hatte sie ein paar Spritzer über den Kohlenkreis verteilt – woraufhin Judith, jetzt doch ziemlich spitz bemerkte: „Du könntest ja noch >Flamme empor!< dazu singen!"

Tatsächlich entzündete sich bei einer erneute Rezitation der Kreis. Von Lodern konnte allerdings nicht so recht die Rede sein. Die Flämmchen wabberten nur eine halbe Handbreit hoch. Anstatt blau zu flackern, wie sich das gehört, waren sie deutlich giftgrün getönt, um kurz darauf ins purpurfarbige umzuschlagen.

Yasmina absolvierte die magische Stabilisierung ihre Linken ohne große Schwierigkeiten.

Judith zog etwas vorsichtiger ihren ersten Kreis, schrak dann zusammen, weil die Flämmchen für einen Moment etwas höher aufflackerten. Sie brach die Prozedur ab und musste nochmals von vorne beginnen, konnte sie dann aber ganz ungestört zu Ende führen.

Der *Commissario* war wegen der niedrigen Flammen im Feuerkreis ins Grübeln geraten, hielt dies aber alles in allem für gar kein so schlechtes Zeichen. Der Inspektor gab das nicht verwendete Dübelsbrücker Dunkel zum Genuss frei. Doch der *Commissario* sah sich schon genötigt darauf hin zu weisen, dass das Bier schwiergig zu bekommen wäre und es durchaus sein könnte, dass man auf die Kräfte, die sie in ihm entdeckt hätten, noch angewiesen wäre. Der Inspektor daraufhin: „Keine Sorge. Ich kümmere mich darum. Das Bier wird zwar nicht mehr hergestellt. Ich habe da aber so eine Idee, wo ich noch ein Fässchen, oder auch zwei, auftreiben kann. Die lass´ ich dann für uns ins Büro kommen."

€$

Rindviecher mit fünf Mägen
Die ganze Nacht so herumzuzaubern und dabei auch noch zu versuchen stets einen guten Eindruck auf zwei Blondinen zu machen ist doch einigermaßen anstrengend. Commissario Belcanto schlief sich am folgenden Morgen gründlich aus.
Doch der Inspektor und die beiden Damen fühlten sich bemüßigt zeitig im Büro aufzutauchen. Müller-Gürtelneurose bittet Yasmina den Veterinär anzurufen. Dessen Sekretärin erklärt, er telefoniere gerade. Sie hat ihn nämlich soeben mit des Inspektors Dienststelle verbunden. Im gleichen Augenblick kommt auch schon Judith aus dem Nebenzimmer: „Der Veterinär ist am Apparat".
Inspektor: „So´n Zufall – eben habe ich versucht Sie zu erreichen. Doch erzählen Sie. Was gibt es Neues?"
Veterinär: „Wir haben die Obduktion unserer Mörderkühe abgeschlossen. Sie weisen tatsächlich organische Veränderungen auf. Normale Kühe haben, wie sie sicherlich wissen, vier Mägen. Bei denen haben wir aber noch eine fünften Magen gefunden. In dem können sie Nahrung tierischer Herkunft, und natürlich auch Humanmaterial, verdauen. Unsere Untersuchungen der aufgenommenen Nahrungsreste ergaben eindeutig, dass menschliche Überreste zu einem erstaunlich hohen Prozentsatz beigemengt waren. Wie es zu der Missbildung des Magensystems gekommen ist, haben wir leider noch nicht herausgefunden. Dazu müssten wir wissen, was die Tiere bereits vor ihrer mörderischen Attacke alles zu sich genommen haben – und zwar über eine längere Zeitstrecke."
Inspektor: „Da können wir Ihnen helfen. Die von uns sichergestellten Futtermittelproben ergaben, dass die Rindviecher geringe Mengen von Chlorunkakenorp zu sich genommen haben. Knapp 2/3 der Nahrung bestand aus Tiermehl aus der Abdeckerei und – sitzen Sie bequem Doktor?! – mehr als ein Drittel bestand aus industriell verarbeitetem Humanmaterial. Ich sende Ihnen eine Kopie unseres Untersuchungsberichtes zu. Bitte behandeln Sie ihn streng vertraulich. Vor allem aber – Sie kennen den Satz ja aus jedem besseren Fernsehkrimi – kein Wort an die Presse!"
Veterinär: „Wir sollten uns meiner Meinung nach auf jeden Fall Gewissheit darüber verschaffen, ob es wirklich diese Nahrung war, die die Veränderung bei den Tieren hervorgerufen hat. Das ist natürlich eine langwierige Geschichte. Wir müssen einige unverdächtige Kälber längere Zeit mit dem Futtermittel füttern. Haben wir genug von dem Zeug?"
Inspektor: „Na ja - ich kann Ihnen genug Material zur Verfügung stellen. Bitte aber Sie gerade in diesem Punkt um absolute Vertraulichkeit. Das Fütterungsexperiment könnte uns, eben wegen des Humanmaterials als Leichenschändung ausgekreidet werden. Eigentlich müsste das Futter beerdigt oder eingeäschert werden."
Veterinär: Ich bitte Sie Inspektor. Solche Skrupel sind doch heutzutage unbegründet. Denken Sie nur an diese grässliche Ausstellung, die sich daran versuchte Leichenfledderei zu Kunst hoch zu stilisieren. Gegenüber

der Schändung von toten Körpern ist unsere Gesellschaft doch erstaunlich unsensibel geworden. Und in unserem Fall geht es ja doch um einiges mehr!"
Inspektor: „Ich stimme Ihnen zu Doktor. Aber seien Sie dennoch auf der Hut! Fast noch wichtiger ist mir eine andere Frage: Wir müssen ja davon ausgehen, dass sich noch andere Kühe physisch und psychisch verändert haben. Die sind natürlich eine potenzielle Gefahr. Mit unseren Möglichkeiten kommen wir da nicht weiter. Können ...."
Veterinär: „Ja, ja. Da können wir helfen. Der Nachweis eines fünften Magens beim lebendigem Tier ist mit Kontrastmittel-Röntgen-Untersuchungen ohne weiteres zu führen. Nur – das ist sehr sehr aufwendig. Wir können uns nur einzelne Fälle vornehmen."
Inspektor: „Wir müssen erst herausfinden wohin das Pulver geliefert worden ist. Dann können wir das Ganze eingrenzen und Ihnen Stallungen nennen, wo sie dann tätig werden können. Lassen Sie das mal unserer Sorge sein. Das kriegen wir schon hin!"
Als der Inspektor den Hörer aufgelegt hatte, überkam ihn ein Gefühl der Erleichterung. Wenn er auch noch nicht genau wusste wie, irgendwie würden sie schon weiter kommen mit ihren Untersuchungen. Er, der sonst immer dazu neigte, von Verkrampfungen übermannt zu werden, hatte jetzt die Absicht sich für einen Augenblick so ganz entspannt zurückzulehnen.
Doch da hörte er aus dem Nebenzimmer die ersten Takte des Triumphmarsches aus Aida – die Kennmelodie des Apparates, den Yasmina bediente. Sie gab sich am Apparat kurz angebunden und stellte hastig das Gespräch zu ihm durch. Ein Streifenbeamter meldete, dass er die Verbringung eines gewissen Fritz Meyer ins Hospital veranlasst habe. Der war auf offener Straße angeschossen worden.

$

Die Aktivitäten des Bundschuhs schienen zunächst abgeflaut zu sein. Doch in der letzten Zeit machte sich in den Kreisen der aufmüpfigen Landwirte wieder eine zunehmend heftigere Unruhe bemerkbar. Die ursprünglich abwiegelten BSWler waren nämlich plötzlich ebenfalls mit der AVA unzufrieden und hatten sich den Aufrührern angeschlossen. Dies taten Sie allerdings nicht etwa, weil sie nun letztlich ebenfalls zu der Überzeugung gekommen wären, dass die Mörderrinder–Kadaver Leichen wären, die letztlich die AVA im Keller hatte.
Nein, ihnen ist irgendwo zugetragen – man könnte mit Fug uns Recht auch sagen eingeblasen – worden, dass das Futter, das die Health Food Europe neuerdings anlieferte, von erheblich minderwertigerer Qualität war. Die Tiere haben es nicht so gern angenommen, einige Stiere und Ziegenböcke verschmähten es völlig und waren durch nichts zu bewegen es zu fressen. Der Fleischansatz und auch die Fleischqualität fiel geringer aus und auch die Milchleistung war nicht mehr das, was sie unlängst noch gewesen. Außerdem – und das war besonders ärgerlich – stauten die Tier kein Wasser mehr in ihrer Muskulatur. Deshalb fiel das Fleischgewicht geringer aus.

Die Zeit der übergroßen Gewinne für die Tierfabriken, schien zu Ende zu gehen.
So taten sich die BSWler mit den – bezeichnen wir sie einmal als „die echten" - Bundschuhlern zusammen. Wie die meisten Koalitionen ergab dies ein recht seltsames Gemenge von Interessen, das aber gerade wegen der Verquickung aus Eigennutz und Idealismus im höchstens Maße explosiv war.
Nun hatte man mit schriftlichen und telefonischen Protesten die Briefkastenfirma Health Food Europe nicht erreichen können. Deshalb gedachte man sich an die AVA zu halten.

€

Gespräche in der Trattoria CON CALMA
Im Krankenhaus wurde aus Fritz Meyers Bein ein Kleinkalibergeschoss herausoperiert. Offenbar hatte nicht die Absicht bestanden ihn ins Jenseits zu befördern. Der Schuss sollte nur - wie man will - als Warnung oder aber als Drohung zu verstehen sein.
Etwa um die gleiche Zeit beabsichtigte Konrad Konrad, eine noch völlig jungfräuliche DVD im Jackett und einen Hintergedanken im Kopf, sein Büro aufsuchen. Die Gelegenheit schien günstig, weil die gewiefte Guste Languste, die allenfalls was hätte mitkriegen können, unlängst den ganzen Kram hingeschmissen hatte.
Doch vor der Zentrale der AVA tobte eine aufgebrachte grölende Menge. Fetzen radikaler Gesänge umwehten seine Ohren. Wenn er genau hinhörte, konnte er sogar verstehen, was sie sangen:

Bauernaufstand ist in Zelle
Schüssen gellen durch die Nacht
Vor der alten Zitadelle
Steh'n die Landleut' auf der Wacht.

Bauernaufstand ist in Lünen
Schüsse gellen durch die Nacht,
denn die Bauer, die ganz kühnen,
ha'm Kalaschnis mitgebracht.

Bauernaufstand ist in Peine
Schüsse gellen durch die Nacht,
All die Funktionäresschweine
werden fertig jetzt gemacht.

Er lauschte einige Zeit, zog es aber dann vor sich unbemerkt – wie er dachte - zurückzuziehen.
Doch der *Commissario* hatte ihn durch seinen magischen Fingertrick immer im Visier behalten, und hielt es jetzt an der Zeit Konrad Konrad zu stellen

und ihn sich zur Brust zu nehmen. So kam es, dass Konrad Konrad, als er hastigen Schrittes um eine Ecke bog, direkt gegen den *Commissario* prallte, der sich dahinter aufgebaut hatte um ihn zu stoppen: „Nicht so stürmisch junger Mann. Mein Gott – haben Sie mir einen Schrecken eingejagt. Sie haben ja einen Schritt am Leibe. Haben Sie es denn so eilig? Laufen Sie vor etwas davon?" „Nein, nein , nein – ich gehe nur etwas schnell."
„Und dass ausgerechnet an so einem *giorno afoso* – wie sagen Sie? – schwülheißen Tag wie heute! Wissen Sie ich bin Italiener. Wir sind da ganz anders. Wir sind gewohnt, wenn es heiß wird, die Dinge *con calma* – wie sagen sie >mit Gelassenheit?< - anzugehen. Sehen Sie das italienische Lokal da drüben. Können Sie den Namen lesen? Der Laden heißt CON CALMA! Nehmen wir das als einen Wink des Schicksals. Heute ist doch nicht das Wetter, dass Sie den langen Lauf zu sich selbst riskieren könnten. Bevor Sie zusammenbrechen, spendiere ich ihnen ein Glas *vino rosso – per favor!* Kommen Sie!"
Konrad Konrad vergewisserte sich, dass das Lokal weit genug entfernt war von der aufgebrachten Meute um die AVA Zentrale und kam mit.
„Sie kamen gerade von dieser *demonstratione*. Haben sie da etwa mitgemacht? Was wollen die Leute eigentlich? „ Konrad Konrad wurde einsilbiger und einsilbiger. Der *Commissario* sah sich schließlich genötigt die Flucht nach vorne anzutreten und sich als Kriminaler erkennen zu geben. Er wollte Konrad Konrad dazu bewegen, seine Aufklärungsarbeit zu unterstützen:
„Mein Lieber, wir gehen davon aus, dass die AVA bei der Sache mit den Mörderrindern eine gewisse Rolle gespielt hat. Um offen zu sein, wir gehen nicht nur davon aus – wir wissen es. Wir wissen es ganz genau. Und Sie wissen auch einiges darüber. Was eigentlich spricht dagegen unsere verschiedenen Wissen zusammenzulegen? Wir wollen von Ihnen hören, was Sie wissen und was Sie darüber aussagen können.
Konrad war verschreckt. Aussagen?! Nein – auszusagen kam gar nicht in Frage. Fritz Meyer konnte gefährlich werden. Darüber war er sich durchaus im Klaren:
„Wenn Sie ohnehin schon alles wissen, was fragen Sie eigentlich mich, *Commissario*?"
„Wir wissen zwar alles, aber wir brauchen noch hieb- und stichfeste Beweise. Und da wir tatsächlich ohnehin schon alles wissen, wissen wir auch, dass gerade Sie es sind, der uns die liefern kann!"
„Den Teufel werde ich tun! Ich bin ein kleines Licht bei der AVA und kann über alles das, was Sie da behaupten, weder etwas wissen noch etwas aussagen."
„Ich weiß *avete una fifa blu* - wie sagt man auf *tedesco*? – Schiss, Schiss haben Sie! Aber merken Sie sich: Dieses Glas hier ist nicht das letzte, dass ich Ihnen eingeschenkt habe. Ciao – Sie, Sie *fifone*, Sie!"

§

Der Staatsanwalt
Der *Commissario* hatte wenigstens den Trost, dass der Inspektor seine Empörung über den *fifone* voll und ganz teilte: „Also - wir kommen mit dem Konrad Konrad nicht weiter. Na ja – eigentlich müssten die Verdachtsmomente, die Sie bisher zusammengetragen haben, völlig ausreichen, die Staatsanwaltschaft zu überzeugen, ein Verfahren gegen die AVA einzuleiten. Nur – nach meiner bisherigen Erfahrungen mit den hohen Amtsträgern habe ich so meine Zweifel, dass sie das wirklich tun! Wenn die uns abblitzen lassen, stehen wir ziemlich blöd da!"
„*Non so* – wir haben ja weiter keinen Namen. Wer Edelbert ist, das haben wir nicht rauskriegen können. Aber wir sollten uns vielleicht an den Krematoriumsheini, an den Bruno Kreuzer, halten. Wir können es doch versuchen, auch wenn unser nicht ganz irdischer Informant meint, das bringe nichts. Der Kreuzer wird uns doch ein paar Hinweise über diesen ominösen Edelbert geben können. Avanti – was warten wir!"
„Die Sache hat einen Haken. Der Kreuzer ist seit einer Woche spurlos verschwunden. Yasmina hat nachgeforscht. Doch niemand weiß wo er abgeblieben ist."
„Aber eine Hausdurchsuchung würde doch vielleicht was bringen."
„Das wäre wohl möglich, wenn – ja wenn wir unseren Staatsanwalt dazu bringen, einen Durchsuchungsbefehl auszustellen. Das käme auf einen Versuch an – und den sollten wir jetzt wagen."

Der *Commissario* saß zum ersten Mal dem Staatsanwalt Dr. Hans-Jürgen Lupitz gegenüber und er war etwas befangen. Dr. Lupitz musste fünf, sechs Jahre jünger sein als er, hatte aber ansonsten eine verblüffende Ähnlichkeit mit ihm. Der Doktor war durchaus das, was man einen gut aussehenden Mann nennt. Belcanto war sich durchaus im Klaren darüber, dass sein eigenes Aussehen wenig zu wünschen übrig ließ und insbesondere Frauen – fast ohne Ausnahmen – stark beeindruckt. Aber wenn er sich so selbst betrachtet, registrierte er ein verschmitztes Lächeln in seinen Mundwinkeln. Er konnte sich durchaus über sich selbst amüsieren. Gerade das hatte, wie er ihn innerlich nannte, sein etwas verzerrtes Spiegelbild nicht. Der Typ war staubtrocken. Humor war von ihm nicht zu erwarten und Ironie schon gar nicht. Alles was er in der Richtung aufbringen konnte, war ein böser Sarkasmus. Und von dem machte er häufig, sichtlich genüsslich und gerade jetzt wieder Gebrauch:
„Ich finde ja ihre Märchenstunde hier ganz interessant. Das klingt alles sehr – na wie soll ich sagen – sehr mysteriös. Menschliche Überreste wollen Sie in Viehfutter gefunden haben. Meine Herrn, ich bitte Sie! Da haben ihre Spezialisten das wohl mit kleingemahlenen Rhesusaffen aus Tierversuchsinstituten verwechselt. Appetitlich erscheint mir das zwar auch nicht gerade, aber einen Strafbestand vermag ich darin nicht zu erkennen. Und bedenken Sie eines, meine Herrn: Die Viehfutterindustrie ist ein blühender und gerade in Zeiten der Rezession unter allen Umständen zu erhaltender Wirtschaftszweig, der wesentlich zu unserm Sozialprodukt

beiträgt. Was glauben Sie, was passiert, wenn wir denen an die Wäsche gehen – und das ausgerechnet mit Ihren Argumenten. Am nächsten Tag ständen wir alle ganz groß mit Bild in „Das Blatt". Vielleicht halten Sie so was für eine gute Reputation. Aber ich habe so was nicht nötig. Nein danke meine Herrn. Da müssen Sie mir schon was ganz anderes bringen. Diesen Fall können wir jedenfalls vergessen. Ich betone ausdrücklich: Sie sollten das vergessen – und zwar total. Sie möchten sich doch sicher nicht in Schwierigkeiten bringen? Und, meine Herrn, denken sie dran: Es geht um äußerst ernsthafte Schwierigkeiten, wenn ich so sagen darf!
Bitte, bitte, meine Herrn, schauen Sie nicht so betrippelt drein! Ich will Ihnen ja gerne zugestehen, dass Sie eine blühende Phantasie haben. Fast könnte ich Sie darum beneiden! Schreiben Sie doch einen Krimi! Das wird bestimmt ein toller Erfolg!"

$€

Hauptprobe mit unerwarteten Improvisationen

„Der H.J. ist zwar immer ganz schön arrogant. Aber so schroff wie heute, habe ich ihn noch nie erlebt." Der Inspektor sprach diese Bemerkung sehr nachdenklich aus. „Irgendetwas stimmt hier nicht. Unterstützung können wir von dieser Seite her kaum erwarten – ich fürchte auch dann nicht, wenn wir noch mehr Beweise anschleppen."
„*Certo* – aber da hilft alles nicht – wir müssen den kleinen *fifino* ausquetschen! Aber für heute – denke ich, war das genug. Gehen wir noch ein Glas *vino rosso* zusammen ausleeren!"
„Einverstanden *Commissario*. Aber vorher sollten wir doch noch eine Theateraufführung besuchen. Ja wirklich! Die Laiengruppe mit dem schönen Namen >Neuer Thespiskarrren< hat heute Generalprobe in den Räumen der VHS. Der Star ist ..."
„Konrad Konrad, wenn ich richtig vermute? *Si, si?! Naturalmente* - das können wir uns nicht entgehen lassen."
Der Inspektor: „Was halten Sie davon, wenn wir unsere beiden Damen mitnehmen. Judith hat ohnehin inzwischen herausgefunden, dass ich auch so einen kleinen Theatertick habe. Der sorgt übrigens dafür, dass mir der Konrad Konrad doch ein bisschen sympathischer erscheint."

€

Wer sich die Aufführung noch anschaute das war – Sie ahnen es schon: Tatsächlich, er war es, der Satan. Ihr „süßes Teufelchen" tauchte bei Marietta auf, brachte eine Picknickkorb mit und erwähnte, dass gerade an diesem Abend eine Sendung mit einem irrsinnig spannendem Stück übertragen würde. Sie wäre ihm schon immer als jemand erschienen, der auch so etwas Theaterbessesenes an sich hätte und gerne in einer Theatergruppe mitspielte, sich aber nicht so recht traute. Heute wolle er mit ihr das Stück ansehen und ihr Mut machen sich auch selbst im Spiel zu engagieren. Er sei sich sicher, auch sie würde noch ihre Chance bekommen.

Seine Lilibeth wunderte sich schon ein bisschen, das er abgesehen von den drei Programmen, die sie normalerweise empfangen konnte, es mit einem Fingerschnipsen schaffte, noch ein viertes einzuschalten – und sie hätte sich noch mehr gewundert, hätte sie gewusst, dass er den eigentlich deutsch sprechenden Darstellern auf dem Bildschirm Laute in einem ganz besonders klangvollen Italienisch entlockte. So saßen sie eng aneinandergeschmiegt auf ihrem Sofa und harrten der Dinge, die da über den Bildschirm flimmern sollten. Um der Wahrheit die Ehre zu geben: Es flimmerte diesmal überhaupt nicht. Der Satan versteht es doch bestens immer für einen exzellenten Empfang zu sorgen.

Sie waren sich in der Theatergruppe zunächst uneinig darüber gewesen, ob sie für die Hauptprobe überhaupt Zuschauer zulassen sollten. Konrad Konrad meinte, dass Sie sich doch vor Ihrer Premiere ein bisschen an Publikum gewöhnen sollten. Peter Petersilie überzeugte sie schließlich mit dem Argument, dass auch große Theater Leute zur Hauptprobe zuließen und dabei durch den zusätzlichen Verkauf von Karten zu ermäßigten Preisen ihre Ertragssituation aufbesserten. Sie sollten aber in dieser Hinsicht ihre Erwartungen nicht allzu sehr in die Höhe schrauben. Der Hinweis war mehr als berechtigt, denn letztendlich waren die für 120 Personen ausgelegten Stuhlreihen in der Halle des Volkshochschulgebäudes lediglich mit 11 Leuten besetzt.

Als Konrad Konrad den *Commissario* erspähte, der sich demonstrativ mit den andern Dreien in die erste Reihe platziert hatte, überkamen ihm doch so einige Zweifel, ob er wirklich gut daran getan hatte, sich für die Zulassung von Zuschauern zur Probe stark zu machen.

Zudem hatten er noch ein Problem. Greetha, die junge Frau, die die Samantha spielen sollte, lag mit heftigem Fieber im Bett. Zwar hatten sie für die vier wichtigsten Rollen Ersatzleute vorgesehen. Die mussten den Text lernen, aber richtig das Spielen zu üben - dazu waren sie natürlich nicht gekommen. Die Rolle der Samantha hatte die rothaarige Jeanette gepaukt. Jetzt war sie dran. Und gerade das hatte Konrad Konrad gefürchtet. Die Rothaarige hatte häufig bei den Proben zugesehen. Sie hatte ihn schon immer beeindruckt. Er traute sich aber nicht an sie heran, weil er dachte, dass solch' eine zwar reife, aber vielleicht gerade deshalb wirklich blendend aussehende Frau an ihm doch unmöglich etwas finden könne. Dass er mit ihr eine Szene spielen sollte, die ausgerechnet er selbst bei der Überarbeitung des Textes etwas inniger gestaltet hatte, brachte ihn, der an einem gewissen, nicht besonders glücklichen Hang zur Zurückhaltung litt, in einen ziemlichen Zwiespalt.

Immerhin klebte er diesmal in der Garderobe sein Toupet mit ganz besonderer Sorgfalt auf seinem Kopfe fest. Er ließ seine Augen fest am Spiegel haften während er den Kopf hin und her drehte. Fast wiederwillig löckte er gegen den Stachel seines negativ getönten Selbstbildes und stellte fest, dass das Toupet, schwarz mit silbergraumelierten Schläfen, ihm doch recht gut stand, dass es seiner Erscheinung einen wesentlich jugendlicheren und flotteren Touch verpasste.

Das stellte auch Marietta fest: „Der Julian, der trägt ein Toupet".
„Ja – merkst du das? - Steht ihm aber gut! Er sieht wesentlich besser aus, als ohne!".
„Wieso - kennst Du ihn ohne Toupet?"
„Ehem - ja – eigentlich - irgendwie, irgendwo, muss ich ihn schon gesehen haben. Da machte er auf mich einen ziemlich drögen Eindruck. Heute wirkt er irgendwie frischer."
„Vielleicht weil er frisch verliebt ist. Schau nur mal an, wie er diese Samantha anhimmelt. „
„Aber sie scheint ihm auch recht zugetan zu sein. Jedenfalls himmelt sie nach Kräften zurück!"
„Ob die beiden auch sonst was miteinander haben?"
„Haben sie nicht! Sie liebt ihn und er ist auch in sie verschossen, aber er traut sich nicht an sie ran. Er ist ein *fifino*."
„Oh – woher weißt Du denn das wieder?"
„Ach Du kleine Lilibeth - es geht doch nicht darum, etwas zu wissen. Lasst uns doch einfach unsere Phantasie anfachen!. Lasst uns spintisieren über das, was sein könnte. Glaub mir, wenn ich Dir sage, es könnte sein, dann kann es auch sein."
„Also gut: Wissen aus, Phantasie ein! Ich behaupte nun mal nur so: Die beiden haben sich erst vor kurzem, bei den Proben zu diesem Stück kennen gelernt."
„Weißt Du Lilibeth, ich fände es besser, wenn sich beide schon früher einmal gekannt hätten. Sie sind beide in eine Klasse gegangen. Die, die jetzt die Samantha spielt, hieß damals Jeanette und war der Schwarm aller männlichen Wesen. Sie hat ihn auch erkannt – an seiner Stimme erkannt. Er aber weiß nicht, wen er vor sich hat. Das hat sie unter anderem auch ihren feuerrot gefärbten Haaren zu verdanken."
„Ja, aber die bewirken auch, dass sie jünger aussieht und sie Julians Tochter spielen kann, obwohl sie beide fast gleichaltrig sind. Sie ist auch wirklich eine recht beeindruckende Erscheinung. Mir scheint, Dir gefällt sie auch."
„Ja – tatsächlich, die Frau hat so etwas gewisses an sich, was Männer total ungewiss macht. Aber – so stellen wir uns das jetzt vor – sie wird ungeduldig. Sie hat sich heimlich immer gewünscht, dass Konrad Konrad den Mund aufmacht und ihr deutlich zeigt, dass er was für sie übrig hat. Aber er ist zu dröge dazu."
„Ja und jetzt will sie was unternehmen – aber was? Sie könnte ja ihm - ja - sie könnte ihm heimlich ein Zauberamulett umhängen, das ihn so verliebt macht, dass er ... oder ihn mit einer aphrodisischen Speise füttern, so mit Hasenhoden in einer Ingwer-Schneckensoße.
„Oh – Du erweist Dich als exzellente Köchin. Aber alle diese köstlichen Zutaten kommen im Stück nicht vor. Es wäre besser etwas zu nehmen, was darin eine Rolle spielt."

„Dann soll sie ihm was zu trinken geben. Irgendwann wird doch in solchen Stücken immer was getrunken."
„Genau – das ist es. Du hast es wieder einmal erfasst. Das Stück schreibt vor, dass er Rotwein trinkt. Normalerweise gibt man dem Darstellenden Traubensaft. Wir lassen die liebe Samantha jetzt dafür sorgen, dass der Saft gegen einen kräftigen Rotwein ausgewechselt wird. So was passiert ja gelegentlich!"
„Ja, aber ein Glas Rotwein wirkt nicht genug, da muss sie dann noch eine ordentliche Portion Kognak oder noch besser Wodka reinschütten. Dann kann ich mir vorstellen, dass das wirkt!"
„Genau so – genau so könnte es sein, Du mein herziges durch und durch durchtriebenes Nougatäugelein".
Wenig später – als die Szene, in der Samantha dem Julian den Wein kredenzt, über die Bühne geht und sich daraufhin der ungewöhnlich Vorfall ereignet, erhebt Marietta ihr Glas prostet ihm zu und sagt ergriffen von Liebe und Bewunderung mit weicher und zärtlicher Stimme:
„Du – ich glaube Dir. Wenn Du sagst es könnte sein, dann kann es auch sein"

§

Die Vier vom Präsidium genießt sichtlich entspannt das Schauspiel.
Yasmina flüstert dem Inspektor ins Ohr: Wäre das nichts für Sie? Wollen sie nicht in der Gruppe mitmachen. Ich könnte Sie mir gut als Dr. Julian vorstellen!" „Na ja – ich werde mich da bewerben – aber nur wenn Sie mitkommen und die Samantha spielen!"
„Darüber können wir später...."
Sie bricht ab, denn vorne wird es dramatisch. Samantha ist gerade dabei Julian bereits das vierte Glas Wein anzudienen.
„Du das ist der beste Vernatsch, den ich je getrunken habe. Für den verkaufst Du doch auch Dein Erstgeburtsrecht!" Julian hat das erste Glas gemächlich, das zweite etwas schneller, dass dritte hastig geleert. Das letzte kippte er in einem Zug hinunter - und es wirkt prompt.
Plötzlich schlägt er die Hände vor das Gesicht und beginnt lauthals zu weinen.
„Ich bin ja so unglücklich.
Samantha flüstert ihm zu: "Du musst sagen: Dieser Wein schmeckt köstlich – und wenn ich Dich genau ansehe, Du siehst wirklich gut aus!"
Doch Julian laut schreiend: „Oh Gott ich bin ja so unglücklich."
Samantha lässt Text, Text sein und geht auf ihn ein: „Julian, mein Julian, was ist den nur los? Was ist mit Dir?"
„Ich bin ja so unglücklich. Ich liebe Dich, ich liebe Dich. Aber ich verdiene Dich nicht - ich bin ja so ein feiges Schwein. Wenn du wüsstest – Du würdest mich nur verachten! Ich habe auch nichts besseres verdient." Er fällt ihr zu Füßen ergreift ihre Hand und küsst sie hektisch."
„Julian , mein Julian, was ist nur in Dich gefahren?" Ihr Julian schäumt plötzlich über vor Lustigkeit und singt laut und unartikuliert:

Das ist der Teufel Alkohol, Alkohol, Alkohol,
das ist der Teufel Alkohol, der Teufel Alkohol - schnedderedeng..
Die Kühlein stehn im Stalle ganz still und stumm.
Dann rasen los sie alle
und rennen wild herum.
Ihr Futter ist aus Menschenfleisch, Menschenfleisch, Menschenfleisch.
Ihr Futter ist aus Menschenfleisch, Menschenfleisch.
Nun woll'n sie saufen Menschenblut, Menschenblut, Menschenblut,
denn das schmeckt ihnen gar zu gut, gar zu gut - schnederedeng.

Und schon greint er wieder: „Aber ich hab Angst – sie tun mir was, wenn ich was sage. Ich hab solche Angst. Ich bin so feige. Aber Du, Du liebe Samantha, Du liebst mich trotzdem!"
Er versucht sie zu Umarmen und zu küssen, doch seine Hände rutschen an ihr ab und er fällt zu Boden. Zusammen mit ihm fällt der Vorhang und zugleich bricht ein brausender Applaus los. Die 11 im Zuschauerraum klatschen und toben und es klingt als waren es 1111, die da voller Begeisterung ihr Hände so lange malträtierten, bis aus ihnen weißer Dampf aufsteigt.
Die letzte Szene improvisierte Jeanette alias Samantha ohne Konrad Konrad alias Julian zu Ende. Ihr Plan war ja irgendwie aufgegangen, aber auf eine Weise mit der sie nicht gerechnet hatte.
„In Zukunft gehe ich keine Umwege mehr. Ich schmeiß mich einfach an ihn ran." Das nahm sie sich ganz fest vor. Und auch das Kriminalistenkleeblatt nahm sich vor, sich den Konrad Konrad ganz fest vorzunehmen.

€$

Vom Dübelsbrücker und von Bullen und Bären
„Au weia! Mich hat diese Geschichte ganz schön in Schwierigkeiten gebracht. Bei den Meinen gibt es seither Diskussionen noch und noch. Liebe Leute – schaltet Eure Phantasie an und guckt mal zu uns rein!"
Satanello empört: „Alter, der Jeannette einzublasen den Kerl unter Alkohol zu setzen, auf so was Krasses kannst auch nur Du kommen!"
Satan: „Das hat doch gewirkt. Der Konrad Konrad hat sich ganz schön in Szene gesetzt. Der war auch ohnehin schon angeschlagen. Ich habe ihm noch am Vormittag eingeflüstert, endlich einmal das Tagebuch von Fritz Meyer auf der Diskette zu studieren. Dem sind dabei vielleicht die Augen aufgegangen. Der steht noch jetzt unter Schock, deshalb hat er auch keinen Alkohol vertragen. Da habe ich nun zwar keine tolle Sache losgetreten, aber doch eine hübschen satanischen Spaß."
„Ich weiß nicht so recht," wirft Satanella ein," ich weiß nicht so recht! Das sieht zwar aus wie eine teuflische Gemeinheit von Dir, aber letztlich kommt doch was Gutes für die Menschen dabei heraus. Ich finde das wirklich schändlich: Der Inspektor und der *Commissario* setzen sich nun

auf die Fährte unserer Freunde und haben jetzt 'ne gute Chance sie kalt zu stellen."
Der Satan schaut erst mal tief ins Glas meint mit einem ungewohnten Anflug von Verlegenheit:. „Hört mal gut zu! Ich will Euch mal was verraten! Das müsstet Ihr euch zu Gemüte führen, wenn ihr wirklich eins hättet. Das da wäre nicht der einzige Teufelsstreich der - gut, ich will es mal mit den Worten des goetheschen Mephistopheles sagen: >Ich bin ein Teil von jener Kraft, die stets das Böse will, das Gute schafft.< Der Mann weiß gar nicht wie recht er hat. Gar nicht so dumm, der alte Knabe. Man sollte dem Wolfgang wieder mehr Beachtung schenken. Ich habe es gründlich satt immer nur neunmalkluge Aufsätze über ihn zu lesen . In Zukunft werde ich mir im Theater nur noch das ansehen, was er selbst geschrieben hat. Solltet Ihr auch tun!
Verdammt noch mal! Ich schaffe auch Gutes – nicht oft, aber doch hin und wieder. Aber vielleicht ist es sogar so, dass uns der ALTE noch eine Chance geben will. Vielleicht stehen wir wirklich nicht da ganz unten auf der untersten Stufe des Bösen und vielleicht könnte wir auch noch ganz allmählich etwas mehr nach oben grabbeln! Vielleicht - vielleicht?"
Satanella: „Das sind ja ganz neue Töne - und überhaupt..... „
Satanello: „Mensch Alter! Du trinkst ja Bier! Wie so denn das?!"
„Na weil's mir schmeckt!"
„Was heißt hier schmeckt. Sonst würgst Du ja auch immer diese scheußliche braune Pathexbrause runter."
Satanella: „Wirklich, ich muss auch schon sagen, als Satan bist du ganz schön heruntergekommen. Du greifst zum Bier! Und dann trinkst du auch noch eines, das exakt nach den bayerischen Reinheitsgeboten von 1615 gebraut ist. Der Satan und die Reinheit! Da kann ich nur sagen: Pfui Teufel!"
„Nu beruhigt Euch mal. Ich trinke doch Dübelsbrücker dunkel. Habe ich Euch nie die Geschichte von meiner Brücke erzählt? Da kann ich Euch wirklich ein Lied von singen. Hei Satanello, hol 'mir doch mal meine Klampfe!"
Der arme Junge musste sich ziemliche Mühe geben das staubige, seit mehreren Jahrhunderten nicht mehr benutzte Instrument erst einmal ausfindig zu machen.
Sein Vater meinte dann, da müssten endlich mal ganz neue Seiten aufgezogen werden bei der Klampfe - und überhaupt!
Dann nahm der alte Satan das Instrument in die Hand und begann es sorgsam, fast liebevoll zu stimmen. Schon zupft er an den neuen Seiten herum, bis ein paar Akkorde heraustropfen und dann fängt er auch noch an dazu zu singen.
Die beiden blicken sich erstaunt an. Gesungen – das hatte er soweit sie sich erinnern konnten, noch nie. Und was sie am allermeisten verblüffte- das ist seine Stimme. Sie ist kraftvoll und klar und hat ein angenehm vibrierendes Timbre:

Blam, Blam, Blam, Blam.
'Ne Brücke war's, die ging entzwei
gerade vor der Brauerei.
Oft waren Gäule darüber gegangen,
dran hatten Wagen mit Fässern gehangen.
Zwar ha'm die Fässer gewogen nicht viel,
doch der Dübel, der hatte seine Hand im Spiel.

Blam, Blam, Blam, Blam
„Zu bauen eine neue Brücken,
wenn ich nicht will, wird das nicht glücken."
So sprach zum Brauermeister der Teufel:
Die Brück' bleibt zerdeppert ohne Zweifel.
Wollt ihr sie wirklich haltbar bauen,
dann müsst ein tolles Bier ihr brauen,
eins, das sogar der Teufel mag
und das ihm mundet Tag für Tag.

Blam, Blam, Blam, Blam
So brau' ein schönes Bier ganz munter,
das süffig läuft die Kehle runter!
Fall Ihrs nicht schafft, dann ohne Zagen,
nehm' Deine Seele ich beim Kragen
und schlepp' sie in die Höll' zu mir -
und Deinen Brand löscht dort kein Bier.

Blam, Blam, Blam, Blam
Der Meisterbrauer mit Bedacht
hat sich sogleich ans Werk gemacht.
Er hat ein dunkles Bier entdeckt,
dass selbst dem Dübel teuflisch schmecket.
Weil Satan ehrlich das bekennt,
man es das Dübelsbrücker nennt.
'nen Beweis dafür den gibt es doch:
die neue Brück' steht heute noch.
Blam, Blam, Blam, Blam

Tja, Ihr zwei Beiden, das ist doch eine schöne Geschichte. In der schneide ich einmal wirklich gut ab."
Satanella: „Und das ist auch gut so. Sonst wenn die Leute über Dich schludern, tun sie immer so, als ob Du ein dummer Teufel wärst. Ich könnte mich schwarz darüber ärgern - immer die gleiche Arie: Du machst einen Vertrag mit einem armen Schlucker. Du spendest ihm einen Goldschatz und er verspricht Dir dafür seine Seele. Du bedienst ihn hier und hilfst ihm da, schwänzelst seine ganze Lebenszeit um ihn herum. Wenn's dann endlich so weit ist, dass Du sein flattriges Ding kassieren willst, schlägt er drei

Kreuze oder spritzt mit Weihwasser in der Gegend herum und Du läufst schreiend davon."

Satanello: „Mensch, Alter, ich ärgere mich auch über dieses Getratsche. Aber das mit der Brücke hat was. Wenn das Bier so teuflisch gut schmeckt, lasst uns doch auch mal ein Schlückchen probieren.„

„Schenkt Euch was ein – aber genießt jeden Tropfen. Wenn das Fass leer ist, gibt´s nichts mehr. Die Produktion des Bieres wurde eingestellt."

„Wieso das denn? Mögen die Leute das Bier denn nicht?"

„Oh doch – das Bier hat viel Liebhaber. Aber die Versammlung der Aktionäre bestand darauf, dass es nicht mehr hergestellt wird. Es wirft nicht so viel ab, wie andere Biere geringer Qualität. Eine gewisse Rendite wird schon erzielt, aber die ist den feinen Damen und Herrn zu niedrig."

Satanello: „Und deshalb braut man ein beliebtes Getränk nicht mehr Wie können die das tun? So was wäre doch eigentlich unser Job. Die sind doch vom goldenen Kalb gebissen."

„Eher vom golden Bullen. Und wer hinter dem steckt, das bin ebenfalls ich – leider! Ich ärgere mich jetzt schon satanisch, dass ich den Aktionären, diese Geldgier eingeblasen habe. Das schöne Bier! Andererseits - satansmäßig gesehen kann ich mir dafür einen Orden verleihen.

Doch die Sache mit dem goldenen Bullen – die muss ich Euch mal erzählen, damit Ihr seht, worauf es ankommt - darauf nämlich, dass man einen echt teuflischen Plan von langer Hand vorbereitet. Er muss eine nachhaltige Sache sein.

Also: Ihr wisst ja, dass eine meiner Erscheinungsformen – was heißt hier eine – das Golden Kalb ist meine wichtigste Gestalt! Nun ja – auch sonst habe ich es mit der Kuhgestalt gehalten – damals in Griechenland, lange vor dem trojanischen Krieg. Es war in Kreta. Damals hat der Zeus die Gestalt eines Stiers angenommen, um die Europa auf seinem Rücken tragend von Kleinasien zu ent- und auf Kreta zu verführen. Er hat sich lange dort aufgehalten, drei Kinder mit Europa gehabt. Aber Treue war ja nie seine Sache. Und dann in schwachen Stunden hat ihn immer wieder einmal auch die Sehnsucht nach seiner Hera überfallen, obwohl er der sich wieder einmal nicht unter die Augen zu treten traute. Ja, ja der Zeus – >zwei Seelen wohnten, ach, in seiner Brust.< Und das hab´ ich ausgenutzt. Es war nur zwei Jahre vorher – da hatte ich mich am Sinai bereits als das Goldenes Kalb umtanzen lassen. Mittlerweile war ich zu einer schnuckeligen Jungkuh herangewachsen mit goldenem Fell und einem niedlichen weiß und tiefbraun gezeichneten Gesicht und vor allem mit wunderschönen großen braunen Kuhaugen. Und ich kreuzte dann ganz träge dahinschlendernd, so als wäre es zufällig, seinen Weg. Dann blicke ich ihn großäugig an – und merke auch, dass das wirkte. Und schon kocht die Erinnerung an die Hera, seine Bo´opis, in ihm hoch.

Satanello: „*Bo´opis* – was soll den das schon wieder heißen?"

Satanella: Das ist griechisch und bedeutet >die Kuhäugige<. Ich sag´es ja immer: Du solltest wirklich ein bisschen mehr für Deine Bildung tun! Immer nur Amischnulzen hören! Das bringt´s nun wirklich nicht!"

Der Satan: „Nun haltet mal den Mund Ihr beiden und hört mir lieber zu: Nun ja – was sage ich, der als Stier getarnte Zeus - mich erspähen und sich schnaubend und brüllend auf mich stürzen war eines.
Es dauerte nicht lang und dann passiert, was ich beabsichtigt hatte. Ich warf Zwillinge, zweieiige natürlich, wenn Ihr wisst, was ich meine. Das eine, das ist der goldene Bulle und das andere, das ist der goldene Bär.
Satanella: „Also der Bulle, das ist der Minotauros?"
„Ach was Kind – der goldene Bulle ist nur der Halbbruder vom Minotauros. Ein Stier hat ja noch die Pasiphae, die Mutter des Minotauros, geschwängert. Der ist nicht bekannt, aber ich weiß trotzdem, wer das war. Es war ebenfalls der Zeus – der hat nur in dem Fall seine Gründe gehabt die Publizität zu scheuen. Diese Pasiphae war nämlich die Frau vom Minos. Das heißt sie war die Schwiegertochter vom Zeus."
Satanella: „Wenn der Zeus Dich geschwängert hat, dann gehört er und die anderen griechischen Götter ebenfalls zu uns. Die Missionare erzählen doch immer, die anderen Götter seien Teufel."
„Ach was – der Zeus hat mich nur als Kuh gesehen und als nichts anderes. In der griechischen Religion gibt es keine Teufel. Die hellenischen Götter lebten damals noch im Paradies und wussten nicht was Gut und Böse ist. Ich, Du - wir alle werden nur ins Leben gerufen von denen, die fest an uns glauben. Und wir sind nur für die da. Luther zum Bespiel, der hat ganz fest an mich geglaubt."
„Das hat Dir aber gut getan – so ein bedeutender Mann, der fest an Dich glaubt!"
„Natürlich - obwohl das war so eine Sache. Einmal hat er voller Wut sein Tintenfass nach mir geworfen und mich schwer am Kopf verletzt. Aber das ist eine andere Geschichte. Ich wollte Euch nur verklaren, dass ich mit Euren beiden Halbgeschwistern eine wirklich effektive und nachhaltige Aktion losgetreten habe.
Die beiden Nachkommen von mir als Goldenem Kalb haben die Börse ins Leben gerufen und das Aktienwesen. Und das haben Sie wahrhaft höllisch gut gemacht."
Satanello: „Also Alter, irgendwie raff´ ich das nicht. Was hat das mit dem Bullen und dem Bären auf sich?"
„Also Junger - wenn Du irgendwann einmal als Hilfssatan irgendwie was nennenswertes erreichen willst, dann musst Du Dich mit dem Finanz- und Bankwesen auskennen. Merk` Dir: Bullen stoßen mit den Hörnern nach oben, so steht der Bulle für einen, der auf steigende Kurse setzt. Der Bär dagegen schlägt mit der Tatze von oben noch unten. Ein Bär will seinen Reibach mit fallenden Kursen machen.
Ich betrachte es als meine erhabenste Leistung, Menschen in Bullen und Bären zu verwandeln. Die betragen sich dann auch tierisch - eben *bearish* und *bullish*. Sie haben, wenn überhaupt etwas, nichts anderes im Kopf als ihr Kapital wachsen zu lassen. Sie horten Geld und gönnen sich sonst nichts!

Und da sind wir wieder bei unserem Bullen. Denn ursprünglich war das >Kapital< ein Stück Rindvieh – ein *caput*, ein Kopf, wie die alten Römer sagten. In ihrer Frühzeit wurde mit Stück Vieh bezahlt. Und die *capita* vermehrten sich von selbst. Diese nostalgische viehische Uralt-Kapital hatte ein Gutes, es gab Milch und man konnte es auch selbst aufessen. Später wurde es üblich mit Gold zu bezahlen. Das kann man nicht mehr aufessen.

Aber obwohl König Midas experimentell sehr eindringlich nachgewiesen hat, dass Gold sich nicht zum Verzehr eignet, ist es mir und meinem goldenen Bullen gelungen die Leute vollständig abhängig vom Gold zu machen. Später haben wir das Geld eingeführt - und das vermehrt sich wie die Kühe von selbst. Der Nachwuchs sind jetzt die Renditen – lauter goldene Kälbchen. Hab´ ich das nicht gut hingekriegt?"

Satanella. „Hm – schön. Derart satansmäßig, dass ich mich damit voll identifizieren kann, finde ich das aber auch nicht. Wenn die Leute durch ihr Kapital Geld einnehmen und ihr Auskommen nicht durch harte Arbeit verdienen müssen, ist das doch eigentlich für sie eine Wohltat! Und das sollen wir wirklich wollen?,,

„Wohltätig ist das schon – aber nur für unsere echten Anhängen, die Spekulanten. Für die Schmarotzer des Kapitalismus, die auf dieser Klaviatur spielen können ist das wirklich sehr gut – zunächst einmal, bis auch sie des Teufels sind. Für die kleinen Leute, die nur ihre Altersversicherung aufbessern wollen oder für ein Häuschen sparen, für die ist es gar nicht gut.

Vor ein Paar Jahren sind fast alle Aktien plötzlich gestiegen und gestiegen und gestiegen. Es war ein richtiger Boom. Warum wohl? Und dann sind sie plötzlich eingebrochen, aber wie! Wie konnte das passierten?

Das wurde – natürlich auf meine dringlich Empfehlung hin - in sieben Schritten so arrangiert:

Schritt 1: Die Spekulanten kaufen Aktien solange die Kurse noch niedrig sind.

Schritt 2. Die Spekulanten versuchen die Aktienkurse aufzublasen. Dabei helfen ihnen die Banken, die dafür werben, dass der kleine Mann sein spärliches Geld in Aktien investiert. Das tun die Banken, weil sie daran verdienen – gut verdienen.

Schritt 3. Da es viele kleine Leute gibt, die durch die Bankberater veranlasst werden, ihr Geld in Aktien anzulegen, entsteht eine große Nachfrage. So steigen die Aktien höher und höher.

Schritt 4. Die Banken werben mit den steigenden Kursen weitere unbedarfte Neuanleger an. Die legen für die Aktien bis zum 30fachen auf den Tisch, gegenüber dem, was die Spekulanten zu Beginn der Rallye bezahlt haben. Die Aktien steigen noch ein bisschen.

Schritt 5. Die Spekulanten versilbern ihre Aktien mit hohem Gewinn. Das führt zwangläufig dazu, dass die Aktien fallen.

Schritt 6. Die Kleinaktionäre dagegen steigen nicht rechtzeitg aus, weil sie hoffen, das die Aktien wieder steigen. Sie behalten ihre Aktien - und die fallen unter den Kaufpreis, den die kleine Leute einst bezahlt haben.
7. Ergebnis: Die Spekulanten haben das Geld in der Tasche und die Kleinaktionäre sind es los.
Das zu arrangieren war für mich die einfachste Übung von der Welt!
Der Satan greift nochmals zur Klampfe und intoniert:

Sag mir wo die Kröten sind?
Wo sind sie geblieben?
Sag mir wo die Kröten sind?
Was ist geschehen?
Die Banker krallten sich geschwind,
was den Kunden von den Konten rinnt.
Das sollt Ihr gut versteh'n!
Endlich müsst ihr das versteh'n!

Ich will Euch was sagen: Die Börse ist ein reines Zockersystem. Und stellt euch vor – die Menschen sprechen immer von Logik und wissenschaftlicher Planung und dass alles machbar ist. Doch mir ist es gelungen durchzusetzen, dass der Treibsatz ihres gesamten modernen Wirtschaftssystems nichts weiter ist als eine Spielhalle, in der nur so gebluft wird."
Satanella: „Wenn ich das recht verstehe, müssen doch alle, die Gewinne erzielen wollen, sich kräftig dafür ins Zeug legen, dass die Kurse steigen. Nur so können sie was verdienen – und die kleinen Anleger haben da auch etwas davon!"
Satan: „Mein gutes Kind – so ist es eben nicht. Ich habe da einen Autokonzern in Arbeit, bei dem stiegen die Aktien wieder ganz schön. Darauf sorgte ich dafür, dass Jonny Bear als Manager eingesetzt wurde. Der ist charmant, aber er hat sich als total unfähig erwiesen. Genauer gesagt, er hatte von vorneherein den Auftrag so zu tun, als sei er unfähig, denn er sollte den Laden ins Minus fahren.
Der Aufsichtsrat hat auch ganz gut verstanden, was das sollte. Als kurze Zeit später die Geschäfte tatsächlich schlecht liefen und die Aktienkurse rutschten, haben sie nicht verkauft, sondern gekauft – und das wie verrückt. Sie sind billig an die Papiere gekommen. Jetzt schmeißen sie den Jonny raus. Für die erbrachte Leistung erhält er eine Abfindung in Millionenhöhe, wie das halt so der Brauche üblich ist hierzulande. Sie setzen einen Mann, der schon in Wartestellung lauert, ein. Der bringt den Betrieb schnell wieder hoch. Die Aktien befinden sich schon wieder im Aufwind. Das bedeutet Gewinn für die Herrn, illegalen Gewinn zwar, denn Insidergeschäfte sind verboten. Doch was nützt das schon. Strohmänner und Strohfrauen finden sich immer wieder genug.
Unserer blonde Judith aus dem Präsidium, die mit der verteufelt guten Figur, die hatte 105.000 Euro in diese Aktien investiert. Das Geld, das sie von einem Verwandten geerbt hatte, wollte sie gewinnbringend für den Ausbau

ihrer Altersversorgung anlegen, denn sie ist ja – wie Satanello sagen würde – doch so einigermaßen *cool* und dachte sich: >Wenn ich alt bin und bei mir der Lack ab ist, dann will ich wenigstens genug auf der hohen Kante haben, um gut leben zu können. Noch drehen sich zwar die Männer nach mir um, aber ob es mir gelingt einen auch nur einigermaßen soliden Typ aufzutun, bevor meine Attraktivität ihr Verfallsdatum erreicht hat – dafür möchte ich nach allen meine bisherigen Erfahrungen meine Hand nicht ins Feuer legen.<

Als der Wert ihrer Papiere dann auf 22.000 Euro abgestürzt war, hat ein Berater auf der Bank ihr empfohlen schleunigst zu verkaufen. Das hat sie auch gemacht. Doch dann stiegen die Aktien wieder, sie hat sich schlagrührend geärgert und gleich wieder irgendwelche anderen Aktien gekauft, die ihr als aussichtsreich empfohlen wurden. Die sind dann auch gestiegen, so dass sie im Augenblick über ein Aktienkapital von 28.000 Euro verfügt. Aber ich sage Euch was: In den nächsten drei Wochen werden gerade diese Aktien völlig unerwartet in den Keller rauschen. Dann kann sie vor sich hinsingen:

> *Oh Du lieber Augustin alles ist hin.*
> *Geld ist weg, Beutel ist weg,*
> *Judith, die liegt auch im Dreck.....*

Die Aktienmanipulateure, wollen schließlich ihr das Geld aus der Tasche ziehen und in ihre eigene umschichten. Jedem, der sich das Geld andere Leute unter den Nagel reißen will, kann ich nur empfehlen, sich ernsthaft der Spekulation zu widmen. Wer heute noch eine Bank ausraubt, zählt nicht gerade zu den Intelligenzbestien. Das Risiko ist viel zu groß. Andererseits handeln Bankräuber natürlich viel sozialer. Sie schädigen nur die Bank, aber nicht die einzelnen Anleger. Von denen hat sich schon mancher von den letzten verbliebenen Groschen einen Strick gekauft, wenn er festgestellt hat, dass all' sein Geld weg war. Dabei ist es in Wirklichkeit gar nicht weg – es ist nur woanders."

Satanella wollte dazu erst mal gar nichts sagen. Sie überlegte nur wie sie Judith veranlassen könne, rechtzeitig ihre neuen Aktien zu versilbern. Und es kam ihr da auch schon eine Idee.

Satanello dagegen brummelte: „Also – ich finde, so dolle hast Du die Weltwirtschaft nicht klein gekriegt. Die funktioniert doch im große Ganzen recht gut!"

Der Satan: „Funktioniert, funktioniert – ja, aber nur bis zum großen Crash. Gerade jetzt geht es ums Eingemachte! Das heißt: Wir sind jetzt schon so weit, dass Kapital mehr einbringt als Leistung. Wer sich's leisten kann, würde sich geradezu idiotisch fühlen, wenn er sich abrackert, anstatt sein Kapital >arbeiten< zu lassen.

Ich habe erreicht, dass nicht mehr die Kunden, sondern die Aktionäre bestimmen, was produziert wird, und dass nicht mehr die, die die Produkte anfertigen, sondern die Aktionäre den Reibach einstreichen.

Aktionäre, die sind nichts anderes als Geldverleiher, die möglichst hohe Zinsen haben wollen. Das ist Kapitalismus pur, ein System, das sich von alleine totläuft. Denn wenn die Mehrzahl der Menschen nichts mehr leisten will, weil der Lohn der Arbeit zu gering ist, dann trägt dieses System den Keim des Unterganges bereits in sich selbst. Das ist so sicher wie das, wie das – na ja was sie immer zum Schluss sagen in diesen komischen Häusern für IHN. Und ihr könnt mir glauben. Der Zusammenbruch wird gar nicht mehr lange auf sich warten lassen: >Der Kapitalismus in seinem Lauf, der frisst vor Gier sich selber auf.< Tut mir Leid!"
Satanella: Papa – was ist denn nur mit Dir. Dir scheint wirklich was Leid zu tun! In Deinem linken Auge glitzert es so verdächtig. Wenn das man keine Träne ist!"
Satanello: „Mensch Alter! Du entwickelst dich allmählich zum Weichei. Na ja – ich denke die Tussi, mit der Du Dich da eingelassen hast, bekommt Deinem Satanscharakter nicht besonders gut. Lass die Tante man lieber sausen!"
Die beiden Teufelskinder ziehen los und der Satan wendet sich jetzt etwas verhärmt an uns alle.

€

Halbherziger Satan
„Ach liebe Leute: Der Satanello hat wirklich keinen Respekt mehr vor mir. Wie der mich anredet.
>Alter< höre ich eigentlich ganz gerne. Kann er ja auch zu mir sagen. Schließlich waren ich und der ALTE einmal eins. Aber Mensch! Mich so anzureden - das ist 'ne ganz fiese Tour von ihm. Ich glaube vorgestern wäre ich noch aus der Haut gefahren, hätte er mir so was gesagt. Aber jetzt, meine Lilibeth, sie ist so ein süßes Menschenkind. Ich hab´ sie wirklich ein bisschen lieb gewonnen. Aber wenn das einmal anfängt, dann ist das der Anfang vom Ende der Teufelei. Ach - der Inspektor und der *Commissario* haben's gut. Die sind einen großen Schritt weiterkommen und sitzen jetzt gemütlich mit ihren beiden Hübschen in der >Goldenen Traube<. Und ich schlage mich mit dem Problem herum, ob ich die beiden stoppen soll oder, wenn ich an meine Lilibeth denke, und was die davon halten würde, lieber die Sache auf sich beruhen lassen. Es ist schon für Euch mühsam genug verliebt zu sein, aber für den Satan ist es eine Katastrophe. Oder wie denken Sie darüber? Ach was – ich zapf mir noch ein Maß Dübelsbrücker Dunkel – solange der Vorrat reicht."

€

Die Crew in der „Goldene Traube" war in der allerbester Stimmung. Der *Commissario* gab zum Gedenken an das aufschlussreiche Bühnenereignis zwei Flaschen Vernatsch aus.
Judith: „Das war eine gute Idee von Ihnen, Inspektor, uns die schauspielerische Leistung von Konrad Konrad zu demonstrieren!"
„Gewiss – ich denke, der Junge wird jetzt mit uns kooperieren. Von nun an kann alles seinen normalen Gang gehen. Die Phase, in der wir Ihre speziellen Kenntnisse von Magie benötigten, *Commissario*, scheint sich dem Ende zu nähern."
„Oh nicht doch, nicht doch, " warf Judith ein, "wir brauchen ihn doch noch, den *Commissario*, nicht wahr Yasmina? Auch ganz ohne Magie."
Es grimmte den Inspektor ein wenig im Magen, dass nicht nur Judith, sondern auch Yasmina den *Commissario* mit ihren blauen Augen lebhaft anscheinwerferte. Doch kühn geworden unter dem Einfluss des Vernatsch, fragte er die Kompaktere von den beiden Blonden:
„Wie wäre es, wenn wir beide wirklich zu dieser Theater AG gingen und versuchten eine interessante Rolle zu bekommen – Sie und ich?" Yasmina druckste etwas herum. Der *Commissario* versuchte das zu überspielen: „Inspektor – Sie und ich! Das klingt so schrecklich förmlich. Wollen wir uns nicht alle zusammen duzen?"
Ein Zug von Versteifung überschattete das Gesichts des Inspektors und blockierte den Anflug von Lockerheit, der ihm unter dem Eindruck der heutigen Ereignisse heimgesucht hatte: „Ja gern, aber bitte nur für heute Abend. Morgen wieder Dienst *as usual*!
Der *Commissario* wirft jetzt ein – und er ist sich selbst wohl bewusst, dass es ihm vor allem darum geht, den ohnehin schon großen Stein, denn er im Brett der beiden Damen hatte, noch etwas aufzublasen: „*Io penso* – wir sollten vielleicht doch mit unserem magischen Geste der Argumentation uns noch etwas umgucken.„
Doch der Inspektor blockte ab: „Diese ganze magische Geschichte - gewiss *Commissario*, wir sind Ihnen zutiefst verbunden, dass Sie uns mit Ihren speziellen Kenntnissen so effektiv weitergeholfen habe. Aber Sie müssen verstehen, ich habe so meine Schwierigkeiten damit. Wenn wir ohne das Teufelszeug weiterkommen können, dann ziehe ich das schon vor."
Der *Commissario*: Ja, wenn wir denn weiterkommen! Noch steht nicht fest, ob nicht noch mehr Fünf-Magen-Rinder in der Gegend herumlaufen. Und noch haben wir keinen Plan, wie wir damit umgehen. Und was ist, wenn uns der Satan weiterhin dazwischenfunkt?
Aber vielleicht haben Sie recht, Inspektor. Ich habe so ein ungewisses Gefühl, dass sich der alte Teufel nur noch halbherzig in der Rinderangelegenheit engagiert."
Dann verstummte der *Commissario* und wurde nachdenklich:
„Wenn das so ist", sinnierte er weiter vor sich hin, „ wenn das wirklich so ist, dann wäre es gar nicht schlecht, wenn wir uns auch um seine Hilfe bemühten." Dann stopfte er sich den Mund mit einem kräftigen Schluck

Wein und schluckte die weiteren Worte, die er in seinem Enthusiasmus fast schon ausgespukt hätte, hinunter.
Nur Yasmina bemerkte, dass irgendetwas in ihm dachte und Sie hätte gern gewusst, um was dies Gedanken rotierten. Aber ihn zu fragen – das wagte sie im Moment nicht.

€$

Und der Zukunft zugewandt

Gelegentlich glaubte der Inspektor, bereits wenn sein Telefon die ersten Töne tirilierte, genau zu wissen, wer dran sei. Gerade jetzt zappelten die Töne unheimlich aggressiv. Das konnte nur einer sein – und tatsächlich war der Staatsanwalt Dr. H.J. Lupitz an der Strippe: „Hören Sie mal mein Lieber, nun wird´s wirklich ernst. Da hat eine Frau in einer Parteiversammlung randaliert. Sie hat die Nationalhymne und damit das Ansehen unseres Landes beschmutzt. Die Polizei bringt sie direkt zu Ihnen. Quetschen Sie sie aus. Ich verlasse mich ganz darauf, dass sie was Verwertbares aus ihr herausholen."
„Dr. Lupitz! Sie sprechen mit der Mordkommission. Für so einen Zwischenfall sind wir nicht zuständig.."
„Sie sind zuständig, denn die Delinquentin konnte ja gerade noch daran gehindert werden ein Attentat auszuführen. Außerdem – die zwei Kollegen aus dem Dezernat StaDe sind wegen Erkrankung ausgefallen. Wir können nicht lang fackeln. Ich muss die Anklage vorbereiten. Die Frau ist gefährlich, muss aus dem Verkehr gezogen werden. Ich verlasse mich da völlig auf Sie!!"
Der Inspektor wiegte den Kopf, als er den Hörer hinlegte und den *Commissario* ansah: „Der will uns mit Bagatellfällen zuschütten. Das sieht ganz danach aus!"
Der *Commissario* wollte, als er hörte , was anlag, sich ein paar Stunden frei nehmen: „Ich glaube, das ist – wie sagt man so schön bei Ihnen - das ist nicht so mein Bier."
„Sie haben recht, *Commissario*. Doch obwohl es nicht um Dübelsbrücker Dunkel geht, möchte ich Sie doch dringend bitten als Zeuge anwesend zu sein. Ich werde in diesem Fall sogar noch zwei weitere Beamte hinzuziehen. Je mehr Ohren desto besser! Der Strick, an dem der Dr. H.J. mich aufhängen kann, der muss erst noch gedreht werden."
Die junge, sehr schlanke und etwas burschikos wirkende Frau, war ziemlich durcheinander, als sie von zwei Beamten herein gebracht wurde. Der Inspektor bedeutet ihr freundlich, dass Sie diese Befragung zunächst eher als ein Gespräch, denn eine Vernehmung ansehen sollte. Es gelang ihm so eine weitgehend unaufgeregte Atmosphäre herzustellen.
Inspektor: „Bitte nenne Sie zunächst Ihren Namen, Wohnort, Beruf."
Befragte: „Ich heiße Guste Languste. Früher hatte ich für die AVA gearbeitet. Da hat es jedoch allerhand Unstimmigkeiten gegeben. Ich wollte da nicht weitermachen. Jetzt arbeite ich als freiberufliche Journalistin hier in der Stadt."

Inspektor: „Und Sie waren beruflich unterwegs, als sich das ereignete, weswegen sie festgenommen wurden."
Befragte: „Gewiss, ich war auf dieser Parteiversammlung und sollte darüber berichten."
„Sie machen einen etwas mitgenommenen Eindruck und scheinen auf der Veranstaltung sehr aufgeregt gewesen zu sein. Können Sie uns den Anlass dafür erklären?"
Befragte: „Meine Großmutter wird morgen bestattet. Es war eine sehr liebe Frau. Ich bin bei ihr aufgewachsen. Meine Eltern waren, als ich noch ganz klein war, bei einem Verkehrsunfall ums Leben gekommen. Der Tod meiner guten Omi hat mir sehr zugesetzt. Und weil ich plötzlich an sie denken musste, bin ich auch ausgeflippt, als die da zum Ende ihrer Veranstaltung die Nationalhymne spielten."
Inspektor: „Das müssen Sie mir genauer erzählen!"
Befragte: „Meine Großmutter hat das Deutschlandlied gehasst. Sie erzählte mir immer wieder: In der Schule mussten sie oft zum Appell in Reih´ und Glied antreten, den rechten Arm ausgestreckt zum Hitlergruß hochrecken und singen – erst die erste Strophe des Deutschlandliedes, dann diesen Nazi-Hit: >Die Fahne hoch, die Reihen fest geschlossen ....< Sie schimpfte immer wieder, man hätte auch die dritte Strophe des Deutschlandliedes nicht zur Staatshymne erheben dürfen, weil es durch den Hitlergruß und das daran angehängten Horst-Wessel-Gegröhle total kontaminiert worden sei. Dass man auf Übernahme eines Teile dieses moralisch ramponierten und hinsichtlich des Textes qualitativ ohnehin nicht so recht überzeugenden Liedes bestanden habe, sei ein Zeichen dafür, dass das Nachkriegsdeutschland sich noch viel zu sehr den Traditionen des Dritten Reiches verbunden gefühlt habe.
Was mich betrifft verstehe ich die Einwände meiner Großmutter sehr gut. Wir haben beide gehofft, dass man die Chance der Wiedervereinigung nutzt, die von Johannes R. Becher gedichtet Hymne als deutsche Nationalhymne einzusetzen.
Commissario: „Ich bitte um die Erlaubnis eine Frage stellen zu dürfen – nur eine reine Verständnisfrage:
„Aber wie ist das , Frau Languste? Ist nicht auch die DDR Hymne – wie sagten Sie so treffend? - kontaminiert – durch die Fehler und Verbrechen des realexistierenden Sozialismus? „
Befragte: „Eben nicht. Nach dem Bau der Mauer wurde der Text von Johannes R. Becher aus dem Verkehr gezogen. Nur die Melodie von Hanns Eisler hat man gespielt. Der Text handelt an vielen Stellen von einem einigen Deutschland. Daran wollte man von den 70er Jahren an in der DDR nicht mehr erinnert werden, und schon gar nicht von der eigenen Hymne."
Inspektor: „So – nun wissen wir einiges über Sie und Ihre Motive. Nun erzählen sie uns bitte doch mal der Reihe nach, was sich aus Ihrer Sicht abgespielt hat."

Befragte: „Da gibt es nicht viel zu erzählen. Zum Abschluss der Veranstaltung sollten sich alle erheben und dann wurde die Nationalhymne angestimmt. Mir ging das durch und durch. Ich habe mich auf eine Stuhl gestellt und >Aufhören! Aufhören!< gerufen!"

Inspektor: „War es nicht ein bisschen– na ja, sagen wir mal - ein bisschen schlicht gedacht von Ihnen, zu glauben, Sie könnten als einzelne Person eine ganze Versammlung dazu veranlassen das Singen der Nationalhymne abzubrechen?"

Befragte: „Das wollte ich doch auch gar nicht. Nur vor mir war eine Gruppe Jugendlicher und die sangen die erste Strophe. Denen habe ich zugeschrieen, sie sollten das lassen. Und natürlich wollte ich die anderen darauf aufmerksam machen, weil ich hoffte, dass die mir helfen dem Spuk ein Ende zu machen."

Inspektor: „Und Sie sollen jemanden angegriffen haben oder haben angreifen wollen – wie war denn das?"

Befragte: „Das war genau umgekehrt. Ich wurde angegriffen. Drei so komischen Typen mit glattrasierten Köpfen – vielleicht Saalordner oder so was – haben mich zum Ausgang gezerrt. Da hat mich dann die Polizei in Empfang genommen – zu meiner Erleichterung. Die drei Ordner waren wirklich brutal. Schauen Sie die blauen Flecken an meine Handgelenken und Armen. Im Übrigen haben alle gesehen, was da vorgefallen ist - auch ein paar meiner Kollegen. Die können das bezeugen!,"

Inspektor: „Wir sehen – denke ich – schon ziemlich klar. Nur noch eine Frage, damit wir unser Bild von Ihnen etwa abrunden können. Sie haben uns noch nichts über Ihren Großvater erzählt."

Befragte: „Den kenne ich nur aus den Erzählungen meiner Großmutter: Er wurde 1939, wie viel junge Männer damals, zur Wehrmacht eingezogen - zwangsweise. Das ging ihm wirklich gegen den Strich, denn er war damals erst ein paar Wochen mit meiner Großmutter verheiratet gewesen. Gegen Ende des Krieges hat ihn sein Kommandant dazu gepresst in Norditalien einen italienischen Kriegsgefangen zu erschießen. Darüber ist mein Großvater nicht weggekommen. Er setzte nach dem Krieg alles daran, den Kommandanten, einen Arzt, vor Gericht zu ziehen. Doch, wie meine Großmutter immer sagte, die Nachkriegsjustiz hielt sich vornehm zurück in der Verfolgung von Kriegsverbrechen, besonders, wenn sie im Ausland begangen worden waren. Mein Großvater ist darüber verzweifelt. Schließlich entschloss er sich, den Kommandante zu erschießen. Er klingelte an seiner Haustür. Die tat sich auf und er schoss. Es war einer vom Wachtpersonal, den er ins Knie traf. Dann richtet er seine Pistole gegen seine Schläfe und löste den zweiten Schuss."

Inspektor: „Meine Kollegen, Frau Languste, werden Ihre Aussagen protokollieren – und dann können Sie gehen. Ich bin zwar verpflichtet Ihnen zu sagen: Halten Sie sich bitte zu unserer Verfügung. Doch denke ich nicht, dass da noch was nachkommt. Ich wünsche Ihnen alles Gute."

Beim Mittagessen in der Kantine hakte der *Commissario* nach: „Inspektor, was halten sie denn von den Ansichten der jungen Frau über

die Hymne. Als Italiener kenne ich mich in den *faccenda Tedesca* nicht so aus und außerdem sollte mich das ja auch gar nichts angehen. Auf der anderen Seite schienen mir ihre Bemerkungen doch nicht *senza plausibilità* zu sein."
„Das finde ich auch. Die Becher-Hymen beginnt, wenn ich mich recht entsinne, so:

> *Auferstanden aus Ruinen*
> *Und der Zukunft zugewandt,*
> *Lass uns Dir zum Guten dienen,*
> *Deutschland, einig Vaterland........* "

Das drückt wirklich eine radikale Abkehr von Tradition und Ungeist der Nationalsozialisten auch. Ich kann mir auch gut denken, dass die Großmutter damals nach dem Zusammenbruch empfand, dass dies >Auferstanden aus Ruinen< genau die damalige Stimmungslage traf.
Im übrigen wäre es für uns heute, da das Land wirtschaftlich, sozial, moralisch und psychisch in die Knie gegangen ist, durchaus angebracht, wenn wir uns einen Schub geben würden aus Ruinen aufzuerstehen und uns der Zukunft zuzuwenden."
Der *Commissario*: Sie meinen also auch man sollte die Westhymne in den Papierkorb der Geschichte versenken und die Osthynmne aufpolieren? Aber gibt es dafür wirklich noch ´ne Chance?"
Der Inspektor: „Warum eigentlich nicht? Das sogenannte Deutschlandlied ist nicht in der Verfassung verankert. Es müssten an der Ex-Ost-Hymne vielleicht vier oder fünf Worte erneuert werden! Aber ansonsten – für das Klima zwischen Ost und West wäre es sicher besser, wenn die neue größere Bundesrepublik auch etwas von den östlichen Überlieferungen übernähme - eine Klimaverbesserung die nichts kosten würde. Wir müssten nur einige Klischee-Ruinen abbauen - und uns der Zukunft zuwenden."

€

Die Diskette und der goldene Ochsenschwanz alias Kuhschwanz
Konrad Konrad hatte eigentlich vor gehabt sich gründlich auszuschlafen. Doch bereits Punkt 8 Uhr wird er aus dem Bett geklingelt. Ein Polizeibeamter in voller Montur überreicht ihm eine Vorladung ins Präsidium – für 11 Uhr. Es gilt keine Zeit zu verlieren.
Pünktlich um 11 Uhr erschien er – aber nicht alleine. Der Inspektor und der *Commissario* – sie hatten die Vorladung schnell vorangetrieben, bevor sie durch weitere Manöver aus der Staatsanwaltschaft behindert werden konnten - waren doch einigermaßen überrascht, dass Konrad von Jeanette begleitet wurde.
Der Inspektor: „Wir müssen Sie ersuchen, gnädige Frau, draußen zu warten. Wir wollen Herrn Konrad unter sechs Augen sprechen.
Jeanette: „Ich fürchte mit weniger als acht Augen ist das nicht zu machen. Er hat das Recht einen Anwalt zur Besprechung hinzuziehen.

Der Inspektor knurrt: „Woher sollen wir jetzt so schnell einen Anwalt nehmen?"
Jeanette: „Seien Sie ganz entspannt, Inspektor. Wie das Leben so spielt – ich bin Anwältin und von Herrn Konrad mit der Wahrnehmung seiner Interessen beauftragt worden. Im übrigen hat sich Herr Konrad entschlossen mit Ihnen zu kooperieren."
Konrad Konrad: „Mir ist es damit ernst. Deshalb übergebe ich Ihnen hier eine Diskette mit den Tagebuchaufzeichnungen des AVA-Chefs."
Eine kurze Überprüfung des Textes ergab, dass vorerst besonders zwei Stellen von Belang erschienen:

Hannover, 11.April
„In diesem Jahr hat sich dieses Spezialfuttermittel auf dem Markt auf der ganzen Linie durchgesetzt. Ich beraumte daher eine kleine Feier für den Hersteller ein – in ganz kleinem Rahmen. Nur die allerwichtigsten Leute hatte ich dazu geladen. Die Laudatio hielt ich, da ich ja ein ganz guter Redner bin, frei. Ich sprach ohne Manuskript sinngemäß folgendes:
„Mein lieber H.J. – ich darf Dich ja wohl so ansprechen - Du hast dieses Jahr eine ganz große Leistung vollbracht. Du hasst einen entscheidenen Anteil an der Entwicklung unseres beliebten Spezialfutters und Du hast Dich vor allem richtig ins Zeug gelegt dieses Produkt zu verkaufen. Es ist die Philosophie unseres Hausse dieses Land mit einem Futter höchster Qualität und in diesem Fall – so darf ich wohl sagen – besonderen Eigenschaften flächendeckend zu versorgen. Du hast uns geholfen uns alle stark zu machen. Du hast Dich um den treuen Bauernstand, der aber auch gar nichts mit diesen Bundschuhkriminellen zu tun hat, in geradezu exorbitanter Art und Weise verdient gemacht.
Ein kleiner Tropfen Wehmut überschattet diese Feier. Wir können Deine Leistungen leider nicht öffentlich und publikumswirksam würdigen, da unserer Neider, besonders die Gutmenschen von den Ökoverbänden, diese Berufsstänkerer, dies für Ihre schäbigen Propagandazwecke ausnützen würden. Wenn auch in aller Stille und ohne großen Aufhebens – dennoch: wir wollen Dir die Dir gebührenden Ehre zukommen lassen. Deshalb überreichen wir Dir unsere allseits begehrt Trophäe. Und hier wird er auch schon enthüllt und strahlt in seinem goldenem Glanz – der goldene Ochsenschwanz. Also lieber H.J. – nimm ihn hin und fühle Dich geehrt, wie Du es verdient hast."

Hannover 13. Juli
„Heute hatte ich einen schlechten Tag. Mir kommt immer wieder in den Sinn, dass unser guter Doktor. mit seinem Futtermittelverkauf manchmal ein bisschen zu eifrig ist. Er verkauft unser Spezialfuttermittel wie irre. Die Leute reißen es ihm aber auch geradezu aus dem Händen. Wenn er auffliegt, geht es auch uns an den Kragen. Immerhin hab' ich ihn in der Hand. Ich werde ihm doch bei nächsten Treffen eine kleine Warnung zukommen lassen."

Konrad Konrad äußerte sein Bedauern darüber, dass er nicht über noch handfestere Angaben verfüge und bot sich – mit einem schrägen um Anerkennung heischenden Blick zu Jeanette an, Mittel und Wege aufzutun, die gesamte Festplatte von Fritz Meyer kopieren zu lassen.
Doch der Inspektor winkt ab: „Na ja, mein Lieber, is´´ne hübsche Idee. Aber nö - das lassen Sie man lieber bleiben. Ist zu gefährlich. Außerdem könnten wir Schwierigkeiten bekommen, wenn wir versuchen Unterlagen die halb- oder viertellegal beschafft worden sind, als Beweismittel zu verwenden. Bedauerlich, dass das so ist, aber es ist eines unserer Probleme bei unseren Ermittlungen.
Letztlich haben wir es, da Sie uns so weit geholfen haben, auch gar nicht mehr nötig, die Legalität an ihren Rändern zu umschleichen. Die Diskette reicht völlig aus um einen Hausdurchsuchungsbefehl zu erwirken. Wir können es uns also durchaus leisten von nun an alles ganz stur gesetzlich zu handhaben."

€

Die Elevation
Der *Commissario* krummelt vor sich hin: "Wenn mein lieber Kollege meint, er könne sich ab jetzt aus der Satansgeschichte heraushalten, dann hat er sich ganz schön gebrannt. Ich werde jedenfalls den Teufel tun, den Satan aus den Augen zu lassen."
Doch der hatte gar nicht im Sinn von irgendjemand im Auge behalten zu werden – schon gar nicht vom *Commissario* und noch weniger von seinen lieben teuflischen Anverwandten.
Der alte Satan ist aber auch in einer zu komischen Situation. Er versucht fest mit beiden Beinen auf der Erde zu stehen und sogar auf die Erde zu stampfen. Doch irgendwie klappt das nicht. Da war was, das hebt ihn immer wieder hoch und lässt ihn genau 1 m und 37 cm über dem Boden schweben. Dabei hat er alle Mühe sich aufrecht zu halten. Zweimal war er schon nach vorn umgekippt, was dazu führte dass er auf dem Bauch liegend 1 m und 37 cm hoch über dem Boden schwebte und hilflos mit den Armen um sich ruderte. Er war sich bewusst, wie lächerlich das aussah und war fast versucht zu beten, dass ihn niemand in dieser Lage zu Gesicht bekäme.
Er spürte aber auch, auf was diese Elevation, wie sie ansonsten nur hinduistischen und katholischen Heiligen wiederfuhr, zurückzuführen war:
„Ich spür´s. Jemand hat für mich gebetet. Das gibt einem den Impuls aufzusteigen. Der reicht noch nicht ganz aus. Es war eben nur einer, oder sicherlich war es eine, die mich in ihr Gebet eingeschlossen hat.
Wenn es aber zwei, drei, vier oder noch mehr werden, die für mich beten? Was dann wird, darüber muss ich erst mal sehr gründlich nachdenken. Aber die Meinen dürfen bei – ach seufz! seufz seufz! - die dürfen davon nichts mitkriegen!"

€

Wie Satanello auf die Krawatte kommt
Satanella: „Du Brüderchen, wollen wir nicht ein bisschen auf Papas Weltkarte herumsurfen. Vielleicht kriegen wir ja raus, wo der Alte steckt?!"
„Dreimal darfst Du raten! Was macht der schon? Der baggert doch nur wieder seine Nougat-Schnitte an."
„Aber die ist jetzt zu Hause in ihrem Städtchen nicht aufzufinden. Wer weiß, wo sie steckt. Es könnte sein, dass sie in Rom ist und ihre Freundin Lucretia besucht. Wir können es ja 'mal versuchen: Schalten wir doch mal zu Belcantos Wohnung:"
Lucretia hat ihr leicht angegrautes Haar hochgesteckt, ein Kleid aus zartem Organza mit Blütenmuster übergeworfen und eine Perlenkette umgetan. Jetzt deckt sie den Kaffeetisch. Sie holt dazu die feinen Tassen aus Silber aus dem Schrank. Die beiden Beobachtenden können Ihre Gedanken lesen: „Auch wenn ich alleine bin, muss ich auf einen gepflegten Stil achten. Man gönnt sich ja sonst nichts." Sie legte ein zweites Gedeck auf. „Und schließlich muss ich darauf vorbereitet sein. Um diese Zeit kann ja immer ein unerwarteter Besuch erscheinen."
Satanello ist hin und her gerissen. Er hat noch nicht so sehr viele Erfahrungen mit Frauen sammeln können, und wenn doch, dann waren es eher – wie er es nannte – solche Tussis, solche mehr oder minder verschlampten. Daran hatte er bisher auch durchaus nichts auszusetzen gehabt. Eine feine Dame mit Stil jedoch, mit einer unaufdringlichen vornehmen Haltung – nein, so was ist ihm bisher noch nicht über den Weg gelaufen.
Satanella, die sich gut in ihren Bruder einfühlen kann und in seine Empfindungen, die er eigentlich gar nicht haben durfte, die er aber wohl hatte, wie sie wusste, da sie durchaus selber auch nicht frei war von Empfindungen, die ihr eigentlich untersagt waren, und dies besonders in letzter Zeit nicht, wirft ihm leichthin die Bemerkung zu: „Die imponiert Dir, die Lucretia. Ich kann Dich verstehen. Sie hat so etwas echt Damenhaftes an sich. Das hast Du noch nie erlebt – na und nu erlebst Du's und Du fährst darauf ab – aber wie!"
Er blickt versonnen auf, während sie weiter witzelt: „Du, der Inbegriff eines schnodrigen jungen Lümmels und sie die ältere respektgebietende Dame – Ihr beide ein Paar – das wäre doch zur Abwechslung mal ganz was Neues."
Satanella spürte, das sie Erfolg hatte mit der Geschichte, die sie insgeheim anzurühren gedachte. Sie merkte es daran, dass sein Kopf aufglühte wie eine auf heiß geschaltete Elektro-Herdplatte, auf die man vergessen hat, einen Topf zu stellen. „Ich, ich kann doch nicht ... ," stotterte er. Und Sie: „Aber natürlich kannst Du: Warum denn nicht? Lucretia freut sich sicher auch, wenn ein junger Mann, der sehr charmant sein kann, wenn er nur will, bei ihr aufkreuzt. Und Gegensätze ziehen sich bekanntermaßen an – das gilt für Dich, aber auch für sie. Du musst Dir nur nicht gleich zu viel versprechen. Also – worauf wartest Du! Nichts wie los! Aber zieh' Dir ein frisches Hemd an - und eine Krawatte kann auch nicht schaden – bitte aber keine allzu auffällige! Diskretion ist angesagt."

€$

Auf den Spuren der Frau des Potiphar

Der alt böse Feind,
mit Ernst er's jetzt meint.
Groß Macht und viel List,
mein' grausam Rüstung ist,
auf Erd ist nicht meinesgleichen.

Dr. Lupitz sang ebenso inbrünstig wie laut mit beim Gottesdienst in einer freikirchlichen, stark evangelikal angehauchten Gemeinde.
Er hatte sich versprochen und statt „sein" und „seinsgleichen" „mein" und „meinesgleichen" gesungen – und dabei jedes Mal knapp den Ton verfehlt.
Doch als ihm sein Lapsus bewusst wurde, lächelte er stillvergnügt in sich hinein. Ein warmer Schwall von Stolz auf sich selbst durchwallte ihn. Ja – er war ein Mann, der wusste, was zu tun war. Er genoss es so aus seinem tiefstem Herzen und noch mehr aus dem innersten seines Dickdarmes heraus, durchtrieben zu sein, denn dies verlieh ihm Macht. Es war einfach herrlich, dass er so manches anzetteln konnte, und es war noch herrlicher, dass davon kaum jemand irgendetwas mitbekommen hat.
Heute morgen noch hatte er den Antrag auf eine Durchsuchung bei der AVA erhalten.
Die beiden Kriminalisten, die ihn stellten, hatten ja keinen blassen Schimmer davon, dass er es war, der alle Fäden in der Hand hatte. Da zeigte es sich wieder einmal, dass ihm niemand gewachsen war - selbst Fritz Meyer nicht, der ihn in die ganze Geschichte eingeführt hatte. Und er, der Dr. Hans-Jürgen Lupitz, wusste natürlich auch jetzt, wie er das Problem elegant lösen würde.
Mittlerweile hat sich ein Evangelisatör ans Lesepult begeben. Er war ein großer Redner hinter dem Herrn. Dr. Lupitz bewunderte ihn. Er kannte ihn noch aus der Zeit, als der sich schüchtern mit vielen „Ähs" und „Näs" durch den Service quälte. Dann war er aber nach drüben gegangen und hatte sich der Bewegung des bekannten Reverend Williams angeschlossen. Dieser verteufelt begnadete Rhetoriker hatte den Evangelisten richtig auf Vordermann gebracht. Wenn der, „die Schnellfeuerwaffe Gottes", wie ihn manche jetzt nannten, anfing zu predigen, war er jetzt wirklich Spitze: „Brüder und Schwestern! Habt Ihr die Zeichen der Zeit erkannt? Das Ende ist nahe und mit ihm das Gericht des Herrn. Alle diese menschenfressenden Kühe die über uns hereingebrochen - sie sind ein Zeichen! Sie sind das Zeichen, dass die Tage des Gerichtes begonnen haben. Der Satan – jetzt verdoppelt er und verdreifacht, was sage ich, er verzehnfacht, ja verhundertfacht seine Anstrengungen uns in seine Gewalt zu bringen. Es ist jetzt, bevor es kommt, bevor es kommt das Endgericht, seine Zeit. Es ist Satans Zeit.
Brüder und Schwestern! Du Bruder – ja gerade Du – und besonders, ganz besonders Du Schwester – ja Du bist gemeint - fühle Dich nicht zu sicher. Auch nach Dir will der Böse greifen. Sehet an, Brüder und Schwestern,

was die Bibel kündet: Denkt an die Frau des Potiphar. Dieser mächtige Verwalter Ägyptens schätzte sie als gute Ehefrau. Und sie selbst hielt sich immer für eine gute und treue Gattin. Doch als sie den Joseph sah und seinen - wie sagen doch die jungen Leute heute – >knackigen< Körper - ja den knackigen Körper - da fuhr der Teufel in sie. Er hat sie mit seinen Klauen gegriffen. Den keuschen Joseph dagegen, den hat er nicht untergekriegt. Der entzog sich ihrem Zugriff, und so entrann er ihm, dem Leibhaftigen. Weil er sich und seine Unschuld behütete, weil er auf Gott vertraute und die giftigen Einflüsterungen des Satans von sich wies, ist er den Sammetpfötchen der Verführerin und damit zugleich den scharfen Kralle des Bösen gerade noch entkommen. Die weichen Arme und den lustvoll sich windenden Leib der gefährliche Schlange zu verschmähen, hat er bereut – nein, natürlich nicht - das hat er nie, nie, nie bereut.
Hüte Euch davor auf den Spuren der Frau des Potiphars zu wandeln. Ihr Frauen – hütet Euch vor Lüsternheit. Werft weg den grellen roten Stift, der Eure Lippen so aufreizend macht. Verzichtet auf das schwüle Parfüm. Ach ihr Frauen, wie schnell wird doch euer sinnlicher Körper zum Vehikel des Bösen – Euer sinnlicher Körper, Euer sinnlich wohlduftender Leib, ach ja.
Und Ihr, Ihr Männer! Tut es dem Joseph nach. Seid standhaft und hütet Euch vor den verführerischen Tricks der Frauen. Lasst Euch nur nicht unterkriegen. Die Schrift erlaubt Euch sie zu züchtigen, wenn sie zu dreist und aufdringlich werden und Eure Stellung als Männer, Männer erwählt vom IHM, dem Höchsten, in Frage stellen. Schlagt sie, wenn sie zu begehrlich werden und schlagt sie, wenn ihr bedroht seid, sie zu begehren, entschlagt Euch allen ...„

Über der Philippika des Evangelisten geriet Dr. Lupitz immer mehr ins Träumen. Die Predigt erschien ihm nur noch als leise vor sich hin plätscherndes Hintergrundrauschen für seine in der Phantasie wieder heraufbeschworenen Erinnerungen. In den Vordergrund schob sich mehr und mehr Felizitas – und ihre ungemein potipharischen Qualitäten. Es schwelgte darin wie sie ihn, damals das erste Mal, umgarnte und nach und nach um jeden einzelnen ihrer zartgliedrigen Finger wickelte. Das musste vor sechs Jahren gewesen sein, als die innige Verbindung mit ihr begann, die sich für ihn in jeder Beziehung als so unerhört erfolgreich erweisen sollte.
Sie war eine aufreizend schöne Frau, die Frau von Fritz Meyer und sie ist heute noch, genau wie damals, eine aufreizend schöne Frau und immer noch die Frau von Fritz Meyer. Das besondere an ihr: Sie besitzt – was, wie er meinte, bei ungewöhnlich schönen Frauen nicht allzu häufig ist – eine gute Portion Mutterwitz. Nicht allzu lange nach dem sie seine Maitresse – wie sie sich selbst nicht ohne ein gewisses Glitzern in den Augen gerne nannte - geworden war, verriet sie ihm, wie sie dazu gekommen ist, sich ausgerechnet an ihn heranzuschmeißen: Der gute Meyer hatte herausbekommen, dass sie sich einige Zeit zuvor einen Seitensprung mit –

ach ist ja egal mit wem - geleistet hatte. Felizitas deklamierte Dr. Lupitz den Dialog vor, der sich in diesem Zusammenhang zwischen ihr und ihrem Mann entwickelte und sie imitierte dabei gekonnt und genüsslich dessen charakteristisch scheppernde Stimme.
„Du hast Dir was Schönes geleistet." ..."Ja und Du – Du hast Dir eine schöne dreißig Jahre jüngere Frau geleistet. Da musst Du schon damit rechnen, dass deren Bedürfnisse mit den Deinen nicht in jedem Falle übereinstimmen."
Meyer etwas gequält lächelnd: „Ist schon gut, Du brauchst keine Angst zu haben! Ich schmeiß Dich nicht raus. Du wirst es nicht glauben, aber ich hänge wirklich an Dir."
„Und Du, Du schmückst Dich gerne mit mir. Aber Dein kostbares Schmuckstück hat nun wirklich keine Lust immer nur im Tresor zu liegen. Ich bin zu jung und zu unruhig, als dass ich mich damit abfände, alleine mit Dir hier zu versauern."
„Was heißt hier Versauern. Das verlange ich nun bei Gott nicht von Dir. Du kannst tun was und mit wem Du es willst, so lange Du mich nicht ins Gerede bringst. Aber Du musst mir ab und zu auch eine Gefallen tun.„
„Was für einen Gefallen?
Was meinst Du damit?„
„Nun ja – es soll schon ein Gefallen sein, der Dir auch gefallen wird."
„Und was soll mir da gefallen?"
„Nun Du sollst ab und zu jemanden Interessantes verführen – darin bist du doch so große Klasse. Und jetzt steht gerade etwas besonderes an."
„Da bin ich aber neugierig. Sicherlich irgendein uralter kreuzlahmer Knacker."
„ Wo denkst Du hin! Im Gegenteil ich schaff' Dir einen noch ziemlich jungen, in jedem Falle aber ganz schön knackigen an – unsern neuen Staatsanwalt! Der ist doch ein echter Frauentyp."
„Ja – aber er ist doch verheiratet, und das könnte schwierig werden!„
„Für uns ist das ja gerade das Interessante, dass er in festen Händen ist! Und ich vertraue da völlig auf Deine einschlägigen Fähigkeiten. Wenn Du ihn nicht rumkriegst, Schatzilein, wer dann!? Sobald Du seine Geliebte bist, haben wir ihn in der Hand."
„Und wozu?"
„Das kommt uns beiden zu Gute. Mir ist sehr daran gelegen – uns beiden sollte sehr daran gelegen sein, dass er nichts gegen meine einträgliche Unternehmungen unternimmt. Ein Staatsanwalt in der Hand, ist besser als ein Rechtsanwalt in der U-Haft."
„Soso," unterbrach Dr. Lupitz ihre Darstellung, „was ihr da so fein abgesprochen habt, erfüllt den Tatbestand der versuchten Erpressung und ist strafbar."
Felizitas: „Ich doch nicht, – ich will Dich doch nicht erpressen! Das weißt Du doch, Liebling! Du kannst Dich ganz auf mich verlassen. Ich werde unser kleines Geheimnis wahren, und wenn es darauf ankommt jeden Meineid schwören, dass ich nie eine Beziehung zu Dir hatte."

„Sag mal. meine Süße - die Unternehmungen Deines Göttergatten scheinen ja einigermaßen lukrativ zu sein."
Die Maitresse: „Als Vorsitzender der Abfallverwertungs-AG hat er halt überall die Finger drin. Die Futtermittelhersteller sind vom ihm abhängig. Aber das ist nur gut für sie. Sie verdienen sich dumm und dämlich dabei."
Dr. Lupitz: „Dumm und dämlich verdienen? Wenn das so ist - kann man sich an dem Geschäft nicht irgendwie beteiligen?"
„Da Fuß zu fassen dürfte ziemlich schwierig sein! In jedem Fall müsstest Du Dich mit meinem Mann gut stellen."
„Nun mit seiner Frau sich gut zu stellen, dürfte mir ja bereits einigermaßen gelungen sein".

Fromme Erwägungen im Gemeindesaal

Der Staatsanwalt erregte jetzt etwas Aufsehen, weil er in Erinnerung an seinen damaligen Scherz, den er für recht geglückt hielt, laut und dreckig lachte, was zusammen mit dem Choral, der gerade intoniert wurde, etwas dissonant klang.

Ja - damals hatte sein finanzieller Aufstieg angefangen. Ein Verfahren wegen einer windigen Sache, das gegen Meyer angestrengt wurde, hat er unter den Tisch fallen lassen und Meyer hat ihn im Gegenzug bevorzugt am Futtermittelgeschäft teilhaben lassen. Mit dem Meyer ist das alles überhaupt prima gelaufen. Zunächst war der der Boss und er selbst so etwas wie sein Lehrling. Inzwischen hat er – und dies nicht ohne Felizitas Hilfe – die Stellung des unangefochtenen Alphatieres erreicht. Dabei kennt Ihn selbst kaum jemand. Er kann aus dem Hintergrund heraus alle Puppen tanzen lassen. Im Zweifelsfall wird der Meyer den Kopf hinhalten müssen. Doch besser man kann auch den aus der Schusslinie heraushalten. Deshalb hat er ihn unlängst weggeschickt ins außereuropäische Ausland. Und außerdem – jetzt lächelte Dr. H.J. genüsslich in sich hinein – hat er da einige seiner Aufträge zu erfüllen. Ein Großteil der Bauern, vor allem der einflussreichen Großbauern, verlangt aggressiv nach dem „besseren Futter" von früher. Das gibt ihm, dem gescheiten Dr. Lupitz die Chance sich zum Global Player aufzuschwingen. Letzte Woche hat er die Information erhalten, dass Meyer sogar schon sein Gesellenstück in der Oberstufe des Turbo-Kapitalismus abgeliefert hat: Er gründete eine private Gesellschaft. Mit 20 Prozent Eigenkapital von Dr. Lupitz und ihm und 80 Prozent Bankdarlehen hat er für das neue Unternehmen die Aktienmehrheit einiger florierender Firmen gesichert. Die mussten nun die Zinsen und die Tilgung für die Darlehen aus den Ergebnissen ihrer laufenden Produktion aufbringen. Natürlich gingen sie durch die Überbelastung in kurzer Zeit Pleite. Aber die Darlehen waren fast alle schon getilgt. Das Eigentum der Firmen hat Meyer „für 'nen Appel un 'nen Ei" für die Gesellschaft erworben. Die setzte einige Tausende von Mitarbeitern auf die Straße und verscheuerte die Filetstücke der ausgeschlachteten Firmen. Das ergab maximale Gewinne. Einbehalten wurden nur Werke, die für die Futtermittelherstellung geeignet erschienen.

(Der Satan bekam rote Ohren als er unter einer Bank des Gemeindesaals kauernd die Gedanken des Doktors mitbekam. Das hatten die beiden wirklich exzellent gemacht. Ein bisschen stolz konnte er selbst auch darauf sein, denn schließlich hatte ja er das Privat Equity System eingeführt, um damit den Selbstmord des Kapitalismus einzuläuten.
Der schlaue alte Teufel hatte sich, um nachzudenken, in diesem „christlichem" Saal versteckt. Da würde ihn niemand vermuten. Andererseits machte es ihm auch nichts aus, gerade dort zu verweilen. Das war ja ein Treffpunkt von evangelikalen Fundamentalisten – alles letztlich seine Leute!)
Und dann hat Meyer Bezugsquellen für die so beliebte Sonderzugabe zum Futter aufgetan: Da sind die Trockenzonen im Sahel und sonst wo, wo schon ausreichend Leute umkommen. Überhaupt Kriege und Katastrophen – da fällt richtig gut Material an. Bei den Opfern von Spekulationen hingegen, wenn unter Zusammenbrüchen der Wirtschaften Leute verhungern oder sich aus Verzweiflung das Leben nehmen – da gibt es zwar auch mehr als genug Leichen. Die sind aber hier und da in allen möglichen Kellern verstreut, so dass die Organisation des Auffindens und Aufsammelns etwas schwierig wird. Terror dagegen, der liefert schon besser verwertbares Material – ganz zu Schweigen von den Folterkellern gieriger Milizen und um das Wohl ihrer Völker besorgte *superprotecting secret services!* Mit denen kann man richtig gut ins Geschäft kommen.
Ach - ich muss dem Meyer noch mailen, dass er überprüft, ob man die geschredderten TTs - wie heißen die Dinger nochmals, ach ja: *transfer tubes* – mitverfüttern kann. Dann bräuchte man die in den Kriegen gefallenen Helden gar nicht erst auszupacken.
Wenn sich Meyer hinter die Wirtschaftsleute klemmt, die die Kriegspolitiker wirtschaftlich in der Hand haben, dann müssten doch ständige verlässliche Lieferungen gesichert werden können. Die haben doch alles Interesse daran, dass die Kriegsverluste so unsichtbar bleiben, wie nur möglich. Den Leuten können wir helfen. Ich – der Doktor H.J. Lupitz – ich bin in das große Spiel eingestiegen.
Natürlich die Geschichte mit den ausgerasteten Kühen. Sollte es damit noch ernsthafte Probleme geben, wird er die – notfalls mit der Hilfe seiner holden Maitresse - auf Meyer abwälzen. Ihm selbst kann die Geschichte nicht gefährlich werden, wirklich nicht. Er hat alles unter Kontrolle. Er bekommt ja die Infos als erster, wenn gegen jemand etwas vorgebracht wird. Das gibt ihm jede Chance die Antragsteller auszutricksen. „Der Dr. Lupitz, der ist der Größte, der Allermächtigste. Ihm kann kein Mensch das Wasser reichen, kein Teufel und kein Gott."
„Amen" Der die Predig abschließende Ruf des Evangelisten und der Einsatz des Harmoniums reißt ihn aus seinen Selbstbespiegelungen. Der Doktor ist so zufrieden. Für ihn klingen die langgezogenen Töne wie eine Bestätigung seiner Erwägungen.

€

Sie finden heraus, wer dahinter steckt
Die beiden, der Inspektor und der *Commissario* kehren enttäuscht von der Hausdurchsuchung bei der AVA zurück. Selbst die Aussicht auf den *Cappuccino*, den Yasmina gerade in Arbeit hat, kann sie nur in Maßen trösten. Die Ordner in den Regalen dort schauten alle einigermaßen schmalbrüstig aus. Da muss einer daran herumgezupft haben. Sie hatten ihre Hoffnung hauptsächlich auf die Festplatten der beiden Computer gesetzt. Aber auch darauf fand sich kein Fitzelchen an Infos.
Der *Commissario*: Na ja, da müsst ihr einen Spezialisten finden. Am besten grabt ihr einen geschickten Hacker aus dem Knast aus und schenkt ihm einige Monate. Der tut dafür alles, die gelöschten Infos wieder sichtbar zu machen.
Der Inspektor: Das glaube ich kaum. Die Festplatten sind nicht gelöscht, sondern ausgetauscht. Was wir jetzt konfisziert haben sind zwei völlig jungfräuliche Datenträger."
„*Scusi* Yasmina. Wir sind halt heut` nicht, wie sagt man so in *tedesco* – nicht gut drauf". Das bemerkt der *Commissario* zu der üppigen Blonden, die gerade den *Cappuccino* bringt.
„Der Inspektor: „Vielleicht habe ich einen schweren Fehler gemacht, *Commissario*! Ich war dabei, Sie daran zu hindern weiterhin Ihre magischen Kenntnisse einzusetzen. Ich muss mich entschuldigen und Sie bitten uns doch noch mit ihren speziellen Fähigkeiten weiterzuhelfen. Was wir wissen ist, dass der Futtermittelfritze Edelbert den Doktortitel hat, sein echter Vorname beginnt mit H – Hans, Hinner, Heinrich, Heiner u.s.w. Sein Nachname hat als ersten Buchstaben ein J. Können wir irgendwie mit unseren magischen Gesten was herausfinden? Schließlich müssen wir davon ausgehen, das dieser Dr. H.J. mit dem Teufel zu tun hat!"
„Da brauche Sie weder die Magie noch den Teufel", wirft Yasmina keck, aber mit einem scheuen Seitenblick zum Inspektor hin, ein. „Dazu genügt ein bisschen Logik"
„Na - wenn das so ist, dann lassen Sie doch Ihre grauen Zellen unter ihren blonden Locken mal ein bisschen was absondern!"
Diese Aufforderung hat zur Folge, dass Yasminas Stimme eine etwas dreistere Tönung annimmt. (Das hat sie gelegentlich so an sich. Judith pflegt sie dann anzupflaumen und sie die Dralldreiste zu nennen).
Jetzt sagt sie: „Nun, ich denke mir, denn auch Frauen denken zumindest manchmal, müssen Sie wissen, Inspektor – also ich denke mal H.J. könnte doch auch die Abkürzung für zwei Vornamen sein - z.B. Hans-Jürgen. Und welcher unserer guten, ich möchte sagen sehr guten Bekannten heißt Hans-Jürgen und ist auch noch Doktor? Na wer denn wohl?"
Die beiden Herrn sehen sich verdutzt an: „Natürlich Dr. Lupitz, Dr. Hans-Jürgen Lupitz!" Das könnte zwar ein Zufall sein. Aber dann die ausgetauschten Festplatten! Eigentlich konnte nur er allein etwas gewusst haben von der geplanten Durchsuchung. „*Molto grazie* Yasmina, *molto grazie* - da könnte doch einiges dran sein," meint der *Commissario*."
Doch der Inspektor seufzte: „Wie nur, wie bringe ich nur diese ganz vertrackte Geschichte dem IM bei."

$

Von grünem Gemüse, dauerhaften Knackern und der Gerechtigkeit
Als Satanello – irgendwann – zurückkam, saßen sie schon zusammen: der alte Satan, die Lelipi und seine Schwester. Satanello selbst war in einer seltsam zwiespältigen Stimmung – teils sehr aufgekratzt, weil er sich mit seinem Schwarm blendend verstanden hat - trotz aller Differenzen in Alter, Herkunft, gesellschaftlichem Status und Bildung, oder vielleicht gerade deswegen. Dann aber auch wieder bedrückt, weil er nicht so recht glauben konnte, dass ihre Beziehung sich wirklich seinen Wünschen gemäß entwickeln könnte.
Lelipi: „Man merkt, dass Du richtig verschossen bist in die ältere Dame. Dann kannst Du wenigsten Deinem alten Herrn keine Vorwürfe machen wegen Lilibeth. Außerdem bekommt Dir der Umgang mit ihr gut. Deine Manieren zeigen schon die ersten leichten Spuren von Schliff! Nur weiter so, Söhnchen!"
Satanella: Ich finde es echt gut, dass er sich in eine Ältere verguckt hat. Sonst sind es immer nur die Männer, die sich eine Jüngere anlachen. Und wir Frauen – das finde ich sooo ungerecht! Papa - hast Du das früher einmal arrangiert, dass das immer so läuft"?
Satan: „Natürlich - so ist das! Daran soll ich wieder schuld sein! Meint ihr denn wirklich ich mische mich in jede Pettitesse ein?
Dass alte Knacker junge Mädchen mögen und umgekehrt - das ist schon lange festgelegt - evolutionsmäßig und so. Das wurde so festgelegt, als ich noch mit dem ALTEN zusammen war. ER war es, der das gewollt hat - nicht als Ausnahmefall sondern als ehernes Gesetz. >Ich will, sagte ER, die Schöpfung so einrichten, dass alte Männer auf junge Dinger fliegen und die junge Dinger sich zu den Typen mit den grauen Schläfen hingezogen fühlen - aber nur dann, wenn deren Inhaber nachgewiesenermaßen ausnehmend erfolgreich sind. Erfolglose Habenichtse können so grau sein, wie sie wollen! Die sollen keine Chance auf vitaminreiches grünes Gemüse haben!<
Damals hab´ ich sogar zunächst dagegen protestiert:
>Das ist doch ungerecht!< Ja! So habe ich das gesagt! Doch ER erwiderte: >Paperlapp gerecht - ungerecht. Wer sagte denn, dass die Schöpfung von Anfang an gerecht sein muss. Erfolgreich muss sie sein. Wir müssen – merk´ Dir das – wir müssen nachhaltig arbeiten – nachhaltig! Wir müssen den Genen einen Keim einimpfen, der ganz automatisch, ohne dass wir uns jedes Mal im Einzelnen darum zu kümmern brauchen, dazu führt, dass mein Produkt Mensch von Generation zu Generation besser ausfällt. Wenn das junge, gesunde vollbusige, gebär- und säugefähige Mädchen auf ein wohlbetuchtes älteres Semester fliegt, dann deshalb, weil dessen Erbanlagen Nachwuchs versprechen, der sich erfolgreich durch Leben schlägt. Und wenn das immer so weiter geht, und immer wieder hübsche junge und natürlich gesunde Dinger durchsetzungsfähige Ältere nehmen, dann

werden die Menschen immer lebensklüger, energischer und schöner. Wir bauen das als etwas selbsttätig Wirkenden ein. Nur so kann sie funktionieren, die Evolution. Aber das müssen die Mädchen nicht bewusst erfassen - das muss sozusagen in ihre Gefühlswelt unveränderlich einprogrammiert werden. Die Frauen müssen der Brutpflege wegen an reichen Männern interessiert sein. Also müssen in gut gebauten jungen Mädchen Gene aktiv werden, die die Lust in ihnen wecken, sich selbst an die Männer, die sich solche Frauen auch wirklich leisten können, zu verschachern.<".

Satanella: Sich verkaufen! Das klingt so nach Rotlichtviertel!"

Der Satan: „Ganz richtig. Es ist Prostitution – allerdings auf einem sehr raffinierten, sehr hohem Niveau, das noch dazu gesellschaftlich voll anerkannt ist. Nur einige Emanzen, wie unsere Nella versuchen dagegen anzumeckern.

Satanella: „Aber Du Brüderchen, bist richtig cool. Du verliebst Dich in eine Ältere. Du gehörst zu der Minderheit von Kerlen, die eine Ausgleich schaffen. Es gibt also doch so was wie Gerechtigkeit!"

Satanello: „Gerechtigkeit, Gerechtigkeit! Willst Du mich beleidigen! Ein Teufel darf doch nicht gerecht sein. Unser Alter meint sogar, dass der ALTE da oben, unser Widersacher, nicht immer gerecht ist! Da dürfen doch nicht ausgerechnet wir gerecht sein! Oder siehst Du das inzwischen anders, Alter?"

Der Satan: „Ach Nello – so einfach ist das nicht. Wir müssen schon feststellen: Die andere Seite ist tatsächlich nicht immer gerecht. Du musst die Evangelien lesen, dann weißt Du das. Nimm mal nur das Gleichnis vom verlorenen Sohn: Der ältere Bruder arbeitet brav im landwirtschaftlichen Betrieb seines Vaters, um dessen Wohlstand zu mehren. Der andere, der jüngere entzieht dem Betrieb Mittel, so dass sich Vater und älterer Sohn schwer in die Riemen legen müssen, damit der Laden nicht zusammenbricht. Nachdem der Jünger alles durchgebracht hat, kehrt er zu seinem Vater zurück und wird großzügig aufgenommen. Ist das gerecht gegenüber dem ältern Bruder? Gerecht ist Auge um Auge, Zahn um Zahn. Nachdem ich aus dem ALTEN herausgelöst war, hat der die reine Gerechtigkeit auch nicht mehr als aktuell angesehen. Von da an begann er die Gnade und die Barmherzigkeit und die Liebe zu propagieren - und die Vergebung. Das ist natürlich nicht gerecht! Aber ER findet das nun mal richtig. Und manchmal beginn ich so zu überlegen und zu denken: Das ist vielleicht auch gut so – so global gesehen!"

Satanella: „Aber mich würde jetzt schon interessieren, wenn zum Beispiel wir immer für absolut Gerechtigkeit einträten? Was würde denn dann passieren?"

Der Satan: „Was passieren würde? Ganz einfach. Mit Gerechtigkeit bis zur letzten Konsequenz würden wir die Welt ruinieren, sehr sicher, sehr schnell und vor allem sehr gründlich. Wer gnadenlos Gerechtigkeit durchsetzen will, wird am Ende zum Terroristen und endet letztlich als ein solcher – und dies gerechterweise.

Die Christen sprechen – natürlich immer rein theoretisch – von Liebe und Gnade. Die Moslems zitieren keine Zeile aus ihren heiligen Schriften ohne

den Satz >im Namen des – na ja -, des Barmherzigen und Erbarmenden< vorauszuschicken. Ohne das läuft bei denen nichts."
Satanella: „Wenn ich Dich so recht verstehe, Papa, müssten wir als Satane eigentlich konsequent gerecht sein, um die Welt zu ruinieren!?
Der Satan: „Genau, Töchterchen, Du hast es erfasst. Sieh mal: Die Terroristen von der Al Quaida haben die beiden Türme in Manhattan zerstört. Sie halten das nur für gerecht. Es sind Symbole für das westliche Geschäft mit Öl und das abendländische Bankwesen, das die Kultur des Morgenlandes in totale Abhängigkeit gebracht hat. Dafür wollen Sie sich rächen und das finden sie gerecht. Dass dabei Leute umkommen, die mit allem dem nichts zu tun haben, stört sie nicht. Ihnen fehlt es an der Barmherzigkeit. So kehrt sich ihr Recht in Unrecht. Wären sie liebevoll und barmherzig, wie der, den sie anrufen, dann würden sie ihr Geld nicht für Zerstörungen anwenden, sondern für ihre notleidenden Glaubensgenossen einsetzen, um für die eine wirtschaftliche Zukunft zu entwickeln.
Die vom Terror heimgesuchten Staaten rächen sich, indem sie hier oder dort mit Luft- und Landstreitkräften angreifen. Das finden sie auch noch gerecht. Dass sie dafür Kollateralschäden, den Tod Zehntausender von Unschuldiger, in Kauf nehmen, das stört sie nicht. Wären sie barmherzig, dann würden sie es vorziehen denen, die unter ihrer Wirtschaftspolitik gelitten haben und heute noch leiden, eine wirtschaftliche Perspektive zu eröffnen: Warum nicht die Wüsten mit per Solarenergie entsalztem Wasser ergrünen lassen? Gerechtigkeit ohne Barmherzigkeit – das kann man vergessen!"
Satanella: „Aber siehst Du, was Du davon hast, dass Du teuflischerweise immer die Männer gefördert hast. Die Al-Quaida Leute – alles aggressive Männer. Die Konzernbosse, die in der Weltpolitik mitmischen – dicke, fette, widerliche Männer. Wenn es jetzt wirklich dazu kommen sollte, dass wir uns auf die andere Seite schlagen, dann sollten wir doch mehr Frauen an die entscheidenden Stellen bugsieren. Es können auch ruhig hübsche Frauen sein – Frauen, die wenn sie etwas reifer und erfahrener sind, junge dynamische Männer als Partner nehmen und denen mal zeigen, was eigentlich – wie nennen die Menschen das – Mitmenschlichkeit heißt!
Der Satan: „Meine liebe Nella – in der Beziehung wird sich einiges tun. In Zukunft werden mehr und mehr junge Männer sich an ältere Damen, Frauen oder Weiber – was auch immer – halten. Den Leuten im Bereich der westlichen Zivilisationen sind mittlerweile Kinder lästig geworden. Sie wollen keinen Nachwuchs mehr. Nun - kinderlose Frauen brauchen aber auch nicht mehr auf die Gene ihrer Deckhengste zu achten. Sie sind frei und können sich ganz nach Belieben jüngere knackige Burschen aussuchen. Und das passiert auch immer häufiger. Ist damit Dein Gefühl für Gerechtigkeit befriedigt, mein Kind?"
Satanella: Sicher Papa – das hat was. Nur – sterben dann die Leute in Europa und Nordamerika nicht aus? Na ja – rein teuflisch gesehen hätte das was!"

Der Satan: „Ihr müsst das einmal so sehen: Die westlichen Zivilisationen verbrauchen pro Kopf ein Vielfaches an Energie, von dem, was in der übrigen Welt benötigt wird. Sie produzieren ein Vielfaches an Schmutz. Schaut Euch den ehemals so schönen blauen Globus an. Der ist schon völlig verrußt und verölt. Da bleiben doch jetzt nur drei Möglichkeiten: Möglichkeit 1: Der Globus mit allen Tieren und Pflanzen geht zu Grunde. Möglichkeit 2: Die westliche Zivilisationen kriegen noch einmal die Kurve, verzichten auf eine guten Teil ihres Wohlstandes und arbeiten mit an der Gestaltung einer Welt, in der die Grundbedürfnisse aller erfüllt werden und die Natur erhalten wird. Natürlich dürfen dann auch keine Pflanzen und keine Tiere mehr aussterben.
Möglichkeit 3. Die Bewohner Nordamerikas und Europas verzichten auf Kinder. Das ist O.K – sobald die westlichen Zivilisationen ausgestorben sind, hat sich die Welt gesundgeschrumpft. Haben die letzten Westler und Westlerinnen erst ihre letzten Ölung erhalten, dann ist der Kampf ums Öl und der Krampf mit dem Öl zu Ende. Das hat wirklich was – nicht nur teuflisch gesehen!"
Lelipi: „Aber sag mal, mein Alter, ich möchte gerne eines wissen: Bisher sind wir doch immer davon ausgegangen, dass wir Teufel den Weltuntergang inszenieren. Was soll jetzt passieren, wenn wir ..."
Der Satan fällt ihr ins Wort. „Weißt Du, mein Schatz, das ist ein ganz komplexes Problem. Darüber müssen wir uns noch ein anderes Mal ausführlich unterhalten. Ich möchte jetzt gerne in aller Ruhe ein Dübelsbrücker Dunkel inhalieren und mir ansehen und dem lauschen, was unsere beiden Kriminal-Protagonisten mit dem IM verhandeln.

€

Eine Überraschung bahnt sich an für den Doktor
Der Inspektor: „Wir hätten Sie nicht gestört, Herr Minister, wenn wir nicht eine Sache von allerhöchster Dringlichkeit und allerhöchster Vertraulichkeit vorzubringen hätten."
Jürgen Pesel (der IM): „Wenn ich so Ihre dunklen besorgten Mienen sehe, meine Herrn, kann es sich nur um diese gottverdammten Kühe handeln! Stimmt´s oder habe ich recht?!"
Inspektor: „ Sie haben durchaus recht. Um die geht es. Also: Wir wissen jetzt, warum die Kühe ausgerastet sind.
Wir wissen jetzt, dass dies ursächlich mit ihrem Futter zu tun hat.
Wir kennen die Bestandteile des Futters und wir wissen mit welchen kriminellen Machenschaften es hergestellt wurde.
Wir wissen auch, wer dahinter steckt.
Der IM: Wenn Sie das alles wissen, dann greifen Sie doch zu. Das ist eine Sache zwischen Ihnen und dem Staatsanwalt, wie heißt er doch gleich - Dr. Lupitz., denke ich doch. Der muss sich darum kümmern und auch die Einsatzkräfte anfordern, die Sie benötigen.

Der Inspektor: „Da liegt eben das Problem. Wir wissen nämlich noch mehr: Wir wissen nämlich auch, dass ausgerechnet der Staatsanwalt Dr. Hans-Jürgen Lupitz einige Aktien in der Angelegenheit stecken hat. Von dem können wir keine Hilfe und schon gar keine Aufklärung erwarten. Das Dumme ist, wir wissen das alles – woher, das tut im Augenblick nichts zur Sache. Aber wir können es nicht beweisen. Wir sind aber sicher, dass wir im Anwesen des Dr. Lupitz Beweismaterial finden. Deshalb brauchen wir einen Durchsuchungsbefehl von allerhöchster Stelle – von Ihnen Herr Minister. Wem könnten wir sonst schon trauen in dieser Situation?!"
Der IM: „Du meine Güte, das ist mir aber unangenehm. Das wird Aufsehen erregen – ein gefundenes Fressen für >Das Blatt<. Und Aufsehen ist das letzte, das allerletzte, was ich in der gegenwärtigen politischen Situation brauchen kann. Es ist schon beängstigend zu sehen, welches Ausmaß die Korruption in diesem unserem Lande angenommen hat. Schlimm, schlimm! Ich werde natürlich den BK informieren. Außerdem war ich schon immer in solchen Fällen für eine gute Zusammenarbeit zwischen den einzelnen Diensten."
Selbst der etwas trockene Inspektor musste sich unerhörte Mühe geben um abgesehen von einer kritische Stirnfalte auch noch ein Zucken um die Mundwinkel, das die Welle von Häme, die sein Inneres durchschwappte, zu spiegeln drohte, zu unterdrücken. Dem *Commissario* gelang es weniger das Amüsement, dass er bei den Worten des IM empfand, zu kaschieren. Der IM runzelte die Stirn, erhob seine Stimme und fragte etwas indigniert: „Finden Sie das zum Lachen, *Commissario*?"
„*No ,no*, durchaus nicht *Signore Ministro*! Uns ist natürlich beiden daran gelegen, dass möglichst wenig Leute eingeweiht werden. Wenn die Sache zu früh ruchbar würde – Sie wissen schon *Signore Ministro*!"
Der IM: „Gut – ich werde näheres mit dem VM besprechen um seine Unterstützung zu erwirken. Ich werde auch meinen Einfluss geltend machen, dass Ihnen die Einheit, die sich das letzte Mal so gut bewährt hat, für den Fall der Fälle zur Verfügung steht. Dass war doch dieser Hauptmann Schi.......?"
Der Inspektor: „Schiernagel – genau, das war Hauptmann Schiernagel, Herr Minister."
Der IM: „Hauptmann Schiernagel. Sehr gut! Seien Sie versichert meine Herrn! Sie bekommen von mir jede notwendige Unterstützung! Ich wünsche gutes Gelingen."

„Da muss sogar der Satan lachen!", sagte der Satan zu sich selbst, als er die wachsweichen Ausführungen des IM verfolgte.
Doch dann kreuzte sein Sohn auf und damit ergab sich ein abrupter Themenwechsel. Satanello war wieder einmal von einem Besuch – von einer „Audienz" wie er es selbst jetzt angesichts seiner neu entdeckten Vorliebe für das Feine und Gediegene nannte – bei Signora Lucretia zurück. Und wieder einmal hatte sich seine Stimmung in eine Achterbahn der Gefühle verwandelt.

„Ach ich wusste gar nicht, wie weh die Liebe tut, besonders wenn sie nicht erhört wird – und ganz besonders, wenn man keine Ahnung hat, ob sich nicht doch noch eine Chance ergibt oder aber überhaupt keine Aussicht auf irgendeine Aussicht in Aussicht ist. Ach – wird sie mich jemals lieben?"

Der Satan „Mein lieber Junge, merk´ Dir, was Dir Dein alter weiser Vater sagt: Es ist viel besser zu lieben, als geliebt zu werden. Auch wenn die Liebe unglücklich ist – man fühlt doch wenigstens, dass man lebt. Und speziell Du – ich glaube Du fühlst jetzt, dass so ganz allmählich so etwas wie ein Herz in Dir zu schlagen beginnt."

Satanello: „Ich als Teufel – das dürfe ich ja gar nicht haben – das muss ich mir rausreißen mitsamt meiner Liebe zu Lucretia."

„Lass´ mal gut sein, Nello. So was wie Veränderung liegt in der Luft. Ich war mir im Zweifel – aber jetzt, da sich auch in Dir ein Herz entwickelt, beginnt sich der Nebel zu lichten. Es sieht ganz so aus, als böte sich doch noch eine Möglichkeit, unseren sogenannten Höllensturz umzukehren und so ganz sachte und so ganz langsam wieder etwas höher zu klettern."

Satanella war dazugekommen und hatte sich die letzten Worte mit angehört. Ihr wurde etwas mulmig, weil nicht zuletzt sie es gewesen war, die die Sache zwischen Satanello und Lucretia angeheizt hatte:

„Aber Papa – Du hast uns unsere ganz Jugend hindurch gelehrt, wie schön es ist, so richtig kernige Gemeinheiten loszutreten um die Leute zu ärgern und zu quälen. Du warst es doch der immer gesagt hat, es macht viel mehr Spaß etwas kaputt zu hauen, als etwas zu schaffen. Du betontest doch, dass etwas zu leisten überhaupt nichts sei, gegen das erhabene Gefühl, das aufkommt, wenn man etwas verhindern kann. Ich habe noch im Ohr wie Du wörtlich gesagt hast: >Schaut Euch alle unsere Gefolgsleute an in den Ämtern, in den Behörden, alle die Ingeneure, die bei jedem Vorschlag sagen: „Das geht nicht!", und die Beamten, die einen Drahtverhau dreckiger Formulare erfinden, um jede ernstgemeinte Initiative abzuwürgen. Das sind die Leute, die genießen so richtig das Leben. Sie kosten es aus Macht zu haben und alle anderen klitzeklein zu halten.< Aber wir, Papa, wir können doch jetzt nicht so Knall auf Fall auf unsere liebgewordenen Gemeinheiten verzichten. Wir hatten doch immer so einen Spaß, wenn wir was so richtig mit Schmackes zerdeppern konnten."

Satanello: "Nella hat diesmal ausnahmsweise recht. Die Tränen werden uns in Sturzbächen aus den Augenrauschen, wenn wir die Gelegenheit haben was so richtig zusammenzufetzen, wenn wir jemand richtig reintunken könnten in die Sch... – aber wir müssen uns vornehm zurückhalten. Da gibt es doch noch den oder jenen, dem ich zu gerne einen Einlauf glühender Glassplitter verpassen würde. Aber so was darf ich ja nicht einmal mehr denken!"

„Doch doch, Nello, das darfst Du und das darfst Du so gar tun. Auf der Stufe auf der wir jetzt stehen – so sehr hoch sind wir ja gerade noch nicht gestiegen – können und müssen wir sogar die Missetäter und Unsozialen bestrafen, die Pfeffersäcke und die Tänzer um das golden Kalb. Wir

müssen sie daran hindern, andere zu schädigen. Und dabei können wir ihnen schon gelegentlich eins verpassen. Du kannst sogar Deinen echten Höllenspaß daran haben und dennoch langsam langsam, ja sicher sehr langsam, höher steigen.
Wir werden zunächst die Aufgabe haben, zu denen gemein zu sein, die gemein sind. Wir können die kaputt machen, die selbst dabei sind, andere zu ruinieren. Es gibt Gemeinheiten, mit denen man was Gutes tun kann – und umgekehrt auch Gutes, was sich herrlich für Gemeinheiten nutzen lässt. Allerdings - gehässig solltest wir nicht sein.
Satanella: „Ja und praktisch....?"
„Praktisch sollten wir für den Anfang einmal versuchen unseren alten Genossen, den Dr. H.J. hereinzulegen. Der vertraut auf seinen Instinkt – und dass der ihm hilft. Und dieser Instinkt bin ich. Und der lässt ihn jetzt im Stich. Schaut Euch das an: Wir schalten jetzt um in seine Villa. Da rücken jetzt der Inspektor und der *Commissario* mit einem hübschen Aufgebot an Uniformierten an. Ich werde den Teufel tun ihn zu warnen, damit er rechtzeitig mit dem Beweismaterial türmt. Schaut hin was passiert."

Die Gattin des Dr. H.J. öffnete die Tür und ist entsetzt einer kleinen Armee uniformierte Beamter gegenüberzustehen. „Was ist hier denn nur los! Inspektor, können Sie mir sagen, was das soll?"
„Wir suchen ihren Mann." „Warten Sie ich werden ihn holen!" Sie versucht die Türe zu schließen, doch der Inspektor hält seinen Fuß dazwischen: „Warten bitte Sie - wir haben einen Durchsuchungsbefehl. Ich muss Sie ersuchen uns sofort herein zu lassen.„ Sie dringen in die Wohnung ein. Dr. H.J., der gerade aus dem Bad kommt, läuft den beiden Kriminalisten direkt in die Arme. Er ist – wie nicht anders zu erwarten – außer sich: „Was nehmen Sie sich heraus! Das wird Folgen für Sie haben. Stoppen Sie sofort die Aktion und heben Sie sich hinweg! Aber schleunigst! Was heißt hier Durchsuchungsbefehlt! Ich habe doch keinen Befehl ausgestellt für mein eigenen Haus."
„Verständlicherweise nicht, Herr Dr. Lupitz. Deshalb hat den Durchsuchungsbefehl auch das Innenministerium ausgestellt. Hier – die Unterschrift von Minister Pesel dürfte Ihnen nicht ganz unbekannt sein. Also - machen sie bitte Platz. Wir tun hier nur unser Arbeit."
Das Durchsuchungskommando packt einige Aktien ein, durchwühlt den Schreibtisch. Enttäuschenderweise will absolut nichts auftauchen, was als Beweismittel gegen Dr. H.J. Lupitz zu verwenden wäre. Die oberen Räume mit dem Privatbüro des Doktors sind schon durchsucht. Und der blickt triumphierend um sich: „Was, wenn ich bitten darf, wird mir überhaupt vorgeworfen?"
Der Inspektor will die oberen Räume schon freigeben, doch der *Commissario* meint, er möchte sich das alles doch noch mal alleine und in aller Ruhe anschauen. Er wollte schon eine Versuch mit seiner magischen Geste machen, da fällt ihm eines auf. Im Büro beherrschen Bücherborde zwei

Wände. Die stoßen aber nicht rechtwinkelig aufeinander. Das Eck wird vielmehr durch eine etwa 1 m 20 breite schräggestellte Bücherbordwand überbrückt. Dahinter muss eigentlich Platz sein. Er räumt die Bücher aus dem untersten Regal aus und stößt auf eine dünne offenbar furnierte Holzwand. Nun versucht er sie nach hinten zu drücken, zur Seite und nach oben zu schieben - nichts. Dann räumt er das zweitunterste Bord frei. Wieder Fehlanzeige. Die Rückwand lässt sich nicht bewegen. Nun kugeln bereits die Bücher aus dem dritten Bord auf dem Boden herum. Und siehe da – dessen Rückwand kann man jetzt etwas nach hinten drücken und dann lässt sie sich nach unten schieben. Das verschiebbare Stück deckt das dritt- und viertunterste Bord ab.
Jetzt holt der Commissario den Inspektor und lässt, von zwei Beamten geleitet, den Dr. H.J. herbeibringen.
Der *Commissario* räumt mit der eilfertigen Hilfe eines der beiden Polizisten auch noch das viertunterste Regal aus und nimmt das Zwischenbrett heraus. Es klafft eine große Lücke.
Der Inspektor steigt vorsichtig hinein und taucht nach unten weg. „Ich hab was!" Völlig aus dem Häuschen schnellt er hoch, vergisst alle seine Zurückhaltung, bricht in ein ungewohnt lebhaftes Lachen aus und kaspert: „Hallo Kinder, seid Ihr alle da!? Schreit mal alle fest Hurra! Und nochmals Hurra! Ei - was haben wir denn da Schönes?" Er reicht dem *Commissario* eine Festplatte heraus.
Nach dem nächsten Tauchgang: „Aller guten Dinge sind zwei – noch ein Plättchen!" Und schließlich: „Stimmt nicht – aller guten Dinge sind doch Drei!" Triumphierend hält er in der ausgestreckten Hand einen schweren Kuhschwanz aus purem Gold hoch. (Später sollten ihre Kollegen im Labor analysieren, dass es nur 14-karätige Gold war – aber immerhin, glänzen tat es ganz hübsch.)
„Dio mio - la coda di vacca d'oro.
Dotore Lupitz – da werden Sie uns was zu erzählen haben." Belcanto wandte sich um zu ihm. Doch der war verschwunden.
„Per mille diavoli - da hat doch der Teufel wieder seine Hand im Spiel."

€

Teufelsschwänzeleien
Hatte er auch im Spiel - der Teufel, aber keineswegs seine Hand! „Da hat der Teufel den Schwanz darauf gelegt!" Das sagen die Russen, wenn sie was suchen und absolut nicht finden können. Und genau diese Fähigkeit, mit Hilfe seines Freudenspenders etwas völlig unsichtbar zu machen, hat der Satan ausgenutzt. Er hat ihn einfach so weit erigiert, dass der Staatsanwalt Dr. H.J. Lupitz so ganz klamm heimlich dahinter verschwinden konnte.
Satanello: „Ich glaub´, mich knutscht ein Elch! Alter! Du wolltest doch den Doktor H.J. auffliegen lassen! Warum hast Du jetzt Deinen Pimmel als Tarnkappe benutzt und den Kerl unsichtbar so mitten durch die Polizeikette

abschweben lassen. Wenn ich dich recht verstanden haben, willst Du doch aktuell die Seite wechseln – oder?"
„Ach Söhnchen – so einfach ist das doch nicht." Er greift zur Klampfe und singt nach der Melodie des traditionellen von einem kroatischen Volkslied inspirierten und 1797 von Joseph Haydn komponierten Songs „Gott erhalte Franz den Kaiser.......":

Auch den stärksten aller Teufel,
der die Welt in Atem hält
plagen manchmal schwere Zweifel,
was für ihn denn wirklich zählt
Bin ich doch der Boss geworden
Allen Goldes und der Nacht
Menschen, Menschen Ihr vertraut mir,
Ich hab's herrlich weit gebracht.
Menschen, Menschen Ihr vertraut mir,
Ich hab's herrlich weit gebracht.

Doch das Licht, wenn das so scheinet,
manchmal zieht's mich magisch an.
Dass ein Herz selbst in mir weinet,
ist was ich schwer fassen kann.
Fühl mich hin und her gerissen,
weiß nicht was ich machen soll.
Nacht und Licht sich in mir streiten
Das ist wahrhaft grauenvoll.
Nacht und Licht sich in mir streiten
Das ist wahrhaft grauenvoll.

Soll ich nun von Herzen hassen,
die, die mich so groß gemacht.
Soll ich Grausamkeiten lassen,
die mir haben Spaß gebracht!
Ich hab alle stets gelehret,
was zählt, das ist nur Macht und Geld.
Ihr Menschen fallet vor mir nieder
Ich bin doch der Herr der Welt!
Ihr Menschen. Ihr fielt vor mir nieder
Ich war doch der Herr der Welt!

„Weißt du mein Junge, dass die Hintergründe der Rinderaggression rauskommen, ist die eine Sache, aber den H.J., dem ich als Satan ja einiges verdanke, dann so hängen zu lassen – ich weiß nicht. Und ich denke mir: Vielleicht hat das alles ja auch sein Gutes – zumindest für uns. Mir geht da noch so was im Kopf herum.

Nun ja, wie auch immer, ein bisschen was muss ich schon für ihn tun – und wenn's nur aus Nostalgie ist. Schließlich ist er ja auch mit dem goldenen Kuhschwanz ausgezeichnet worden. Und der ist exakt dem goldenen Schwanz nachgebildet, den ich selber bis vor kurzem noch hinten dran hatte.
Und wie Du schon weißt, stammt der wieder vom goldenen Kalb. Aaron, Aaron! Die Geschichte, die Du damals vor mehr als 3300 Jahre angerührt hast - der ist schon eine gewisse Nachhaltigkeit eigen, bis heute . Das muss Dir der blasse Neid lassen."
Satanello: „Ich werde schon wieder vom Elch geknutscht! Haben das meine entzündeten Augen eben wirklich erspäht? Als Du den Dr. H.J. abdecktest und er unsichtbar war, da schwebte irgendwie der golden Kuhschwanz durch die Luft."
Satan: „Gut beobachtet mein Sohn. Er wollte die Möglichkeit nutzen ihn mitzunehmen. Er braucht ihn als Zauberstab, um die hirnlosen Masse zu lenken und zu beeinflussen – die Rindviecher, die gehörnten, und – na und die anderen.
Das hat jedoch die pfiffige Yasmina gemerkt und nach dem Schwanz gegriffen – mit ihrer rechten Hand. Der Doktor zerrte die Blonde dann einfach mit sich fort. Da fiel ihr ein, dass ihre linke Hand ja *magic upgegrated* worden war. Sie tippt damit den Schwanz an und H.J., der sich daran klammerte, erhielt einen kräftigen Schlag. Er ließ das elektrisch aufgeladenen und nach allen Seiten Funken versprühende Goldstück fahren. Deshalb ist es dann auch klirrend zu Boden gerauscht".

Einige Tage später suchte der *Commissario* durch seine linkshändige Geste der Argumentation festzustellen, wo denn der seit seiner rätselhaften Flucht verschollene Dr. H.J. abgeblieben war. Er entdeckte ihn in weiter blassblauer Ferne und bemerkte, dass er auf einem Bullen sitzend ganze Rinderherden dirigierte – mit dem goldenen Schwanz.
„Den hatte doch unsere tüchtige Blonde sichergestellt? Wieso ist der nicht mehr in der Asservatenkammer? Hat da keiner was gemerkt?"

Der Satan, der auch jetzt das Präsidium im Visier hatte, lachte vor sich hin und wendet sich an seine Hörergemeinde:
„Wie kam der golden Schwanz wohl wieder in den Besitz des unheimlichen Doktors? Sehen wir es einmal so: Dem Autor ist beim Schreiben auch nicht so recht eingefallen, wie er das Problem lösen sollte – so besteht zwangsläufig von vorneherein eine gewiss Unklarheit. Das wäre die eine Möglichkeit.
Andererseits könnte ich als Satan ein gewisses Interesse daran haben, dem Dr. H.J. seinen effektiven Zauberstab wieder zuzuspielen.
Und dann wäre da ja auch noch die dem Doktor hörige Felizitas. Wenn die ihm einen Gefallen tun kann, da kennt die nix!
Oder aber der goldene Bulle hat unbemerkt im Präsidium herumgeschnüffelt – unlängst als Judith übers Internet eiligst ihre letzten Aktien abgestoßen

hatte. In der Nacht zuvor hatte sie geträumt, das eine verteufelt hübsche und im übrigen recht spärlich bekleidete junge Frau, fast noch ein Mädchen, im Damen-sitz auf einer Kuh – oder war´s vielleicht ein Stier? - in scharfen Galopp zu ihr hinritt und ihr mit tiefer Altstimme weissagte, dass ihre Aktien in Kürze ins Bodenlose rutschen würden. Auch wenn Judith nicht an Wahrträume glaubte – darauf ankommen lassen wollte sie es nun auch nicht gerade. Der Bulle hatte sich als Virus getarnt in ihren Computer breit gemacht. Er könnte aus dem Monitor herausgeschlichen sein und die Gelegenheit genutzt haben, sich den Schwanz zu greifen, um ihm dem Doktor auszuliefern.
Es gibt da wunderschöne Möglichkeiten. Aber warum soll ich Ihnen alles verraten?
Ist ja auch ganz egal, wie das passiert ist. Sie wissen jetzt jedenfalls, dass der magische Schwanz wieder in den Händen von Dr. H.J. ist, und damit wissen Sie auch, dass Sie noch auf allerhand gefasst sein müssen."

€

Aufgedreht lustig und durcheinander geworfen
Der *Commissario* ist mit seinen Recherchen voll beschäftigt, fühlt sich aber dann doch bemüßigt in Rom anzurufen um seiner Lucretia mitzuteilen, dass sie erst noch den Mann im Hintergrund hinter dem Rinderskandal fassen müssen und dass sich daher sein Aufenthalt in der niedersächsischen Landeshauptstadt doch noch etwas hinziehen wird. Lucretia ist ganz munter und freundlich - und reagiert ungewohnt verständnisvoll: "Mir geht es gut. Ja, führe nur Deine Aufgabe zu Ende. Das ist ja schließlich wichtig!"
Belcanto: „Fein, dass es Dir gut geht, da bin ich doch sehr beruhigt." So hat er es gesagt. Doch irgendwie beunruhigt ihn ihre Gelassenheit. Normalerweise sagt sie in solchen Fällen: „Ach mein Guter, ich bin so lange alleine. Sieh doch bitte, bitte zu, dass Du nach Hause kommst - so schnell wie möglich.,,
Was war denn da nur los? Er war sich natürlich völlig im Klaren darüber, dass er selbst die Neigung hatte, sich hinsichtlich anderer Frauen recht freizügig zu verhalten. Sein ausgeprägter Sinn für Gerechtigkeit bedeutete ihm denn auch unmissverständlich, dass er seiner Frau unter diesen Umständen doch auch einen gewissen Spielraum einzuräumen habe. Andererseits – irgendwie fühlte er sich unwohl dabei und es gelang ihm nur unzureichend – weit weniger gut als ihm selbst lieb war - mit seiner flauen Empfindung fertig zu werden.
Hin und wieder begann er jetzt durch den magischen Fingerkreis nach Rom zu spähen. Lucretia ist meist allein in ihrer Wohnung. Doch dann und wann klingelt es an der Tür: Er hört eine jugendfrische männliche Stimme und dann beginnt das Bild zwischen seinen Fingern ganz merkwürdig zu flimmern. So etwas wie ein schwerer Vorhang aus flammend rotem Brokat verhüllt es, ehe es völlig zusammenbricht.
So beschließt er die Gedanken darüber, was denn dahinter stecken könnte, zu verdrängen und sich dafür etwas intensiver den beiden blonden Damen zu widmen.

„Ich denke wir können es uns richtig gemütlich machen, ein Bierchen schlürfen und uns an einem Lustspiel erfreuen. Wie das Leben so spielt, scheint heute Abend eine Komödie auf dem Programm zu sein – vielleicht auch eine Tragikkomödie." So spricht der Satan am nächsten Abend zu den Seinen und lässt das Präsidium groß im Bild erscheinen.
Die beiden blonden Schönheiten wähnen die Schlacht fast schon für geschlagen. Sie freuen sich darüber und fürchten zugleich, dass der flotte Römer bald schon wieder abreisen müsste, denn den enttarnten Staatsanwalt zu fassen, das konnte ja nur noch eine Frage von Tagen sein.
Der Satan weiß natürlich bereits, dass sie damit nicht so ganz richtig liegen. Aber er hat Ihnen dennoch in Tanzrhythmen schwingende Vibrationen zugefächelt, die sie darin bestärkten, bereits an diesem Abend eine Fiesta zu arrangieren, halb Siegesfeier, halb auch schon Abschiedspartie.
Die beiden waren schon frühzeitig im Büro, um mit Sorgfalt und vor allem mit Liebe die *antipasti* vorzubereiten. Auch der *Prosecco* ist schon kalt gestellt, eine Flasche zwecks Steigerung der Vorfreude sogar bereits verputzt.
Zunächst erscheint der *Commissario*. Er singt laut und aufgedreht, um seine häuslichen Frustrationen mit Originalton Belcanto zu überspielen. Als die beiden Schönheiten hören, wie das Treppenhaus von seiner *Canzone* wiederhallt, bemühen sie sich fieberhaft, die Stapel von Büchern mit Titeln wie „Die mediterrane Küche" oder „Rezepte Venedigs – opulent und easy", sowie die geleerte Flasche da zu verstauen, wo so was hin gehört - hinter den Ordnern.
Der Satan musste schmunzeln, als er die opulentere der beiden bei dem Gedanken ertappte, der Teufel möge doch seinen Schwanz auf den Literaturstapel legen. Und feinfühlig, wie der Lucifer nun einmal ist, erfüllte er ihr auch den Wunsch.
Wenn wir schon von Feinfühligkeit sprechen, muss auch gesagt werden, dass die beiden feinfühligen Blondinen sofort sehr fein erfühlen, dass die gehobene Stimmung Belcantos reichlich aufgesetzt ist.
Judith: *Commissario* – Sie sind so lange allein hier in unseren Landen. Das tut Ihnen nicht gut. Sie müssen jemand haben, der sich mehr um sie kümmert."
Belcanto beabsichtigt durchaus die Gesprächsituation auszunutzen und den beiden einen Ball hinzuwerfen: „Wer soll sich denn schon ausgerechnet um mich kümmern?"
Jasmine: „Siehe – das Gute liegt so nah! Ich könnte mir denken, dass Judith - Judith würde sich sicher gerne mehr um sie kümmern!"
Judith: „Ich denke Yasmina wäre dem auch nicht abgeneigt. Sie ist jemand der sich gerne kümmert. Und einen gewissen Hang zum Italienischen hat sie schon immer gehabt."
Beide gerieten in eine kicherige Stimmung und Yasmina warf schäkernd so hin: „Wir sind für Sie da tags – und könnte ja unter Umständen auch sein überhaupt! Sie haben freie Auswahl, *Commissario*. Ich denke sie sollten ihre Chancen nutzen!"

Der *Commissario* zierte sich: „Aber *non so* - das kann ich doch nicht. Schauen sie sich die Geschichte mit dem Paris an. Der sollte zwischen drei *belle dee*, wie sagen Sie, reizenden Göttinnen, wählen, hat dann eine, die Aphrodíti, ausgesucht und das hat dann, wenn wir Herodot glauben dürfen, den Anlass zum Vater aller Kriege, den um Troja, gegeben.,,
Judith wirft dazwischen: „Wer die Wahl hat..."
„Wie soll ich mich zwischen zwei so charmanten Damen entscheiden?"
Judith durch den *Prosecco* in ungewohnt forsche und sogar ein bisschen frivole Stimmung versetzt: " Dann losen Sie uns aus! Zerteilen Sie den Strohhalm hier. Eine von uns wird den kürzeren ziehen. Jede von uns hofft natürlich auf den längeren."
Mit dieser Bemerkung hatte sie gewollt oder auch ungewollt, das Auffangnetz für das Drahtseil, auf dem sie schäkernd herumtanzten, endgültig abgeschnitten. Beide waren so ins Gespräch und in den Gedanken an seine Auswirkungen vertieft, dass Sie den Inspektor nicht bemerkten. Er war schon vor einer Weile unter der Tür stehen geblieben und hatte ihnen zugehört.
Der *Commissario*: „Meine Damen – meinen Sie das wirklich im Ernst?!"
Yasmina: „Wir schätzen Sie sehr, *Commissario* – ganz im Ernst und zwar nicht zuletzt deswegen, weil Sie uns wirklich ernst nehmen und gelegentlich auch auf uns hören."
Der *Commissario*: „Damit bin ich auch immer gut gefahren!"
Die etwas angerauhte Stimme des Inspektors aus dem Hintergrund: „Ich hoffe ja doch, meine Damen, sie beziehen Ihren alten Inspektor in Ihre großzügige Lotterie mit ein!"
Der Satan bemerkt zu den Seinen: „Ich will jetzt diese *commedia dell'arte* etwas beschleunigen. Er holt sich auf dem Bildschirm die Leuchtstofflampen des Büros groß heran, bläst sie an - und die schwärzeste Dunkelheit bricht auf die muntere Gesellschaft herab.
Einige Zeit geschieht gar nichts. Doch plötzliche fühlt Judith die Lippen von Belcanto. Sie stülpen sich glühend über ihren Mund, so stürmisch und so innig zugleich, wie sie das noch nie zuvor je erlebt hatte. Ihr Herz schlägt in einem ungezügelten vibrierenden Takt, und sie, die an sich eher zu einer gewissen Kühle neigte, schmilzt dahin. Wäre die Metapher nicht so restlos abgenagt, könnte man sagen „wie Schnee in der Sonne". Sie konnte nicht anders, als den *Commissario* innig zu umarmen und seine Küsse mit ihrer Zunge aufzufangen. Sie hofft nur ganz innig, dass nicht gleich wieder das Licht anginge, denn dann würde ja alle alles sehen können. Am liebsten wäre es ihr wenn alles so bliebe wie jetzt, für diese Nacht, für viele Tage, für immer!
Doch ihre Hoffnung ist vergebens. Der Satan sieht gerade jetzt den rechten Augenblick gekommen, das Licht unter lebhaften Flackern wieder aufstrahlen zu lassen – gleißend hell, wie nie zuvor. Wir wollen jetzt den Vergleich mit der Tarantel lassen, obwohl Judith wie von ihr gestochen sowohl zusammen- als auch zurückfährt. Und dann reißt sie ihr schönen dunkelblauen Augen auf, denn sie sieht vor sich ein lodernd entflammtes Gesicht – das des Inspektors.

„Verzeih-Verzeihung, ich - ich ich..." stammelt er. Er bringt kein Wort heraus - und schon gar nicht darüber, dass er in der Dunkelheit geglaubt hatte mit Jasmine in nähere Beziehungen getreten zu sein. Dass es Judith war, erschreckte und entzückte ihn zugleich. Judith fasst sich schnell, legt sachte ihre Rechte auf seinen linken Arm und bemerkt ganz ruhig: „Machen Sie sich nichts daraus, Inspektor - ist ja nichts gewesen."
„Wirklich nicht? " fragt der zurück und sein Gesicht wirkt völlig zerrissen zwischen der beschwingten Erleichterung darüber, dass sie ihm offiziell nichts übel nahm und der maßlosen Enttäuschung, dass das, was er so eben so unerwartet gefühlt, und was sie doch auch zu erwidern schien, ganz offensichtlich als nichts empfand, als so sehr nichts, dass sie deswegen nicht einmal eine Dienstaufsichtsbeschwerde gegen ihn einreichen wollte. Darauf hätte er doch eigentlich einen Anspruch gehabt.
Zu seiner Erleichterung bemerkte er, dass die beiden anderen nichts zu bemerken schienen. Sie waren zu sehr mit sich selbst beschäftigt gewesen. Yasmina hatte eine Hand gespürt, die ganz zart die ihre tätschelte. Für sie war es die gefühlte Hand des Inspektors. Den *Commissario* hätte sie für wesentlich stürmischer gehalten. Ihr war nicht bewusst, dass Belcanto zwar ein Frauenliebling war, aber kein Draufgänger.
Auch der Frauenliebling war verblüfft als es Licht wurde, denn er hatte ganz selbstverständlich angenommen nach Judiths Hand gegriffen zu haben. Als Kenner teuflischer Verhältnis schwante ihm aber, dass hier der *Diavolo* seinem Namen als „Durcheinanderwerfer" alle Ehre gemacht hatte.

§

Abzusahnen ist zwar möglich, scheitert aber manchmal kläglich
Dem Satan hat das Verwirrspiel richtig Spaß gemacht, gleichzeitig aber an der Stelle in seiner Brust, wo er sich immer noch nicht ganz sicher war, aber sich eigentlich doch allmählich hätte sicher sein müssen, ob er oder dass er da ein Herz hatte oder aber nicht, eine nagende Sehnsucht nach seiner Lilibeth ausgelöst.
Sie war – er fand das schnell heraus -gerade in Hamburg, und zwar seinetwegen. Marietta hatte unter ihrem linken Fuß seit Jahren einen stark ausgeprägten Fersensporn. Zwar hielten sich ihre Beschwerden glücklicherweise in recht erträglichen Grenzen. Dafür sorgten Kunststoff-Fersenkissen mit Öffnungen in der Mitte, die mit einem besonders weichem Material ausgefüllt waren. Allerdings konnte sie wegen dieser simplen Gehhilfe keine eleganten Schuhe tragen. Ihr Liebling hat immer von ihren süßen Nougataugen und von ihrer knusprigen Escheinung gesprochen. Sei war sich bewusst, dass er es gerne hatte, wenn sie etwas aus sich machte. Und dazu gehörten – so sah sie das - doch schon Schühchen mit höherem Absatz.
Nun hatte ihr Lucretia von einem sehr bekannten und gut beleumundeten Doktor der Orthopädie in der Freien und Hansestadt vorgeschwärmt. Dr. Renhasba galt als Kapazität und war in der zweiten Garnitur der besten Kreisen, die darauf Wert legten „in" zu sein, so „in" wie man nur „in sein"

sein konnte. Von ihm erhoffte sich Marietta, dass er ihre Fähigkeit sich kokett zu präsentieren, wieder voll herstellen würde. Druckwellentherapie hieß das Zauberwort, und es hieß auch, dass man damit einen Fersensporn unblutig erntfernen könne. (Tatsächlich funktioniert das auch, falls man das unverschämte Glück hat auf eine orthopädische Fachkraft zu stoßen, die sich damit auskennt.)
Als der Satan feststellte, dass seine Lilibeth gerade einen Termin ausgerechnet bei seinem früheren engen Verbündeten Dr. Renhasba hatte, hielt er es für angezeigt schnell zu handeln. So postierte er sich unten am Ausgang der Praxis.
„Wie kommst Du denn hierher", fragte sie ebenso erstaunt, wie erfreut.
„Nun – ich hatte da so etwas , wie ein Ahnung! Du weißt ja, manchmal kann ich schon ein bisschen geheimnisvoll sein."
„Ach Du, Du weißt wohl alles!"
Der Satan: „Allwissend bin ich nicht, doch viel ist mir bewusst!"
Marietta drang nicht weiter in ihn. Sie war zutiefst enttäuscht von der Behandlung, die ihr der sogenannte Arzt hatte zu Teil werden lassen und sie war wütend. Glücklicherweise hatte sie jetzt jemand zur Hand, dem sie ihr Herz ausschütten konnte. Sie suchten sich im nächsten Cafe eine Ecke, wo man ungestört plaudern konnte, und dann begann sie auch schon mit dem Ausschütten:
„Eine stinkfeine Praxis ist das! Zunächst wurde ich an so einer Art Tresen empfangen. Dahinter saßen drei ziemlich gut aussehende aufs sorgfältigste aufgehübschte medizinische Hilfskräfte. Die strahlten mich professionell freundlich an, stellten mir einige Fragen und sagten mir, ich solle doch bitte etwas Geduld haben, der Doktor würde mich in wenigen Minuten rufen. Nach geschlagenen vier Stunden erscheint wieder eine andere junge Frau, vielleicht so was wie´ne Schwester – aber Tracht hatte sie keine an. Sie war eher etwas modisch overdresst. Die lotste mich in ein Zimmer und fragte mich nochmals aus. Ich berichtete über meinen Sporn und dass ich deswegen manchmal um das Knie herum so ein Kribbeln oder taubes Gefühl hätte und dass ich meinen Sporn gern los wäre. Das notierte die junge Frau im Computer – vielleicht tat sie auch nur so. Dann ging sie.
Nach einer weiteren halben Stunde stürmte so ein graugesichtiger Typ in weißem Ärztekittel herein, warf einen Blick auf den Schirm des Computers ohne etwas richtig zu lesen und hieß mich mit hastiger Stimme und in fast etwas barschem Ton auf eine Pritsche zu legen. Er fühlte mein Bein ab und fragte – ebenfalls hastig: >Ist es da taub, oder da taub – nein? Ist es dann da taub<? Ich antwortete: >Taub ist vielleicht nicht ganz das richtige Wort, es fühlt sich so...< Er darauf: >Aha - es ist ein Unlustgefühl!< Er drehte das Bein ziemlich unsensibel hin und her, so dass das Kniegelenk vernehmlich knirschte: >Ihr Knie ist völlig abgenutzt.< >Sie denken doch nicht etwa an eine Arthrose, Herr Doktor!< Er unwirsch: >Sie können es natürlich auch mit einem Fremdwort sagen, wenn Ihnen das lieber ist.< „Und was ist es nun wirklich? Ich wollte Sie wegen meines Sporns....< >Mit dem

Sporn hat das nichts zu tun.< >Was ist es dann?< >Das ist noch unklar – da müssen wir weitersehen. Ich gebe Ihnen eine Überweisung zum Neurologen. Am besten wenden Sie sich dabei an Dr. Nesie Trab in Altona. Der wird Ihnen im Zusammenwirken mit mir helfen können. Außerdem verschreibe ich Ihnen 10 Elektroreizbehandlungen. Sie erhalten sie hier in meiner Praxis. Zur Schonung ihres Gelenkes gebe ich Ihnen eine Knieschoner, den passt Ihnen meinen Assistentin gleich an.<
So hastig wie er gekommen ist und so hastig wie er geredet hat, ist er dann ebenso hastig auch wieder entschwunden.
Die Assistentin, hat mir dann eine Gummikniehülle übergestülpt. Die presste mir das Knie zusammen und tat höllisch weh. Plötzlich litt ich unter Schmerzen, die ich vorher niemals gekannt habe. Ich ging auf die Toilette und habe das Gummiding gleich wieder runtergestreift. Was soll ich damit?
Vorne an der Theke macht man dann gleich einen neuen Termin und eröffnete mir, das ich eine Rechnung für die Elektroreizbehandlung und eine für das Gummidings bekäme. Meine Krankenkasse würde nämlich nur einen Teil davon bezahlen. Ich hatte mich nach einer Korrektur meines Sporns erkundigt, aber die wollen mich gleich in eine Patientenkarriere reindrängen."
„Aus der sie Dich bis zu Deinem seligen Ende niemals mehr rauslassen, wenn Sie Dich einmal am Kragen haben. Ich kann Dir nur raten, den Staub dieser Praxis von Deinen Füßen zu schütteln".
„Liebling, was mich so aufregt ist, dass die überhaupt nicht hören wollten, was ich sagte!"
„Das ist deren Strategie. Die wollen Dich von sich abhängig machen! Dann können sie Dich krank quatschen, um sich selbst gesund zu stoßen!"
Der Satan wusste wohl von was er redete. Er hatte ja selbst dem Arzt hier als einem der ersten eingeblasen, dass er doch nicht so abgrundtief dämlich sein solle, Kranke gesund zu machen. Das brächte doch nichts ein. Nur an Gesunden, denen man Krankheiten aufschwatze, könnte man ordentlich was verdienen. Das hat sich der Arzt derartig ausgiebig zu Herzen genommen, dass er zu guter Letzt keines mehr hatte. Langfristig gesehen, war es natürlich des Satans Absicht gewesen, möglichst viele Ärzte in diesem Sinne „aufzuklären". Solche Scharlatane gerieren sich als unfehlbare Gurus und überlasten dann prompt das gesamte Gesundheitssystem eines Staates. Über kurz oder lang muss das zusammenbrechen - zwangsläufig.
Damals als er, der Satan, seinen Kreuzzug gegen die Gesunden begonnen, hatte ihm das Ausbildungssystem für die Ärzteschaft schon gut zugearbeitet. Der Ärzteberuf galt in der Vergangenheit als derjenige, der einem das denkbar höchste Einkommen sicherte. Deshalb machten sich zu viele Studenten wie die Heuschrecken über die Medizin her. Die Universitäten führten eine strenge Beschränkung ein. Und dabei machten sie einen entscheidenden Fehler. Sie ließen nur Studenten mit hervorragenden Abiturzeugnissen zu. Eignung und Motivierung Kranken zu helfen, Einfühlungsvermögen und Verantwortungsgefühl – danach wurde nicht gefragt. Ein großer Teil der in der Schule nicht so sonderlich brillanten, aber menschlich für den Ärzte-

beruf viel besser Geeigneten wurden zurück-gewiesen. Die, die sich als Prämie für angepasstes Schleimen die guten Mathematiknoten holten, setzten sich durch. Doch logischerweise haben sie dann auch als Ärzte besser gerechnet als geheilt. Wenn wundert das schon?
Damals hatte sich Mr. Satan geärgert, dass sich für seinen Geschmack doch noch viel zu viele Studenten zu verantwortlichen Ärzten entwickelt hatte. Heute bestärkte ihn die Gefahr, in der seine Lilibeth schwebte, sich doch mehr und mehr der anderen Seite zuzuwenden.
Allerdings müsste er schon eine gewisse Sicherheit haben, dass diese ihn und die Seinen auch unterstützten, wenn er wieder höher steigen wollte. Bis vor kurzem noch hatten die oben ihn nur immer weiter in die Tiefe gestoßen. „Aber," dachte er insgeheim bei sich, „wenn mir von irgendwoher signalisiert würde, dass ich eine Chance bekäme, wieder aufzusteigen, dann müsste ich meine ganzen Schandtaten wieder zurücknehmen und ihre Folgen aufarbeiten. Und wenn ich mir hier die Aufgabe an den Hals hinge das Gesundheitssysteme zu sanieren – das wäre nun wirklich die Hölle!"

€

Judith und Holofernes
Der *Commissario* war alarmiert. Er hatte – auf welche Weise auch immer – herausgefunden, dass der Dr. H.J. Lupitz mit aller Macht den Aufbau eines neuen Netzes für die Distribution von Futtermitteln vorantrieb.
Und dann die neue Betriebsamkeit in der AVA! Einige ihrer eifrigsten Funktionäre organisierten immer mehr Vereinigungen von Landwirten, die sie unter ihre Fittiche nahmen.
Belcanto äußerte sich dem Inspektor gegenüber sehr besorgt: „Da kommt was auf uns zu. Der H.J. wartet nicht ab, bis wir ihn gefasst haben. Der ergreift Gegenmaßnahmen. Da müssen wir schwer auf der Hut sein!"
„Ja, ja – das müssen wir", murmelte der Inspektor, und ein jeder konnte merken, dass er mit seinen Gedanken im Augenblick ganz wo anders war.
„Wir müssen uns Proben der neuen Futtermittellieferungen beschaffen und sie analysieren lassen", drängelte der *Commissario*.
„Ja, ja, *Commissario*, machen Sie nur. Wenn Sie das Zeug haben, können wir darüber sprechen."
Die beiden blonden Damen, waren pünktlich zum Dienst erschienen. Keine ließ sich etwas anmerken, wegen der Vorfälle vom gestrigen Abend. Der Inspektor jedoch hatte die ganze Nacht darüber gegrübelt wie er die Sache mit Judith beilegen könne. Erst gedachte er einen Brief zu schreiben. Dann verwarf er den Gedanken, denn ein Brief hätte ja als peinliches Beweismittel für sein Verhalten dienen können. Daher beschloss er mit Judith ein Gespräch zu führen. Aber wie sollte er einen argumentativ überzeugenden Einstieg dafür finden? So griff er erneut die Idee mit dem Brief auf. Schließlich könne er ja, so dachte er sich, wenn das Schreiben fertig wäre, immer noch entscheiden, ob er es ihr gäbe oder nicht.

Also zog er sich in sein Arbeitszimmer zurück nahm sich eine Bogen Papier. Sein Kugelschreiber kratzte nur noch, so wechselte er erst einmal die Mine – umständlich, wie man das so macht, wenn man eine Aufgabe möglichst lange vor sich herschieben will:

„Liebe Frau Judith,
für den Vorfall der uns alle etwas verwirrt hat, möchte ich mich vielmals entschuldigen. Ich hoffe, dass Sie mir nichts nachtragen, zumal ich gar nicht die Absicht gehegt hatte, mich Ihnen zu näheren. Es war ein Vers......"

An dieser Stelle angelangt, ließ er den Kugelschreiber fallen: „Das ist blöd von mir. Dadurch ziehe ich ja noch völlig überflüssigerweise die üppige Yasmina in die Sache mit hinein. Außerdem – ich tue mir ja etwas schwer mich in Frauenherzen hineinzudenken – aber ich könnte mir doch vorstellen, dass Judith zwar beleidigt ist, dass ich Sie küsste, aber doppelt beleidigt wäre, wenn sie erführe, dass ich ja gar nicht sie küssen wollte!"
Den eigentliche Grund, weswegen er innegehalten hatte, wagte er nicht sich einzugestehen: Die leidenschaftliche Reaktion auf seine Annäherung, die er Judith ursprünglich gar nicht zugetraut hatte, hatte sein Herz derart heftig erwärmt, dass von da an seine Gedanken nur noch um sie kreisten. Judith leuchtet nun für ihn so hell in seinem Herzen, dass Yasmina daneben im Dunkel versank.
So begann er von neuen:

„Liebe Frau Judith,
die Ereignisse von gestern Abend waren - wie ich vermute für uns alle – etwas turbulent. Um etwas Boden unter die Füße zu bekommen und um wieder den nötigen Abstand zu gewinnen, wäre es vielleicht ganz gut, wenn wir uns einmal in einer neutralen Umgebung aussprächen.
Ich hoffe keine Fehlbitte getan zu haben".

Er legte den Stift zur Seite und überlegt, ob die letzte Formulierung dem Schreiben wirklich angemessen wäre und ob er mit „Ihr Inspektor" oder besser mit „Ihr Müller-Gürtelneurose" unterschreiben oder das „Ihr" ganz weglasen sollte. Da klopft es auch schon. Die Post sollte hereingebracht werden - und wer sie hereinbrachte, das war sie.
„Oh, Inspektor, sie schreiben ja – und das auch noch mit der Hand. Das habe ich noch nie bei Ihnen gesehen!"
„Nein wirklich nicht?"
An dieser Stelle muss gesagt werden, dass sie nunmehr scherzend antwortete: „Nein -wirklich nicht! Ich wusste gar nicht dass Sie schreiben können!"
Und er scherzte entsprechend zurück: „Ich wusste das auch nicht – bisher nicht."
„Inspektor – ich habe das Gefühl, Sie haben das Schreiben für mich verfasst."

„Ihr Gefühl scheint Sie selten oder nie zu trügen. Es ist für Sie."
Flink griff sie nach dem Schreiben und nahm es an sich. Sollte er jetzt noch zweifeln, ob es richtig war ihr den Brief auszuhändigen oder ob es besser unterblieben wäre? Die Würfel waren gefallen!

Im Flur von Judiths Wohnung hing ein großes Gemälde – ein Kenner würde sofort erkennen, dass es ein mittelmäßige Kopie eines Originals aus der Renaissance war. Es stellte Judith dar mit dem Haupte des Holofernes. Ausgerechnet dieses Motive war das erste, was den Blick des Inspektors geradezu zwingend auf sich zog, als sich die Tür zu ihrer Wohnung mit einem leisen Summton öffnete.
Unwillkürlich griff er sich an den Hals, als spüre er dort schon die kalte Schärfe der erbarmungslosen Schneide.
Er war guter Dinge hierher geeilt. Judith hatte ihm gestern, ein paar Minuten nachdem sie seinen Brief gegrapscht, einen Zettel hereingereicht - eine Einladung zum heutigen Abend. Er solle sie in ihre Wohnung besuchen. Zwar weigerte sich sein gerne über sich selbst nörgelndes selbstungewisses Hirn diese Geste zu bewerten, aber immerhin konnte es kein allzu schlechtes Zeichen sein, wenn Judith ihn anstatt an einen neutralen Ort in einen Raum mit erheblichen Heimvorteilen für sich selbst bat. Das gab ihm denn auch die Gelegenheit für sie einen üppigen bunten Strauß zusammenstellen zu lassen, in den er nach mehrfacher Nachfrage der Blumenfee, letztendlich doch noch drei rote Rosen einbinden ließ.
Sein zweite Blick fiel auf die real existierende Judith, die etwas feierlich die Wohnzimmertür öffnete und sich im Rahmen postierte. Offensichtlich war sie allein und hatte keinen Anwalt oder gar den einen oder anderen noch unangenehmeren Zeitgenossen dazu gebeten. Und offensichtlich hatte sie sich auch ein ganze Menge Mühe gegeben ihre ohnehin strahlende Erscheinung juwelengleich aufblitzen zu lassen. Das lange enganliegende Kleid bestand aus einem schwarzen Stoff, dessen Dichte und Wärmedämmung schwerwiegende Mängel aufweisen musste. Des Inspektors ewig sich selbst schulmeisterndes Gehirn versuchte zwar noch ein kritisches „Was soll das eigentlich?" in ihm aufkeimen zu lassen. Aber angesichts dessen, was sich ihm im Augenblick als Anblick darbot, hatte eine solche gedankenüberlastete Intervention nicht die geringste Chance sich in seinem Gemüt festzubeißen.
Und dann – nun dann schritt Judith ganz langsam, fast träge und doch zugleich betont zielgerichtet auf ihn zu. Sie sah ihm eine Weile in die Augen. Er ertapt sich bei dem Gedanken, dass dieser Augenblick ihm vorkäme wie eine Ewigkeit. Sehr vorsichtig und sehr zart legte sie schließlich ihre Arme um seinen Hals.
Die überraschende, von ihr zuvor niemals erwartete Eruption seines Temperamentes am vorgestrigen Abend – der Kontrast zwischen der altbekannten Scheuheit und der neuentdeckten Wildheit des Inspektors hatte ihr Gemüt aufwallen lassen, wie der volle oder der neue Mond die Springflut.

Feinfühlig, wie sie war (und wie wir sie schon mehrfach erlebt haben), hatte sie auch schon erfasst, dass der Inspektor weder seinen eigenen Empfindungen, noch zarten Andeutungen oder symbolischen Gesten so recht traute. Deshalb hat sie sich für diese Nacht unter anderem vorgenommen ihm auch die Entwicklung Ihrer Gefühle ihm gegenüber des langen und noch mehr des breiten zu erläutern, damit endlich eine gewisse Gewissheit eine gute Gelegenheit fände, sich in ihm felsenfest zu etablieren. Aber das alles muss hier nicht erörtert werden, zumal selbst der Satan, der zwischendurch mal einige Blicke auf diese Szene riskiert hatte, an dieser Stelle unter anhaltendem Gähnen abschaltete. Er hätte ja ganz gerne wieder einmal den Voyeur gespielt, doch es war ihm klar, dass er dazu bis zum frühen Morgen hätte wach bleiben müssen.

$

Man muss auch gönnen können
Am Samstagmorgen hatten sie normalerweise dienstfrei. Der Inspektor hielt es dennoch für verantwortbar, sie alle zu einem Brunch in ein mittelfeines Lokal der Landeshauptstadt einzuladen. In diesem Falle konnte dies ausnahmsweise auch einmal ein – wie wir laut Aussage der üblichen TV-Krimis wissen – chronisch knapp gehaltener Inspektor unter Spesen verbuchen. Und so kam es, dass er ihnen auch tatsächlich etwas mehr zu bieten hatte als nur Currywurst mit brauner Pattex-Brause.
Es waren beruhigen Nachrichten über die Aktivitäten von Dr. H.J. Lupitz durchgesickert. Er soll, aktiv unterstützt von Fritz Meyer, Terroranschläge, Foltermorde durch Militärs, Flugzeugabstürze und Dammbruch-Katastrophen inszeniert haben – alles nur um sich Leichen zu beschaffen. Besonders beängstigend war die Kürze des Zeitraumes, in dem der Exstaatsanwalt das alle so perfekt hingekriegt hatte. Jedenfalls erschien – selbstverständlich nach einer ausgiebigen Stärkung – auch eine ebenso ausgiebige Lagebesprechung angezeigt.
Dies erwies sich als umso wichtiger, als die Nachrichten von Seiten des mit der Untersuchung des Mörderrinder-Problems beauftragten Veterinärs auch nicht gerade als Baldrian für die Seele bezeichnet werden konnten. Röntgenuntersuchungen mit Kontrastmitteln in verschiedenen landwirtschaftlichen Betrieben, die mehr oder minder in den Verdacht geraten waren, der Verteilerkette für das „Spezialfutter" anzugehören, hatten tatsächlich dazu geführt, dass weitere Rinder, vor allem Jungrinder mit fünf Mägen entdeckt wurden. Sorge bereitete vor allem die Tatsache, dass die Deformationen in jüngster Zeit gehäuft auftraten. Noch – gelinde gesagt – unangenehmer war, dass einige Fälle von zusätzlichem Mägen auch bei Ziegen, Schweinen und sogar Gänsen aufgedeckt wurden. Der Verdacht, dass auch Menschen ....! Aber all Mutmaßungen darüber hatte der Veterinär verdrängt – im Augenblick noch erfolgreich.
Die Fütterungsexperimente mit dem Humanpulver verliefen ebenfalls positiv: Kälbchen, die damit regelmäßig gefüttert wurden, hatten einen fünften

Magen entwickelt und zwar viel schneller, als das zu vermuten war – und sie zeigten ein ausgeprochen aggressives Verhalten! Die Versuche festzustellen, ob sie auch tatsächlich zu Fleischfressern geworden waren, verharrten zwar immer noch im Stadium der Planung. Bei der Notschlachtung dreier Tier hatte man aber im Verdauungstrakt Reste von Ratten, in einem Fall sogar von Hühnern gefunden.

Es gab also hinreichend Gründe ein intensiveres *brain storming* zu veranstalten. Doch sah es zunächst so aus, als ob die Gefahren für die Allgemeinheit durch die persönliche Probleme, die unsere Vier mit sich hatten, überlagert zu werden drohten:

Yasmina und Belcanto waren als erste eingetroffen – nahezu gleichzeitig. Sie saßen einander gegenüber und der *Commissario* lächelt sie an – innig aber schief. Während sein linker Mundwinkel nach oben wies, krümmt sich der rechte nach unten. Und dementsprechend fühlte er sich auch! Schließlich hatte er einiges, man kann sagen, sogar eine ganze Menge übrig für das heitere und lebhafte Wesen Yasminas, das seinem Temperamt so entgegenkam. Jetzt aber empfand er, obwohl er das nie gesagt, auch sich selbst nicht eingestehen wollte, dass die stets recht beschwingte Frau doch eher seine zweite Wahl war.

Yasmina lächelte intensiv und durchaus spiegelverkehrt zurück. Sie hatte sogar einen mehrschichtigen Zwiespalt zu verdauen. Zwar war es bisher ihr sehnlichster Wunsch gewesen vom *Commissario* in die Arme genommen zu werden. Doch in dem Augenblick, da sie über seine linke Schulter hinweg den innigen Kuss der beiden anderen registrierte, war ihr schon klar, dass jede Verbindung mit ihm nur in eine Affäre ein- und ausmünden könnte, während eine Beziehung zum Inspektor doch die Chance auf eine gewisse Nachhaltigkeit hätte eröffnen können.

Sie war über ihren eigenen Gedanken zutiefst erschrocken, denn ihr drängte sich plötzlich das unangenehm Bewusstsein auf, dass auch sie gegen den weiblichen Hang zu eine dauerhaften Beziehung mit einem Mann von einem gewissen Einfluss nicht gefeit war. Sie hatte es immer aufs entschiedenste abgelehnt, sich als Elster zu sehen, die alles daran setzt, ihr Nest mit den glitzernsten Brillies auszustaffieren. Aber da war noch etwas - und in diesem Punkt war sie nun wirklich untypisch (und dies selbst für Frauen, die sich gelegentlich gerne ein paar Spritzer aus dem Flakon mit der Fragrance „Emanzipation" hinter die Ohre sprühen!): Sie hatte zwar Belcanto begehrt – und dies durchaus einigermaßen heftig, aber ihn gleichzeitig auch ihrer Kollegin und Freundin Judith gegönnt, zumal sie auch von vornehrein fest angenommen hatte, dass alles in dieser Richtung laufen würde. Und so kam in ihr jetzt ein ungutes Gefühl hoch, weil sich die Dinge ja so zu entwickeln scheinen, dass ihre Kollegin um etwas kam, was ihr eigentlich irgendwie von Anfang an - ja doch! - zuzustehen schien.

Der Inspektor und Judith erschienen zusammen. Das Kleeblatt war also komplett. Doch wie sie alle so beim Frühstück saßen, schien sich die Welt verkehrt zu haben.

Judith, die ruhige und zurückhaltend elegante, war aufgedreht, die heitere und quirlige Yasmina hingegen still in sich versunken. Für Yasmina und für den *Commissario* war es ganz offensichtlich, dass die beiden anderen eine erfüllte Nacht hinter sich hatten. Judith aber und der Inspektor konnten trotz ihre fast schon angespannten Aufmerksamkeit aus dem Verhalten ihres Kollegenpaars überhaupt nichts darüber erschließen, was oder ob überhaupt etwas zwischen ihnen gewesen war.

$€

Dauerbeziehungen können nicht gestattet werden
Satanella: „Sag mal mein Erzeuger! Dafür, dass der Schwarm aller Frauen nicht zum – wie soll ich sagen - Schuss gekommen ist, bist doch Du verantwortlich! Du willst Dich dafür revanchieren, das er Dich immer aufs Kreuz gelegt hat.
Was ich aber überhaupt nicht verstehe: Du hast in letzter Zeit mehr und mehr zum Ausdruck gebracht, dass wir dabei sind, uns so ganz allmählich auf die andere Seite zu schlagen. Das kann doch wohl nicht klappen, wenn Du jetzt auf einmal wieder an Rache denkst! Entweder wir machen uns auf den Weg nach oben, dann ist es aber wohl nix mit Rache! Oder wir bleiben Satane...."
Satan: „Sachte, sachte. So ganz sicher bin ich noch nicht, wie das mit uns wird. Und dann – wir werden ja nicht mit einem Schlag zu Engeln. Wir werden zu so etwas ähnlichem, wie Menschen – das heißt wir tun abwechselnd Gutes und immer noch reichlich viel Böses. Ich denke ein bisschen mehr auf der schwarzen Seite sind wir dann immer noch! Und wenn ich dem *Commissario* jetzt so ein bisschen ..."
Satanello: „... bei Judith die Tour vermasselt habe ..."
Satan: „Ja so – so ähnlich, aber ich würde doch eher sagen, ihn veranlasst habe etwas zurückzustecken, dann hat das sein Schlechtes – der *Commissario* hat schließlich schon ein bisschen daran zu knabbern – aber auch sein Gutes."
Satanella: Na Papachen – was soll denn da schon Gutes daran sein? Ja sicher – das mag für den Inspektor gelten. Dem ist das sicher gut bekommen!"
Satan: „Das sowieso! Der hatte es auch nötig, dass seine Psyche mal ein bisschen aufgemischt wurde. Aber weißt du, so ein Roman, wie der, in dem wir gerade drinnen stecken, soll ja irgendwie ein Spiegel des Lebens sein. Und im Leben geht wahrhaftig nicht alles gut aus. Wenn in einem literarischen Werk oder auch Machwerk alles happyended, dann wird daraus nur eine Klamotte – so was wie das, was der Konrad Konrad fabriziert hat. Ohne dass wenigstens ein bisschen was Tragisches darin steckt, wird ein Geschreibsel nicht ernst genommen.
Deswegen musste ich doch auch dem Autor etwas unter die Arme greifen. Zu einem Krimi, der sich sehen lassen kann, gehört einfach, dass die Komissare oder Inspektoren entweder gar nicht oder doch wenigstens un- oder semi-

glücklich verheiratet sind. Dass Belcantos Ehe jetzt auch von der Gegenseite her ins Trudeln geraten ist, dazu hast Du Nello, mein Sohn, ja recht erfolgreich beigetragen. Aber der Heros unseres Krimis, der darf doch auch, beim Teufelseibeiuns, keine Liebschaft haben, die dauerhaft im siebten Himmel endet. Stellt Euch vor, der Autor denkt an einem weiteren Roman mit Belcanto als Helden – wie soll der denn dann das für den Leser immer attraktive „Irrsal und Wirrsal" der Liebe durchleben, wenn alle wissen, dass er bereits vor Beginn der Handlung in die warmen Hände einer Lebensvollzeitgefährtin gefallen ist?"

€

Eine harte Mohrrübe, kaum zu benagen

Der Bundschuh ist ursprünglich ein ziemlich bunt zusammengewürfelter Haufen junger Kleinbauern gewesen und daher entsprechend rasch in Turbulenzen geraten. Keine Führungsperson, die alle Angelegenheit koordinieren konnte, war verfügbar. Doch nach einigen chaotischen Wochen, fiel dem Bundschuh jemand zu, der tatsächlich in der Lage war dem individualistischen Haufen eine Struktur einzuziehen und ihn anzuführen. Unter ihm hatte die Organisation in ganz kurzer Zeit eine überraschend Schlagkraft entwickelt. Der Mann hieß – man höre und staune - Konrad Konrad. Er wollte unbedingt auf Jeanette, der er seit der abenteuerlichen Generalprobe noch viel heftiger zugetan war als zuvor, einen guten Eindruck machen. So war es der schon von jeher politisch interessierten Anwältin, die auch berufliche Kontakte zu den Bundschuhleuten unterhielt, ein leichtes, ihn zu animieren, seine in ihm schlummernden politischen aber auch organisatorischen Fähigkeiten zu entwickeln. Sie war es, die Konrad Konrad einigen besonders aktiven Bundschuhlern vorgestellt hatte. In kurzer Zeit gewann er deren Vertrauen, und ebenso rasch ist es ihm gelungen, den Bundschuh als schlagkräftige Gegenbewegung gegen die Netzwerke der industriell arbeitenden Großbetriebslandwirten, die von Dr. H.J. Lupitz aus dem Hintergrund gesteuert wurden, aufzubauen. Er stieß offene Türen bei den Leuten, die ohnehin ökologisch dachten, ein, als er sie über dessen Futtermittel-Machenschaften aufklärte und mit ihnen effektive Gegenmaßnahmen erörterte. Der innerste Kern seiner Truppe mit ihren AK-47 Gewehren war schließlich so weit, dass sie, wenn es denn sein müsste, auch eine Revolution hätte anzetteln und – das glaubten zumindest sie selbst - vermutlich auch durchstehen können. Soweit lief alles ganz gut.
Nicht ganz so zufriedenstellend gestaltete sich sein Verhältnis zu Jeanette. Er hatte nach einem gemeinsamen Abendessen auf dem Nachhauseweg eine immer noch scheue Annäherung an sie versucht.
Doch zu seiner Überraschung wehrte sie seine schüchterne Bemühung sie zu küssen, sanft ab: „Bitte jetzt nicht! Noch nicht! Ich kann das jetzt noch nicht!" Konrad Konrad: „Aber irgendwie habe ich doch angenommen, Du – Du hast was für mich übrig?"

Jeanette: „Habe ich auch. Ich war Dir schon immer gut – und vielleicht sogar etwas mehr. Das war auch schon früher so, als wir an der Schule Theater spielten – und Du gar nicht bemerkt hattest, dass Du mir – na sagen wir einmal - keineswegs gleichgültig warst.
Ach Gott, ich weiß, ich bin ein böses Mädchen. Ich war es selbst, die Dich jetzt ermutigt hat. Deshalb fühle ich mich jetzt auch nicht so besonders wohl! Aber meine Situation – die lässt das nicht zu – wenigstens nicht im Augenblick."
Konrad Konrad: „Wie meinst Du das? Welche Situation?"
Jeanmette: „Ich bin seit zwei Jahren verheiratet.
Konrad Konrad: „Verheiratet?"
Jeanette: "Ich bin damals nach der Schule - damals, da bin ich halt allein geblieben. Keiner schien sich für mich zu interessieren. Jetzt beim letzten Klassentreffen vor einem Jahr – Du warst da nicht dabei – hat mir einer nach dem andern gestanden, dass er unsterblich in mich verliebt gewesen, aber sich nicht getraut habe mich zu fragen. Ich hätte einfach zu gut ausgesehen und sie hätten sich gedacht, dass sich eine so attraktive Frau doch sicherlich nicht ausgerechnet mit ihnen abgeben würde. Nun, die Jahre rannen mir durch die Finger – immer schneller und schneller. Und heute – man sagt mir zwar nach, ich sei immer noch vorzeigbar, aber ganz taufrisch bin ich natürlich nicht mehr - nun gut; dann traf ich einen lieben, aber auch sehr tatkräftigen Mann – ich schätze ihn sehr und ich mag ihn auch - irgendwie schon! Und jetzt ist er eben mein Mann, der General Schiernagel."
„General, General? Ich kenne einen Schiernagel! Der hat was mit dem Militär zu tun, ist aber nur Hauptmann!"
„Hauptmann war er bis vor kurzem. Man hat ihm zunächst einige Schwierigkeiten wegen seines beherzten Eingreifens gemacht. Du erinnerst Dich an die Sache mit den Terrorkühen. Der VM hat deswegen seine Beförderung ausgesetzt. Er hätte schon längst höher steigen sollen in der Militärhierarchie – bis zum Major oder Oberstleutnant oder weiß der Teufel, wie die Dienstgrade alle heißen. Erst jetzt, da man wegen der Machenschaften von diesem Dr. H.J., dem Ex-Staatsanwalt, Vorkehrungen für den Notfall treffen musste, hat man ihm vom Abstellgleis geholt und ihn hastig befördert. Einige Dienstgrade wurden flugs übersprungen. Wenn es darauf ankommt, braucht man halt solche Leute."
Konrad Konrad: „Und braucht er Dich, brauchst Du Ihn?"
„Was ich brauche – das ist mir in der letzten Zeit sehr klar geworden - bist eigentlich Du! Ich wollte schon mit meinem Mann sprechen. Aber als er neulich von einer Übung kurz nach Hause kam, war er so gut zu mir - und er hat so viele Probleme, mit all´ dem, was er zu tun hat. Ich kann - ich kann ihn doch nicht gerade jetzt, wo er an unser aller großen Aufgabe mitarbeitet, so einfach im Stich lassen. Er hat noch Großes vor, und sie haben auch Großes mit ihm vor. Darf ich wirklich gerade jetzt ihm eröffnen, dass ich jemand anderes liebe und ihn deshalb verlasse? Ich sage Dir aber offen: Wüsste ich, wie ich eine anständigen Absprung schaffen könnte ohne ihn zu verletzen, dann würde ich springen. Darauf kannst Du Dich wirklich verlassen."

Konrad Konrad fühlte sich wie ein Kaninchen, das an einer viel zu harten Mohrrübe nagt und nagt und nagt und nagt! Wie auch immer – er hatte tage- und vor allem nächtelang an Jeanettes Geständnis oder Bekenntnis zu knabbern.
Schließlich überkamen ihn zwei Entschlüsse: Einerseits schien, wenn er ihre Worte richtig gewichtete, die Sache durchaus nicht aussichtslos. Andererseits wollte er die Angelegenheit auch vorantreiben. Daher lud er sie zu einem Spaziergang ein und machte ihr folgenden Vorschlag.
„Jeanette, meine Liebe! Wir beide haben doch die Erfahrung gemacht, dass man mit Theaterspiel Probleme vielleicht nicht immer lösen, aber ihnen doch erfolgreich auf den Leib rücken kann. Wie wäre es, wenn ich ein neues Stück schriebe? Es geht aus von dem Problem zwischen uns, dass Du mir geschildert hast. Wir überlegen uns dann, wie derartige Situationen zu bewältigen sind. Das könnte ein interessantes Stück ergeben und uns vielleicht sogar Anregungen für Lösungsmöglichkeiten im realexistierenden Leben liefern!"

€

Die Wut des Doktors
Der H.J. Lupitz hätschelt seit seiner spektakulären Enttarnung und Flucht einen tiefgekühlte Groll in sich. Mehrfach hat er versucht mit seinem guten Freund und Komplizen Kontakt aufzunehmen. Schließlich hatte schon seit geraumer Zeit eine recht effektive Zusammenarbeit zwischen ihm und dem Satan bestanden. Aber im Augenblick wollte die Verbindung zum alten Teufel aus irgend einem ihm unersichtlichen Grunde nicht zu Stande kommen. Was ihn ärgerte, war, dass dahinter System zu stecken schien.
Der Doktor hatte in der letzten Zeit seiner Sammelwut für menschliche Überreste alle Zügel schießen lassen. Da ihm aber die daraus produzierten Berge an mehligem Humanmaterial immer noch nicht hoch genug erschienen, hatte er, besessen wie er war, sich daran gemacht, seine Organisation so umzubauen, dass sie sich für weitaus größere Unternehmungen eignete. Im kam dabei zu statten, dass Fritz Meyer schon hervorragende Vorarbeit geleistet hatte. Ein Netzwerk von Produktionsstätten der Massentierhaltung war organisiert worden, das auch frei lebende Großherden mit einschloss. Dr. H.J. hat sich mit den von seinem speziellen Futter überzeugten Großagrarproduzenten und Giganten der Nahrungs- und Genussmittelproduktion verbündet, und das waren gar nicht so wenige. Die Tiere wurden mit dem Zeug nur so gestopft, und waren sie nicht willig, dann stieß ihnen der Chef persönlich mit seinem goldenen Kuhschwanz das Menschenmehl den Rachen hinunter.
Natürlich hatte er auch die einflussreichsten Großköpfe aus den Korruptionsseilschaften von Politik und Wirtschaft hinter sich, waren sie doch alle an einer möglichst unspektakulären Entsorgung der von ihnen mitzuverantworteten Leichen in ihren Kellern stark interessiert.
Vor allem aber hatte der Dr. H.J. Lupitz ein grandioses Anliegen:

Er brannte eisig kalt darauf, es allen heimzuzahlen, allen die seinem Gelüst die Herrschaft über die Ökonomie und über die Politik zu okkupieren im Wege standen und gestanden haben. Sorgsam begann er seine Rache zu planen – und war dabei doch blind vor Wut.

In seiner Heimatgemeinde führt dieser Evangelist ständig den Weltuntergang in seinem vom Geschwätz ausgefransten Sprechwerkzeug. Das war etwas, was den Dr. H.J. schon immer tief beeindruck hat – und er hatte es sozusagen verinnerlicht.

Wie alle, die besessen sind von der Idee des Weltunterganges, neigt auch er dazu, die Zeit bis dahin abzukürzen. Geht die Welt nicht von alleine unter, muss man eben nachhelfen. Ist doch logische – oder nicht?

Wenn man schon nicht dabei gewesen war beim großen Peng am Anfang – so es den tatsächlich gegeben haben sollte – und wenn man dazu nicht einmal über die Macht und die Fähigkeit verfügt, etwas Vernünftige zu schaffen und aufzubauen, so giert man doch danach, wenigstens die tiefe Genugtuung auszukosten, das große Peng am Ende wirkungsvoll zu inszenieren.

Und nun – in den nächsten Tagen würde es so weit sein. Da hatte er dann genug blutdürstige Rindviecher herangemästet, die der Menschheit erst das Blut in den Adern erstarren und es ihnen dann aussaugen würden. Alle würden sie aufschlürfen – seine verhassten Feinde und als Kollateralopfer auch so ganz nebenbei, die, die seine Freunde und Unterstützer waren. Das war die zugleich hochofenheiße und arktiskalte Hölle, deren Flammen und Gletscherzungen in ihm waberten.

Des Doktors Logistik: Er würde erst die 113 schärfsten Kühe in die Stadt einsickern lassen. Sie würden dann gemächlich zum Präsidium trotten. Damit sich darüber niemand wunderte, würde er in der Nacht zuvor überall Plakate mit folgendem Text anschlagen lassen:

Indisches Kuhfestival
In Indien leben friedliche Kühe in friedlicher Koexistenz mit anderen friedlichen Verkehrsteilnehmern zusammen.
Um im Rahmen des multikulturellen Gedankenaustausch Verständnis für dies manchem sicherlich exotisch erscheinende Brauchtum zu erwecken, wird die Verwaltung unsere Landeshauptstadt am heutigen Vormittag friedliche Kühe in den Straßenverkehr eingliedern. Motorisierte Verkehrsteilnehmer werden gebeten sich besonders aufmerksam zu verhalten.

Diese Elitetruppe von 113 Rindviechern sollte hübsch mit bunten Ketten und Bändern geschmückt sein. Den Tieren würde durch wirksame Hiebe mit dem goldene Kuhschwanz eingeschärft sich so lange anständig vegetarisch zu verhalten, bis sie das Präsidium erreichten.

Dort angekommen sollten sie die überraschten Menschen, vor allem aber das verhasste Kleeblatt von Kriminalisten hinunterwürgen und ihr Blut ratzeputz aufschlürfen.

Das würde zweifellos Militär und Polizei auf den Plan rufen. Sobald die aufmarschierten, könnte er dann die anderen Hunderttausende von ausgehungerten Kühen, die bereits seit Tagen ohne jegliches Futter und nach Blut dürstend im Gelände um die Stadt herum lagerten, auf die Menschheit loslassen.

Der Doktor lachte selbst über seine Idee, die er für sinnig hielt: Er würde ihnen allen wohlklingende Glocken umhängen lassen, damit sie den Weltuntergang auch stilvoll einläuteten.

„Es ist eben doch ein unheimlich kreativer Mensch, der Doktor!" sagte leise zu sich selbst der alte Teufel, während er die Gedanken des Exstaatsanwalte entzifferte. „Aber einen Knall im Hirn hat er auch! Was will er mit den produzierten Bergen von Humanmaterial nach dem großen Endknall anfangen? Aber so sind sie, die Kapitalisten: Sie schaffen, sie raffen, sie sammeln, sie horten! Und was ha'mse am Ende davon? Nichts! Sie sind doch richtige dumme Teufel!"

$

Er war doch nicht des Teufels General
Satanello zu seinem Vater: „Was der H.J. so vorhat – der hat das Zeug dazu uns alle ins Abseits zu stellen. Tut's Dir nicht leid, dass Du nicht doch....."

Der Satan: „Es doch klar – es tut schon ein bisschen weh, wenn man so lange keine ernst zu nehmende Konkurrenz hatte und plötzlich nicht mehr weiß, ob man wirklich noch die Nummer Eins ist. Doch andererseits habe ich mich auch daran gewöhnt, dass immer wieder der eine oder andere versucht an meinem Thron zu sägen. Einer der Geschicktesten war diese Nummer 18.

Satanello: „Ach der Adolf - ich habe immer wieder gehört, dass manche Leute glauben, der hatte Dich schon vom Thron gestoßen. „

Satanella: „Da gab es doch sogar ein Theaterstück nach dem Krieg >Des Teufels General<. Mit dem Teufel war da aber nicht unser Vater, sondern der Gröfaz Höchstselbst gemeint."

Der Satan: „Sieh mal an – wie schön ist es doch, wenn man so ein literarische gebildetes Töchterlein hat. Nun ja – dem Hitler ist es einige Mal wirklich gelungen mich ziemlich alt aussehen zu lassen. Ich habe ihn dann auch in Stalingrad auflaufen lassen. Denn damals hatte ich manchmal wirklich befürchtet, er wolle mich stürzen. Und nochmals einen Fall durchzumachen, das war nicht gerade nach meinem Geschmack. An die Möglichkeit des Aufstiegs war mir damals weniger gelegen, zumal der Versuch von Hess sich in Augsburg, der >Stadt des unerwarteten Aufstieges<, nach >Engelland< aufzuschwingen, kein besonders ermutigendes Exempel war.

Spaß beiseite: Zum Teufel haben sie den Gröfaz erst nach dem Kriege gemacht. Vorher war er eher ihr - na ihr wisst schon was. Und ihn zu dämonisieren – dafür hatten sie damals ja auch ihre guten Gründe: Hätten sie von >Des Hitlers General< gesprochen, dann wäre der General ja für seine Mittäterschaft im Nazikrieg selbst verantwortlich gewesen. Wenn Hitler aber zum Satan umetikettiert wurde, hat der General ja keine Schuld mehr gehabt. Sitzt einem der Teufel im Nacken, kann man ja nichts mehr machen. Der Autor wollte die Wehrmacht entlasten – und seine Zuschauer haben's ihm liebend gerne abgenommen.

Satanella: „Du Papa, ich habe gerade im >Spiegel< ....."
Satanello: „Aha unsere Intellektuelle ergreift das Wort. Mensch Nella, Du brauchst bald 'ne Brille, wenn Du ständig Deinen Kopf in Bücher und Zeitungen steckst!"
Satanella: „"Sei Du nur ruhig, Du Glotzbrocken! Also - ich habe ein Interview mit dem Hitlerbiographen Fest gelesen. Der behauptet auch, dass die Leute nach dem Krieg Hitler als die Verkörperung des Bösen schlechthin gesehen haben."
Der Satan: „Das macht mir dann nach dem Krieg nicht sehr viel aus. Ich hatte ja die Konkurrenz bereits aus dem Weg geräumt. Das musste ich tun – obwohl – es war richtig schade. Er hat so ganz in meinem Sinne gehandelt. Damals sah ich das so."

€

Salambo bringt die Entscheidung
Jeder Verbrecher begeht seinen großen Fehler. In diesem Falle waren es die Plakate, mit denen der H.J. die Straßen der Hauptstadt hatte tapezieren lassen:
Yasmina liebte es nämlich jeden morgen ihren kurzen Weg zur Arbeit von ihrer Wohnung durch eine lange Gasse und über den Platz vor dem Präsidium hinweg zu Fuß zurückzulegen. Von ihrer Besprechung her am letzten Samstag vorgewarnt, befand sie sich immer noch in einem Zustand angespannter Aufmerksamkeit. So waren Ihr die bunten Plakate mit dem eigenartigen Text sofort mitten ins Auge gestolpert.
Was sie dann ganz aufgeregt herunterhaspelte, alarmierte die Leute im Präsidium, besonders den *Commissario*. Er forderte alle auf mit Hilfe der linkshändigen Geste der Argumentation in den verschiedenen Himmelsrichtungen nach allem zu fahnden, was nur irgendwie nach Kuh aussah. Der Inspektor stieß dann auch binnen kurzem auf die Heeresgruppen hungernder Kühe in Bereitschaftsstellung. Der *Commissario* erspähte sogar den Dr. H.J. höchst selbst, wie er auf einer besonders stattlichen schwarzen Kuh thronend, betont lässig den goldenen Kuhschwanz schwenkend seine gehörnten Einheiten inspizierte. Judith stellte fest, dass Tiere auch aus weiter entfernten agrarischen Großunternehmungen mit roher Gewalt ausbrachen und davon jagten. Sie waren offensichtlich als Verstärkung gedacht - oder sollten sie vielleicht zeitgleich mit dem geplanten Angriff auf die Landeshauptstadt auch noch einige andere Ziele attackieren?
Und Yasmina? An ihr war es auch jetzt wieder Alarm zu schlagen: Die Kühe, die sie auf ihrem magischen Schirm erblickte, trotten provozierend gemächlich, harmlos aus großen Kugelaugen glotzend, einzeln und in kleinen

Gruppen aufs Präsidium zu. Trotz der Plakate hupten die verstörten Autofahrer sie wie verrückt an. (Der H.J. hatte zu diesem ersten Stoßtrupp wohlweislich keine indischen Kühe zugelassen. Die waren noch nie in ihrem Leben angehupt worden, hätten unter Umständen panisch reagiert und seinen ganzen schönen Plan vermasselt.)
Sie hatten im Präsidium in den letzten Tagen und Stunden eine ganze Menge Abwehrpläne gegen die Aktionen des Doktors ausgearbeitet. Doch der schien etwas gerochen zu haben und drohte ihnen zuvor zu kommen.

Das Viehzeug musste eigentlich bereits ganz nahe sein. Die ersten hatten schon den Platz vor dem Präsidium erreicht und die anderen Verkehrsteilnehmer weggedrängt. Der ständige Lärmpegel in der Stadt zog es ganz offensichtlich vor sich auf Null herunterzuregeln. Ein dumpfes Schweigen dröhnte ihnen in den Ohren und machte besonders die Damen ziemlich nervös.
Doch jetzt, da die Tiere das Präsidium bereits eingeschlossen haben und sich mit den Hörnern voraus gegen die Tür werfen, beginnen die Bestien schauerlich zu grölen. Das nervenzerkratzende Getöse verschreckt besonders den Inspektor. Es erinnert ihn zu sehr an die Konzerte eines grölenden Männerverstehers, denen er in seiner Jugend gelegentlich gelauscht, das Gehörte aber später schamvoll verdrängt hatte – bis er eben jetzt wieder unsanft daran erinnert wird – grässlich!
Die Eingangstür ist schon zersplittert und die blutdürstigen Rinder drängen die Treppe hoch. Der *Commissario,* den selbst eine solche Situationen so gut wie niemals völlig aus dem Konzept bringt, vermag auch diesmal seine Aufgeregtheit zu zügeln und bemerkt in nachdrücklich gelassenem Ton: *Per piacere* rasch den Zapfhahn öffnen und alle Gläser und Tassen voller Dübelsbrücker Alt füllen. Seien Sie so nett, *Signorine!"*
Gerade gelingt es der ersten Kuh die zerschmetterte Tür ihres Büros zu durchstoßen. Der *Commissario* taucht seine magisch aufgerüstet Linke in ein Bierglas und schlenkert den teueren Gerstensaft gegen die Schnauze des Tieres. Das Rind schrickt zusammen, wie von Spritzern glühendenden Metalls getroffen. Für die Mörderkuh ist das Dübelsbrücker unzweifelhaft das, was für den Teufel das Weihwasser ist: Das Tier wendet sich und stürzt sich die Treppe hinunter – tatsächlich wie vom Teufel geritten - und reißt all die nachdrängenden Kühe mit nach unten. Denen knicken die Beine weg und sie brüllen von Schmerzen gepeinigt los. Der *Commissario* wagt sich hinaus auf den Treppenabsatz und spritzt noch ein paar Tropfen nach unten. Prompt bricht dort die nackte Panik aus. Yasmina fliegt zum Fenster und reißt es auf. Judith und der Inspektor folgen ihr und stürzen zu den beiden andern Fenstern. Das Bier, das sie auf die unten drängelnde Kühe verspritzen, machen das Chaos perfekt.
Ganz hinten am Ende des Platzes reitet der Dr. H.J. Lupitz auf seiner Schwarzen und versucht aufgeregt mit seinem golden Kuhschwanz drohend die völlig verstörten Rindviecher zu einem weiteren Angriff zu scheuchen.

Der Inspektor: „Soweit können wir leider nicht spritzen, dass wir den Typen erreichten."
„Typisch Feldherr," wirft Judith ein, „diese Herrn halten sich, wenn es heiß wird, immer brav im Hintergrund – möglichst weit weg vom Schuss.,,
Allmählich nimmt das Gewusel wieder Form an. Die getroffenen Kühe drängen durch die noch einigermaßen intakten Linien hindurch und stellen sich vom Doktor gezwungen widerwillig muhend hinten an. Die, die noch keine Segen abbekommen haben, grölen noch viel wütender als zuvor und klinken sich in den Sturmangriff ein. Der *Commissario* verteidigt immer noch Tür und Treppenhaus:
„*Andate via brutti bovini!*,, Der Inspektor versucht aus dem zentralen Fenster heraus die näher und näher heran drängelnden Kühe mit möglichst weiträumigen Kaskaden von Spritzern zu schrecken. Die beiden Damen zapfen und zapfen und bringen immer neue gefüllte Gefäße heran.
Die Kühe sind inzwischen total desorientiert. Einige legen sich sogar miteinander an. Alles scheint für die Belagerten ganz gut zu laufen - bis Yasmina einen entsetzten Schrei ausstößt und ruft: „Verdammt noch mal, das Bier geht zur Neige!"

Bei Satans beobachtet man, was sich da abspielt.
Satanello: Wirklich spannend der Horrorfilm da draußen. Ein Fußballspiel meines Lieblingsvereines ist ein abgefuckter Dreck dagegen! Dass ist so was von gigageil! Aber echt!"
Aber wisst ihr was! Nur so zuzugucken macht mich auf die Dauer nicht sonderlich an. Hei Alter, lasst uns eingreifen. Unser alter Genosse Dr. H.J. fragt sich schon lange, warum ihn gerade jetzt, wo er so aktiv ist, kein Teufel mehr unterstützt. Andererseits – was soll aus dem Kleeblatt im Präsidium werden, wenn nicht ....?"
Der Satan:" Ich habe meine Gründe noch etwas zu zögern. Aber ich denke wir kriegen heute noch ein deutliches Zeichen, das für uns die Entscheidung bedeutet – die richtige Entscheidung. Und keine Bange, Du wirst bald noch Gelegenheit haben Dich auszutoben!"
„Satanello: „ Im Augenblick geht denen der Stoff aus."
Der Satan: „Das sehe ich auch so. Wenn dem Autor nicht einfällt, wie die aus der Sache rauskommen könnten, hilft ihm – und nebenbei auch uns - nur noch ein *Deus ex Machina*. Schau mal einer an - da kommt er auch schon!."
Satanello: „Wie? Was? Wo? Ich sehe nur den Salambo der übers Dach schnürt und – ja - jetzt springt in einem eleganten Bogen durchs offene Fenster ins Präsidium."
Der Satan:,, Ja, der ist's! Der Salombo, der wird die Entscheidung bringen."

„Und nun ist wirklich kein Bier mehr da. Eine Kuh sucht sich durch die Tür herein zu schieben. Zum Glück für das Kleeblatt ist sie zu fett, so dass sie im Rahmen stecken bleibt. Aber sie drückt mit aller Kraft dagegen und

wird ihn gleich geknackt haben. Doch da – da erscheint wie vom Himmel gefallen Salambo. Er springt ihr auf den Kopf und verbeißt sich in ihr Ohr – in ihr linkes. Ja - er beißt es ab. Die Kuh hat genug und rumpelt die Treppe runter und reißt die Nachdrängenden mit sich nach unten. Das verschafft den Vieren die nötige Atempause.
Salambo sitz auf dem Treppenabsatz kaut an dem Ohr herum. Er zerlegt es in ganz kleine Stücke, die er dann nach und nach manierlich, wie es die Art der Katzen ist, verspeist.
Der Satan etwas lehrerhaft dozierend zu Satanello: „Kluges Tier! Der Kater weiß, dass er die menschliche Sprache sprechen kann, sobald er Fleisch zu sich nimmt, das von den mit dem Spezialfutter gemästeten Tieren stammt. Damit hat er schließlich schon seine Erfahrungen sammeln können."
Satanello: „Jetzt spricht er zu den beiden Kriminalisten. Ich kriege das zwar akustisch mit, aber ich kann nicht verstehen, was er damit sagen will."
„Nun – der Salambo erklärt den beiden, sie sollten sich nur einen Augenblick lang völlig auf eine für sie wichtige historische Person konzentrieren, von denen sie annähmen, dass sie ein bedeutende Funktion im Reiche des Teufelseibeiuns hätten. Wenn sie die richtige Wahl träfen, würden alle Probleme gelöst sein, nicht nur global sondern sogar kosmisch – wenn Du verstehst was ich damit meine. Übrigens gilt das auch für uns. Jetzt liegt es an den beiden, was geschieht."
Satanello: „Guck mal an – tatsächlich! Jetzt materialisieren sich so mir nix Dir nix aus der Luft heraus zwei Männer.
Der eine ist hochgewachsen und reichlich mager – so wie ich mir etwa einen Asketen vorstelle. Der andere sieht eher ziemlich knuppelig aus. Sein Bart ist nach einer Mode aus grauer Vorzeit gepflegt. Die Nase erinnert an eine Steckrübe – nein eher an eine rote Rübe. Es muss sich um einen ausgesprochene Weinkenner handeln."
„Ja Söhnchen – die beiden Kriminalisten haben die richtige Wahl getroffen. Für uns heißt das, wir können - ganz langsam und ganz allmählich zwar, aber immerhin – wir können also aufsteigen. Das ist ein sehr deutliches Zeichen. Die beiden kommen uns allen zu Hilfe, obwohl gerade ich ihnen einiges angetan habe!
Den einen habe ich dazu gebracht sich selbst sein bestes Teil abzuschneiden, und den andern – was soll ich sagen? - , das hat mit Gift zu tun! Lelipi hat mir dabei geholfen. Die kennt sich mit Schirling und anderen Naturgiften gut aus. Jetzt tut mir das so wahnsinnig leid. Aber aus diesem Schmerz, der plötzlich in mir aufkeimt, ziehe ich die Gewissheit, das unser Aufstieg schon begonnen hat. Selbst wir haben also noch eine Chance. Und eine Chance hat auch unser Kleeblatt und, sowie auch >Urbi et Orbi<, ganz Hannover und die ganze Welt! Sie haben die Chance zu überleben."
Satanello: „Unsere Kleeblattlinge gucken jetzt ganz irritiert zum dem langen Dürren hin. Der hat laut geschrieen: >Alles hört auf mein Kommando!<"
Der Satan: „Nein - das gilt nicht für die. Das gilt für uns. Also los und auf sie mit Gebrüll."

Und da erhebt sich ein gewaltiges Flattern und Trappeln und Krabbeln und Zappeln und Klappern und Schleifen und Schleichen und Schlurfen und Zischen und Trippeln und Sausen und Brausen und Kriechen und Knirschen und Schaben und Trampeln und Huschen und Flutschen und Knacken und Scharren und Surren und Schwirren und Knurren und Trillern - und ein schaurig widerhallender Gesang vom Erdboden, aus der Luft und allen Zonen unter der Erde schwillt an und setzt sich in allen Ohren fest, in denen die hören können, in denen die schwerhörig und sogar in denen die ansonsten der absoluten Stille verfallen sind:

> *Weil der Satan es so will*
> *stürzen wir uns mit Gebrüll.*
> *Auf sie um sie zu verjagen,*
> *und sie in die Flucht zu schlagen.*
> *Huiiii!*

> *Gespenster, Teufel und Satane,*
> *was in nächt'gen Höhlen haust,*
> *Schlangen, Schleichen und Warane,*
> *vor denen es den Bösen graust,*
> *Fledermäuse und auch Eulen,*
> *die in den Ruinen heulen,*
> *wir alle preschen los zu kämpfen.*
> *Selbst der letzte Tatzelwurm,*
> *der leidet unter Wadenkrämpfen,*
> *reiht sich ein in unsern Sturm!*
> *Auf auf Genossen ohne Zagen!*
> *Lasst sie uns zusammenschlagen!*
> *Huiiii!*

> *Auf sie um sie weg zu jagen,*
> *stürzen wir uns mit Gebrüll.*
> *In die Flucht woll'n wir sie schlagen.*
> *Weil der Satan es so will*
> *Huiiii!*

Die wahrhaft kunterbunt zusammengewürfelte, aber dennoch kampfesstarke Einheit stürzt sich unter Führung des (immer noch oder vielleicht doch nicht mehr so ganz ?) Satans auf die Angriffsspitze der blutrünstigen Kühe.

Zuvor hat er noch Satanello und Satanella sozusagen als Ordonanzen losgeschickt – den Jungen zu General Schiernagel, das Mädchen zu Konrad Konrad. Die Bundeswehr sollte mit schwerem Gerät - Panzern, gepanzerten Hubschraubern, Artillerie und Raketenwerfern - von rechts her in den Rücken der in Bereitschaft stehenden Kuhkolonnen fallen. Konrad-Konrad dagegen sollte mit seinen Bundschuhlern – ebenfalls schwer bewaffnet mit

Bulldozern, Traktoren und sogar mit einigen Gabelstaplern und dann natürlich auch mit ihren noch unregistrierten K 47 Schnellfeuergewehren – die Front der Gegner von links her umgehen.

Dem Überraschungsmoment und der Wucht des Angriffes waren die Kühe nicht gewachsen.

Ihre Vorhut auf dem Präsidiumsvorplatz raste völlig kopflos den Teufel im Nacken oder auch wie von der Tarantel gestochen aus der Stadt. Ein Wunder, dass dabei nicht mehr passiert ist.

Zwar werden ein paar Leute, die nicht rechtzeitig zur Seite hopsen, von Hörnern gestreift oder von Hufen zertrampelt. Aber das sind sozusagen nur vernachlässigbare Schäden – auch nicht mehr, als man von der alljährliche Stierstampede in Pamplona her gewohnt ist. (So was muss man eben ganz gelassen sehen.)

Unaufhaltsam preschen die in die Flucht geschlagenen Rindviecher der ehemaligen Angriffsspitze gegen die bereitgestellten Kollonen ausgehungerter Kühe und überrennen sie. In dem Moment geraten die völlig überraschten Tiere unter den Druck der Mannen Schiernagels, sowie der Horden der Agrarrevoluzzer Konrad Konrads, die sie fast völlig umzingelt haben und von hinten her angreifen.

Salambo, der zwar gelegentlich gerne doziert, aber von seinem gesunden Selbstbewusstsein her auch durchaus mental dafür gerüstet ist, dann und wann auf das letzte Wort zu verzichten, nutzt die Chance, die ihm das Getümmel bietet, sich auf leisen samtigen Pfoten davon zu machen.

Wer hatte ihn eigentlich geschickt – oder sollen wir sagen entsandt? Natürlich war es der Alte! Soweit ist alles klar! Aber ob es der war, den der Satan so nennt, oder der, den Satanello gelegentlich so anspricht, oder ob es ein Zusammenwirken im Sinne der Tradition eines Zusammenwirkens vor unausdenklich alten Zeiten war - das soll der Phantasie der Historiker künftiger Generationen überlassen bleiben.

$

Schrecken – Chaos – wilde Flucht!
Es ist gar nicht leicht für den Dr. H.J. Lupitz sich aus dem Getümmel zu lösen. Schließlich gelingt es seiner kräftigen Schwarzen doch noch sich an Spitze der kopflos Flüchtenden zu setzen. Sein Abstand zu den nachfolgenden Tieren vergrößert sich zusehends. So hetzen er und hinter ihm die verängstigten Tier immer weiter gen Süden. Ihre Verfolger sind ihnen dicht auf den Haxen. Immer wieder erscheinen mal hier, mal dort – an ganz unterschiedlichen Orten – zwei schwebende Gestalten, denen sich ständig verformende Gebilde wie Hände entwachsen. Es scheint, als ob sie nach den Rindern greifen wollten. Die Viecher fürchten sie offensichtlich ganz besonders, vielleicht deshalb, weil sie so etwas Ungewisses, etwas wolkig Verschwommenes und doch zugleich auch Durchscheinendes an sich haben. Die beiden Außeroder vielleicht auch Überirdischen bringen die Rinder dazu dreimal schneller dahin zu rasen, als sie dazu normalerweise fähig sind.

Das geht so lange, bis sich vor dem Dr. H.J. die Erde öffnet und ein Vulkankegel mit rauchendem Krater hochsteigt. Auf seiner feurigen Schwarzen prescht er hoch hinaus zum Krater. Kopfüber stürzt er sich hinein und seine menschenfressenden Kühe folgen ihm blindlings. Der Krater kann sie alle gar nicht so schnell verarbeiten. So türmen sich immer wieder Berge zappelnder Kuhleiber über seiner Öffnung und die anderen stehen im Kreis darum und müssen warten bis auch ihnen die Chance gegeben wird, sich in das Loch, das abgründige, hineinzuwerfen. Dennoch - zu guter Letzt stellen die vereinigten Streitkräfte erleichtert fest, dass der offene glühend heiße Schlund alle aufgezehrt hat. Die Kämpfer bilden – natürlich mit gebührenden Abstand - einen Kreis um den Feuerberg. Es muss ein seltsames Bild gewesen sein, die die bunte Truppe bot. (Einige von den Militärs machten Aufnahmen. Aber die bekam niemand zu Gesicht – scheinen alle nichts geworden zu sein.)
Sie singen jetzt alle zusammen – jetzt etwas feierlicher und getragener, als beim Angriff – den grandiosen Huiiii-Gesang. Währenddessen schweben die beiden Durchscheinenden heran und drücken mit bloßen Händen die Kraterränder zu. Der Vulkan zieht sich langsam in sich zusammen und ebnet sich selbst wieder ein. Die beiden wolkigen Lufterscheinungen müssen nur noch den Erdboden glatt streichen. Niemand kann daher heutzutage erkennen, wo der feuerspeiende Berg gestanden und so mephitisch gequalmt hatte. (Das ist wirklich schade! Ein neuer Vulkan in Niedersachsen wäre doch eine einmalige touristische Attraktion gewesen.)

$€

Die Goldenen Kälblinge
Bei Satans ist Familienkonferenz.
Satanella: „Wir können aufatmen. Der Typ und seine mörderischen Viecher sind weg vom Fenster. Die Erde hat sie verschluckt. Die können niemanden mehr was tun.!
Satanello: „Is` gigageil – kluges Schwesterlein! Hoch die Tassen! Das müssen wir anständig feiern!"
Der Satan, der sich jetzt bereits ganz gerne Teufel, noch lieber „armer Teufel" nennen lässt - also der „arme Teufel":
„Nein, nein, nein - die sind alle noch da. Die haben sich nur verwandelt. Schalten wir mal ein und sehen, was die da unten, ganz tief unter der Erde, so machen:"
Auf dem Riesenbildschirm hinter des Satans, Verzeihung hinter des „armen Teufels" natürlich, Schreibtisch, erscheint eine düstere Höhle. Ganz tief in den tiefsten Tiefen der Erde ist sie verborgen, eingehüllt in Schleier gräulich gelber Dämpfe und gräulich rötlichen Qualms. Ein artesischer Brunnen speit schwarzes Erdöl. Ab und zu taucht ein feuriger Blitz mit Zacken, wie die eines Pentagrammes, die Szene in grausiges Blutrot.
Übertragen gesprochen sitzt dort der ehemalige Dr. H.J. Lupitz auf dem hohen Ross – in Wirklichkeit thront er auf dem goldenen Kalb. (Der Satan hatte

nun keinerlei Verwendung mehr für diese Erscheinungsform – und so ist sie halte dem Dr. HJ. zugelaufen!) Seinen goldene Kuhschwanz hält er jetzt als Szepter in seiner Rechten. Aus seinem Rücken ragen tiefschwarze Fledermausflügel, und er hat demonstrativ sein linkes Hosenbein hochgekrempelt.
So exhibitioniert er mit sichtlichen Stolz seinen golden glitzernden Rinderfuß.
Am Gewölbe der Höhle hängen dicht an dicht wuselnde Massen von winzigen fledermausgroßen und fledermausähnlichen und trompetenmetallisch schimmernden kahlköpfigen Tieren. Die goldenen Kälblinge fletschen die Zähne und lassen begehrlich ihre Zungen heraushängen. Es sind die zu Vampiren umgewandelten Kühe.
Lelipi: „Die können wohl in ihrer neuen Gestalt noch besser Blut saufen!"
„Oh nein, Lelipi, die goldnen Kälblinge sind nicht auf Blut aus! Sie fallen über die Menschen her und saugen ihnen die Gedanken aus dem Hirn. Sie ändern die Hirnströme ihren Opfer und blasen ihnen ihre eigene Gier in die Köpfe, die Gier nach Gold und Geld. Sie wickeln die Fürze des goldenen Kalbes sorgfältig in bigotte Sprüche, damit sie umso schneller und umso intensiver in die kleine grauen Zellen ihrer Opfer glitschen. Bald schon werdet Ihr sehen, wie die Umsatzkurven an den Börsen dieser Welt nur so in Turbulenzen geraten.„
Satanella: „Kann´s denn da wirklich noch schlimmer kommen?" Der Teufel: „Ja – es könnte. Aber damit es eben nicht so schlimm kommt, gibt es jetzt eine neue Bewegung, eine Bewegung der Solidarität aller Freunde dieser Erde und aller Verdammten dieser Erde!"
Satanello: „Mein G... – doch, jetzt darf ich´s ja sagen – mein Gott, Alter, mir schwant da so was. Die, die den ganzen Haufen in Schwung bringen sollen – das sind letztlich wir! So hast Du Dir das gedacht"
Satanella: „Wo Du recht hast, hast Du recht, Nello. Und um wieder einmal literaturanalytisch vorzugehen, möcht' ich Euch doch darauf aufmerksam machen, dass damit das altehrwürdige Sprichwort >Wo viel ist, das sch... etcetera, etcetera, etcetera< einen völlig neuen Sinn gewinnt:
Unser Vater, >der arme Teufel< unterstützt mit geballter Energie die vereinigten intelligenten Menschen dieser Welt, die die Erde erhalten wollen und Lebensmöglichkeiten für alle schaffen! Und wenn wir Exsatane alle sagen, dann meinen wir auch wirklich alle!"
Der arme Teufel: „Nella hat´s wieder einmal erfasst. Mit uns muss man rechnen! Das haben wir doch schon bei der Verteidigung des Präsidiums bewiesen."
„Hei altes Väterchen" ruft Satanello aufgeregt dazwischen, „ich kann so wenig erkennen. Die Bilder sind unscharf und dunkel und der Schirm flimmert – es ist zum verrückt werden."
Der Teufel: „Nach und nach werden wir auf diesen Bildschirm und auf manche andere universale Informationsquelle verzichten müssen. Diese Satansrolle, die wir so lange, und ich denke – mal unter uns gesagt - doch auch gar nicht so schlecht gespielt haben, ist nun an den ehemaligen Dr. H.J. Lupitz übergegangen. Das heißt: Die Menschen brauchen uns nicht

mehr. Sie sind selbst wunderbar in der Lage, die tollsten Teufeleien in eigener Regie durchzuführen. Ich sage es ungern, aber Ihr werdet es doch selbst merken, die Menschen werden besser sein als wir Satane - ganz erheblich besser."

Satanella: „Früher hättest Du Dich geschämt und herumgetobt wie ein Wahnsinniger, wenn einer gewagt hätte das auch nur anzudeuten!"

Der Teufel: „Ganz bestimmt – aber jetzt ist das gut für uns. Ich kann mich jetzt, da ein Mensch meine ehemaligen Aufgaben in so perfekter Weise übernommen hat, ganz unbeschwert aus meinen Altlasten von Verpflichtungen herauslösen. Und für uns ist das ein Bestätigung dafür, dass wir mit dem Aufstieg bereits begonnen haben. Wir steigen Schritt für Schritt und – so einfach wird das natürlich für uns nicht werden – wir verlieren Schritt für Schritt die meisten unserer satanischen Möglichkeiten. Der Bildschirm als unsere universale Informationsquelle wird, nicht sofort, aber nach und nach immer mehr sich selbst unter Flimmern, Knattern und Qualmen aus dem Verkehr ziehen. Wir können erst nur eingeschränkt, später fast gar nicht mehr zaubern – und wir können natürlich auch nicht mehr mit überhöhter Lichtgeschwindigkeit von Ort zu Ort sausen."

Satanello: „Und ich – ich kann dann auch nicht mehr schnell 'mal mit Lichtgeschwindigkeit nach Rom zu meiner Lucretia flitzen?" Das ist echt Sch.... – also ich meine schade!"

„Ist besser wenn Du Dich langsam von ihr verabschiedest. Ich will gar nicht wissen, wie weit Du mit Ihr gekommen bist. Ihr seht, ich beginne mit dem Verzicht auf meine Beinahe-Allwissenheit in der eigenen Familie. Das ist auch gut so – gerade in der Familie sollte jeder jedem seine Privatsphäre lassen. Immer alles wissen zu wollen schafft nur Ärger. Natürlich muss ich auch die Sache mit Marietta regeln. Vielleicht lasse ich mich in Norditalien nieder."

Lelipi: „Das ist gar nicht so schlecht. Ich habe auch schon jemand ganz scharf im Auge, zu dem ich ziehen kann."

Der Teufel: „Interessant! >Ganz scharf im Auge<! Dir war ja noch nie was zu scharf! Heraus mit der Sprache – wer ist es denn? Da bin ich schon richtig neugierig".

Lelipi: „Gerade in der Familie sollte jeder jedem seine Privatsphäre lassen. Immer alles wissen zu wollen schafft nur Ärger."

Satanella: „Ich merke schon uns geht es wie den Leuten in der EU – um künftig durchzukommen müssen wir verzichten, verzichten und nochmals verzichten. Aber das hat ja auch seinen Reiz, ist ganz abenteuerlich. Ich denke ich weiß auch schon was ich mache. Ich werde Studentin der Archäologie und filtere die emanzipatorischen Stränge aus der Antike heraus, von denen ich überzeugt bin, dass sie in das Hier und Heute effektiv zu integrieren sind. Ich lasse mir lang wallende und feuerrote Haare wachsen, nenne mich Aphrodíti Astakos, und ziehe nach Kreta. Dort finden sich ja die ältesten Spuren Europas. Du, Papa, hast Dich ja auch dort herumgetrieben! Und ich habe dort einen jungen Archäologen erspäht, den finde ich – was erzähle ich Euch das alles?"

Satanello: „Wieder mal typisch! Du mit Deinem geisteswissenschaftlichen Tick. Aphrodíti! Hättest Dich ja auch gleich Venus nennen können. Das hätten wenigstens alle verstanden – aber nein, es muss natürlich griechisch sein! Nur sag mir eines: >Astakos< – was soll denn das bedeuten?"
Satanella: „Die Aphrodíti ist ja dem Meeresschaum entstiegen – in Paphos, an einer Steilküste, wo viele Langusten hausen. Astakos ist griechisch und bedeutet Hummer.„ Sie singt neckisch: „Man sollte doch griechisch sprechen können, denn wer griechisch spricht, hat Glück bei den Frauen"
Satanello: „Na prima – dann nenne ich mich Hubertus Hummer und lasse mich in der Hauptstadt der Sachsen – nein falsch, der Niedersachsen natürlich - nieder. Wie man so sagt, soll es da die beste Currywurst geben."
Satanella schon wieder etwas neckisch: „Und warum denn nicht nach Rom? Neuerdings stehst Du doch irgendwie auf hausgemachter *Pastasciutta*!"
Lelipi: „Um Gottes willen sag so was nicht! Der *Commissario* wird in Kürze nach Haus kommen! Und Dein Bruder ist nun nicht mehr unverwundbar. Wenn er Prügel bezieht, dann wird er die von nun an von Tag zu Tag mehr und mehr spüren. Ich sag´ Euch nur, das tut höllisch weh!"
Satanella (leicht errötend): „Du bist wieder mal übervorsichtig. Lelipi!. Den Belcanto find` ich wirklich nett. Das ist nun wirklich kein Typ, der wild um sich schlägt."

Auf Macht verzichten

Satanello: „Verratet mir mal eines: Warum könne wir denn nicht unsere besonderen Kräfte behalten? Wir wären dann doch viel besser für unseren künftigen Kampf gegen das Böse und für das Gute gerüstet! Vom Standpunkt der Effektivität her ......!"
Der Exteufel: „Es ist wirklich schade – aber es geht nicht. Denn um aufzusteigen müssen wir die Macht, die wir haben abgeben. Macht ist böse, ist satanisch. Bisher ist mir noch niemand begegnet, der Macht hatte und sie dann schließlich nicht missbraucht hätte."
Satanello: „ Und wie ist das? Der ALTE, ich meine Gott, der ist doch der Allmächtige. Das hieße doch, dass er eigentlich der größte aller Satane wäre."
Der Teufel: „Gewiss - Gott hat alle Macht, aber er gebraucht sie nicht. Das ist der Punkt. Er hat die Welt geschaffen und in sie bei der Schöpfung Entwicklungskeime in sie eingepflanzt. Das war´s aber dann auch. Jetzt lässt er alles wachsen und zwingt niemandem und nichts seinen Willen auf. Das geht auch gar nicht anders! Wie sonst hätten alle die Pflanzen, alle die Tiere und natürlich auch die Menschen irgendeine die Chance einen freien Willen zu entwickeln?"
Satanello: Aber wie ist das, wenn die Leute beten? Die tun das doch nur, weil sie den ALTEN veranlassen wollen zu ihren Gunsten einzugreifen – oder etwa nicht?"
Der Exteufel: „Wenn es IHM richtig dünkt, erfüllt er die Gebetswünsche. Zwingen lässt er sich allerdings nicht! Für das schlichte menschliche Denken ist es sicher ein Widerspruch, wenn ER auf der einen Seite die Dinges so nachhaltig entwirft, dass sie sich von alleine regulieren, und auf der anderen

doch mitunter auch direkt eingreift. Aber ER steht über der Logik. SEINE Macht ist paradox. Sie vermag das Gegensätzliche miteinander zu versöhnen, das Unmögliche zu ermöglichen. Wie wäre er ansonsten ER?"
Satanello:" Ganz was neues: Der Teufel wird zum Theologen! Soviel ich weiß, hat das umgekehrt traditionell doch immer besser funktioniert!"
Lelipi: „Junge sei vorsichtig! Ich war es, die die Evangelikalen und insbesondere die Prediger der Fundamentalisten die Bibelauslegung gelehrt hat! Und wer hat mir das beigebracht! Natürlich Euer Vater! Der kennt die komplette Heilige Schrift in- und auswendig und weiß damit zu argumentieren. Davon können sich selbst die wortgewaltigsten unter den Evangelisatören – sogar Reverend Williams und Hallelujah-Jonny – eine dicke Scheibe abschneiden.
Der Exteufel: „Mein Gott die Fundamentalisten! Erst waren wir es, die die Evangelikalen groß gemacht und ihnen die Anbetung des goldene Kalbes beigebracht haben. Dafür werden wir sie in Zukunft am Hals haben. Da geht's uns wie den Amis mit den Taliban."
Satanella: „Was mich interessiert: Wenn wir keine Macht mehr haben – wie können wir dann was ausrichten – gerade jetzt wo wir uns auf SEINE Seite schlagen wollen?"
Der Satan: „Wir brauchen keine Macht, es genügt, wenn wir durch unser Argumentieren und vor allem unser Tun Ansehen und Vertrauen und dadurch eben auch Einfluss gewinnen. Macht will zwingen, Einfluss will überzeugen. Und wenn wir uns erstmals mehr oder minder großen Einfluss erarbeitet haben, können wir damit eine ganze Menge ausrichten."
Satanello und Satanella wie aus einem Mund: „Das artet ja richtig in Arbeit aus, was uns da bevorsteht – Teufel auch!"
Lelipi: „Das haben wir nun davon. Der neue Satan hat's ganz erheblich leichter, als wir – jedenfalls vorerst! Ich fürchte ich werde meinem Dasein als Teufeline noch lange nachtrauern!"
Satan: „Ach Lelipi! Du bist schon ein Teufelsweib! Es wäre wirklich schade, wenn sich daran was änderte!"

€$

WIR SIND SATAN
Die Schlagzeile in übergroßen Lettern haut Konrad Konrad direkt ins Auge als er am Zeitungskiosk vorbeischlendert. Selbstverständlich macht damit „Das Blatt" auf – wer den sonst?! Die Zeile musste die Auflage ins Unermessliche hochtreiben. Selbst Konrad Konrad kaufte – dies zum ersten mal in seinem Leben – ein Exemplar. Er griff sich dazu aber rasch auch noch ein Nachrichtenmagazin und ein Wochenblatt, von denen er annahm, dass sie im großen ganzen seriös seien, um „Das Blatt" darin einzuwickeln. Mit „Das Blatt" unterm Arm wollte er in der Öffentlichkeit nicht gesehen werden.
Und so zügelte er seine Neugierde bis er in seiner Wohnung war und die Tür hinter sich zugepatscht und den Schlüssel von innen zweimal herumgedreht hatte.

WIR SIND SATAN

Eigener Bericht: Der Aufstieg unseres deutschen Landes ist unaufhaltsam. Inzwischen haben wir bereits Weltgeltung auf dem Gebiet der Korruption erreicht. Statistisch gesehen und was die Größenordnung der veruntreuten Summen angeht, stehen zwar gegenüber unserer Peanuts-Republik zwei weitere Bananenrepubliken um einiges besser da, aber – und darauf kommt es schließlich an – die Zuwachsrate sowohl an aktiver als auch an passiver Bestechlichkeit hat ein Ausmaß und eine Schnelligkeit erreicht, wie wir sie ansonsten nirgendwo vorfinden. Deutschland ist auf diesem Gebiet nicht mehr einzuholen. Hinzu kommt dass der Qualitätsstandart der Korruption in diesem unserem Lande einen absoluten Spitzenwert erreicht. Anderswo sind kleine Beamte, Polizisten, Lehrer und Dienstboten bestechlich. Aber das bringt ja keinen Summen. Bei uns haben wir es mit einer effektiven Konzentration der Korruption auf hoher und höchster Ebene zu tun - betuchte Beamte, Manager in Industrie und im Bankwesen und prominente Politiker. Auf der unteren Ebene gelingt es immerhin unseren geschäftstüchtigen Evangelisatören von jenseits des Atlantiks die labilen Massen zu mobilisieren. Das sieht schon alles richtig gut aus.

„Das Blatt" fragt, ob ein Zusammenhang mit einer Tatsache besteht, auf die wir von gewöhnlich gut unterrichteten Kreisen aufmerksam gemacht worden sind: Luthers altböser Feind hat nach dem abgeschlagenen Sturm der Rinder auf das Präsidium in Hannover sich von seinem Amt zurückgezogen. Als sein Nachfolger hat sich nunmehr ein Deutscher, ein ehemaliger Staatsanwalt, etabliert. Nachdem er, wie er selbst betont, das „alte Weichei" endlich abgelöst hat, will er die Sache richtig in die Hand nehmen. Wir haben noch einiges zu erwarten. „Das Blatt" wird aus erster Hand darüber berichten. Wir möchten mit einem gewissen Stolz darauf hinweisen, dass der „Deutsche Satan" sein erstes Interview unserer Reporterin Krimhilde Wotan gegeben hat (siehe Seite 18 in dieser Ausgabe!).

„Das Blatt" interviewt exklusiv den neuen deutschen Satan
Unsere Reporterin Krimhilde Wotan hatte Gelegenheit den neuen Satan, vormals Dr. H.J. Lupitz ausführlich zu befragen. Der Doktor hat unserer Redaktion eine Besuch abgestattet und uns bei dieser Gelegenheit glaubhaft versichert, das ihm „Das Blatt" ganz besonders am Herzen liegt.

K.W.: „Herr Doktor, wenn ich Sie vorläufig einmal so nennen darf, uns liegen Informationen vor, dass Sie ein ganz persönliches Interesse daran haben, die Korruption in der EU und speziell auch in der Bundesrepublik nachhaltig zu fördern. Können Sie uns vielleicht einen Hinweis geben, wie Sie das zu erreichen gedenken?
Der Doktor: „Liebe gnädige Frau, dies ist nun wirklich keine so sehr schwierige Angelegenheit! Wir – ich persönlich und meine Mitarbeiter - , wir halten uns einfach an die bewährte Formel:

Summe der Verwaltungsbeamten
X Summe der Gesetze
= Korruption

Wenn wir hier entsprechende Steigerungen erreichen, dann geht alles wie von selbst. Mehr und mehr Gesetze - das ergib eine prachtvolle Legislative, aber die damit verbunden Steigerung der Korruption zersetzt die Exekutive. Und wenn die Exekutive hin ist, ist die Legislative handlungsunfähig. Gleichgültig was sie dann an wundervollen Gesetzen und Verordnungen produziert – es passiert nichts! Korruption – das ist eine Sache der Gelegenheiten. Je mehr Gesetze vorhanden sind, desto mehr könne auch umgangen werden und je mehr Leute für die Einhaltung von Gesetzen sorgen, desto mehr Volks ist auch da, das bestochen werden kann.

K. W.: Das ist durchaus schlüssig, was Sie sagen. Nun haben Sie aber, wenn wir sie recht verstehen, die noch weitergehende Absicht, die Menschen in Ihrem Sinne zu verändern, also zu korrumpieren. Ich stelle es mir sehr schwierig vor das Material Mensch so zu formen, wie man sich das vorstellt! Der realexistierende Sozialismus hat sich ja daran versucht. So sehr weit gekommen ist er damit nicht! Wie wollen Sie das nur hinkriegen?"

Dr. H.J.: Im realexistierenden Kapitalismus ist das doch die leichteste Übung:
1. Wir sind uns doch einig, dass das Fernsehen vor allem die Jugendlichen prägt. Fernsehsendungen sind Miterzieher – im besten Falle sogar Alleinerzieher.
2. Nun schauen Sie sich doch nur die „Vorbilder" vor allem im Werbefernsehen, aber auch in Talkshows, in Soaps und in Thrillern an. Wir sind uns doch wohl auch darin einig, dass die erfreulicherweise Typen zeigen, die sich in hohem Maße unethisch und unsozial verhalten. In diesem Fall muss ich ausnahmsweise meinem Herrn Vorgänger zugestehen, dass er eine ganz ordentliche Vorarbeit geleistet hat.
3. Ich denke im folgenden Punkt werden wir uns auch einig: Wenn die Kinder und Jugendlichen sich nach diesen Vorbildern richten – und das tun sie mit Sicherheit – dann ist in Kürze die Gesellschaft – lassen sie mich das mal ganz schnörkellos sagen - total versaut. Sie verinnerlichen es, rücksichtslos und destruktiv zu leben. Sie werden aber auch von den Vorbildern, denen wir einblasen, was Sache ist, völlig abhängig. Und sie alle, wirklich alle, in unsere Abhängigkeit zu bringen - das ist es doch, worum es geht.

K.W.: „Toll, wie sie das formulieren! Aber ein Sache, die mich persönlich auch interessiert: Werden Sie dafür sorgen, dass das TV der Zukunft mehr Sexszenen bringt?

Dr. H.J.: Ach Teufel auch – der Sex! Sex bringt uns gar nicht so viel. Natürlich Sex und Gewalt und Sex mit Kindern oder gar Sex mit Kindern und Gewalt – in der Richtung wird mit Sicherheit von uns eine sowohl quantitative wie qualitative Steigerung organisiert werden müssen.

Ansonsten ist bezüglich des Sexes vor allem die Diskussion darüber für uns eher von Nutzen, und zwar deshalb, weil sie von den eigentlich entscheidenden Faktoren, die die Leute in meinem Sinne beeinflussen, ablenken.

K.W.: Können sie dafür Beispiel nennen?

Dr. H.J.: Da wären Horrorfilme, in denen der Held mit brutaler Gewalt und Rücksichtslosigkeit seine Problem löst. Oder da wären dies hübschen kleine Werbespots: Ein möglichst niedliches Kind bekommt den Meister-Goldmacher-Schokoriegel. Er ist so verrückt darauf, dass es mit der Schokolade in der Hand

vor seinen Freunden davonrennt und schreit: >Nein, nein , nein – den esse ich, ich, ich ganz alleine!< Der pädagogische Ansatz rohe Gewalt zu fördern und eigennützige Geldgier und kritiklose Abhängigkeit vom Markenartikeln – das treibt uns doch die Seelen in einer wirklich relevanten Größenordnung zu. Mit 'ner Bettszene ist vergleichbares nicht zu leisten. Für mich ist es natürlich nur von Vorteil, dass die meisten Religionsfunktionäre sich über ausgepackte Äpfelchen und Steckrüben erregen, dem Anreiz dazu einen Schokoriegel alleine in sich hineinzumampfen, aber noch niemals Beachtung geschenkt haben. Und ich sage Ihnen was: Sie werden´s auch in Zukunft nicht tun!"
K.W.: „Wenn ich Sie so höre, scheinen Sie mir das Fernsehen als Ihr wichtigstes Instrument benutzen zu wollen um Herrschaft über die Seelen zu erlangen."
Dr. H.J.: „Seien Sie doch nicht so bescheiden, meine Liebe! Sie vergessen >Das Blatt <! Ehre wem Ehre gebühret!"
K.W.: „Ich darf mich im Namen der Verlagsleitung und aller meinen verantwortungsunbewussten Kollegen ganz herzlich für die Wertschätzung, die Sie uns zu Teil werden lassen, bedanken. Wir sind darüber sehr sehr glücklich!"
Dr. H.J.: „Aber sie haben schon recht: Das TV ist das ideale >Schmetterlingsnetz< um ziellos herumflatternde Seelen zu haschen. Mein Vorgänger hat es angefertigt. Es hat sich bereits recht gut bewährt, obwohl er die Maschen nicht eng genug geknüpft hat. Selbstverständlich werde ich es noch weiter optimieren müssen."
K.W.: „Denken sie dabei an spezielle Themen, die Ihnen Kinder und Jugendliche zuscheuchen sollen?"
Dr. H.J.: „Gewiss das auch. Obwohl – es bedarf da eigentlich gar keiner satanisch gefärbten Themen. Es genügt, wenn wir sowohl für Kinder, wie für Jugendliche rund um die Uhr Sendungen anbieten. Das verführt sie dazu viel zu lange in die Glotze zu gucken. Und das ist die einfachste und zugleich die erfolgreichste Methode ihre Phantasie abzutöten."
K.W.: „Das klingt doch einigermaßen überzeugend: Ich sehe ein, dadurch verlieren die Kinder die Fähigkeit zu lesen."
Dr. H.J.: Sie verlieren die Lesefähigkeit und sie verlieren die Lebensfähigkeit. Lebenswert zu leben heißt doch, durch die eigene Phantasie eine Welt zu formen, in der sich zu leben lohnt. Ohne Phantasie können sie ihr Leben nicht gestalten. Da sie selbst nicht mehr wissen, was sie tun sollen und tun können, sagen ihnen das andere. Sie werden willenlos Werkzeuge in den Händen von Gurus, von Werbestrategen, von Führern – da gab es ja schon mal so was – und anderen Zeitgeistbeschwörern.
Im übrigen bitte ich Sie, liebe Frau Wotan, nicht mehr von Kindern und Jugendlichen zu reden. Die wollen wir doch alle zu Kids machen – zu unmündigen Konsumenten. KID – die Abkürzung wird in unseren Kreise als >Konsum-Idioten Deutschlands< benutzt."
K.W.: „Hat die Abtötung der Phantasie noch weitere Folgen?"
H.J.: „Lassen Sie mich, liebe gnädige Frau, noch etwas ausholen:
Alle schreiben dem Satan magische und zauberische Fähigkeiten zu. Dabei wird übersehen, dass es mein besonderes Interesse ist, den regenbogenfarbenen Seidenvorhang der Verzauberung, den die menschliche Phantasie über die

Steinwüste der Realität breitet, so zu zerfetzten und zu zerschleißen und durch den Wolf zu drehen, dass er in grauen Staub zerstiebt. Ich persönlich zerquetsche die Elfen, ich ersticke die Feen, ich köpfe die Kobolde, ich zerbombe mit Napalm das Land der Zwerge, ich ersäufe die Nymphen, ich vergifte die Nixen, ich schlachte die Engel und was dann noch an blauen Blumen übrig bleibt – das stampfe ich mit Soldatenstiefeln in den Boden."
K.W.: „Und wenn Sie die Verzauberung hingerichtet haben, was wird dann aus den Menschen?"
Dr. H.J.: „Erkennbar wird sich zunächst einmal wenig ändern. Aber die Menschen können dann nicht mehr glücklich sein. Insofern betrachte ich dass dann schon als einen gar nicht so unerheblichen Erfolg für mich."
K.W.: „Bitte, werter Herr Doktor, auch ein offenes Wort zur Globalisierung. Die eröffnet Ihnen doch sicher ungeahnte neue Möglichkeiten mit der Menschheit, der Natur, ja mit der ganzen Welt zu spielen!"
Dr. H.K.: „Das ist wohl war. Schließlich bin ich der große Global Player. Und die, die sich selbst für Global Player halten, mit den spiele ich – und sie werden bald merken wie übel ihnen vom Üblen mitgespielt wird.
Ganz klar - ich werde die Globalisierung perfektionieren: Die Wirtschafts- und Finanzwelt wird bis zum Gehtnichtmehr globalisiert – alles natürlich total liberal. Zugleich sorge ich für die Marginalisierung des Sozialen, Beschneidung der Gewerkschaftsmacht und eine ordentliche Ausbeutung der abhängig Beschäftigten. So kriege ich eine wunderschönen Fortschritt ins Unpersönliche hin. Die Verarmung wird nach und nach prozentual den größeren Teil der verschiedenen Gesellschaft in ihren Würgegriff kriegen.
Den Menschen fehlt was im Kopf. Die haben sich alle bereits jetzt zu lange der Glotze ausgesetzt. Die Globalisierung würde ihnen nur dann wirklich was bringen, wenn sie eine globale Verfassung mit globalen Spielregeln und eine globale Exekutive schüfen und eine globale Organisation abhängig Beschäftigter."
K.W.: „Dürfen wir das, was Sie zuletzt sagte, auch wirklich veröffentlichen? Würde dadurch nicht etwas verraten werden, was der anderen Seite wertvolle Hinweise geben könnte?"
Dr. H.J.: „Seien Sie ganz unbesorgt! Den Leuten kann ich verraten, was ich will. Die kümmern sich nicht drum. Und sie sind auch nicht fähig aus unserem Teufelskreis auszubrechen. Den haben wir aufs nachhaltigste organisiert. Schauen Sie: Natürlich ist es ganz in meinem Sinne, wenn ein Banker eine glänzende Rendite bekannt gibt und gleichzeitig die Entlassung Tausender von Leuten ankündigt. So einen Mann lob ich mir, der ist ganz in meinem Sinne echt zynisch. Und dennoch wurde davon viel zu viel Aufhebens gemacht und dabei, das, um was es mir wirklich geht, übersehen:
Was wirklich zukunftsweisend ist, war die in den Medien nur beiläufig erwähnte Feststellung, dass ein global playendes Bankunternehmen eine extrem hohe Rendite einfahren muss, um nicht von anderen noch skrupelloser Geld scheffelnden Bankgeflechten per feindlicher Übernahme gefressen zu werden. Das ist es was für mich zählt: Banken und Betriebe können nicht, sie müssen immer mehr und mehr immer schneller und schneller Geld an sich raffen. Die Räder drehen sich und drehen sich in einem wahren Höllentempo – zwar auf der

Kakophemismen
aus dem Wörterbuch des aktuell amtierenden Satans Dr. H.J. Zeitgeist:

Sozialromantik Sozialromantiker	Das Eintreten (beziehungsweise jemand, der sich einsetzt) für soziale Gerechtigkeit
Humanitätsduselei	Das Eintreten für die Verbesserung der Verhältnisse von benachteiligten Menschen
Humanitätsdusel	Jemand, der wünscht, dass es allen Menschen – ohne Ansehen der Nationalität, Rasse, Religion, oder des sozialen Standes – gut geht
Gutmensch	Jemand, der Benachteiligten helfen will und das auch (in der Regel) öffentlich kundtut
Schnittlauch	Grüner, im weiteren Sinne: Jemand der sich für Umweltbelange einsetzt. (Jugendsprache)
Neiddiskussion	Berechtigte Kritik an schamloser Selbstbedienung einflussreicher Gruppen, sowie an der Umverteilung von unten nach oben. Der Begriff verdrängt, dass es in Wirklichkeit um eine Gierdiskussion geht
Neidgesellschaft	Menschen, die mit der Geldgier einiger, die sich schamlos bereichern, nicht einverstanden sind
Traumtänzer	Menschen mit guten Ideen und viel Phantasie. Den Saturierten passen ihre Verbesserungsvorschläge nicht

Euphemismen
aus dem Wörterbuch des aktuell amtierenden Satans Dr. H.J. Zeitgeist:

Eigenverantwortung	Zerstörung des sozialen Netzes für Bedürftige
Ethikrat	Organisation, von wirtschaftlich Interessierten, gegründet mit der Absicht, eigensüchtige Ziele und Maßnahmen mit dem Mäntelchen von fürsorglicher Menschenliebe zu verhüllen
Freie Marktwirtschaft	Wirtschaftsdarwinismus: Die Freiheit, die dem wirtschaftlich Stärkeren eingeräumt wird, damit er den wirtschaftlich Schwächeren (möglichst mit gutem Gewissen) auffressen kann
Synergieeffekt	Entlassung größerer Mengen von Arbeitnehmern durch zu diesem Zweck arrangierte Fusionen. Wirkt sich aus als Verlagerung von Einkommen - weg von den Arbeitenden und hin zu den Kapitalinvestierenden
Lobby	Schwerkriminelle Korruption, staatlich geduldet, weil die politische Klasse davon profitiert
Freundliches Feuer	Hochrangige Militärs lassen als Folge von Missmanagement auf ihre eigenen Leute feuern und sie umbringen.
Kollateralschäden	Die hingenommene Ermordung von Frauen, Kindern und männlichen Zivilpersonen bei Kampfhandlungen
Nicht belastbare Aussage	Es ist alles erstunken und erlogen

$

Stelle, aber sie zerstückeln zugleich auch immer mehr Menschen – alle die, die mit dem ständig höher und höher gefahrenen Tempo absolut nicht mehr mitkommen. Jene Hohlköpfe, die an den Rädern drehen und sie beschleunigen, meinen zwar sie gewännen das Spiel. Am Ende finden sich ihre zerschrammten Reste unter den Rädern, deren Umdrehungsgeschwindigkeit sie selbst höher und höher gejagt haben. Freie Wirtschaft, Neoliberalismus auf der einen Seite und ein freier Wille, die Entscheidungsfreiheit des Einzelne, sind unversöhnliche Gegensätze. Ich bin für die absolute Freiheit der Wirtschaft und damit zugleich für die aussichtslose Abhängigkeit der Mehrheit der Menschen.. Die Menschen leiden doch nur unter dem Zwang sich immer wieder neu entscheiden zu müssen, die die sogenannte Freiheit mit sich bringt. Wir können es doch nicht verantworten sie so leiden zu lassen! Oder sehen Sie das anders?"

K.W.: „Aber trotz ihre wunderbaren Gedanken zu Globalisierung haben sie doch mit Wiederständen zu rechnen – vor allem mit den Chaoten von der Attac!"

Dr. H.J.: „Attac – Chaoten, Terroristen, Flintenweiber. Ich sage nur eines: System Trotzki: Kurzer Prozess! Mein Vorgänger war gegenüber dieser Brut viel zu nachlässig, hat die Sache schleifen lassen. So was wird mir nicht passieren. Ich werde da meine Zusammenarbeit mit ein paar menschenfreundlichen Geheimdiensten ganz entscheidend intensivieren.

Bitte denken Sie auch daran – und in dieser Hinsicht ist mir die Mitarbeit gerade von >Das Blatt< ganz besonders wichtig – wenn wir was erreichen wollen, müssen wir immer die richtige Worte wählen. Unsere Gefolgsleute sollen erkennen, was die gegen mich arbeitenden Typen wirklich sind: Gutmenschen, Sozialromantiker, Humanitätsdussel. Wenn Ihr vom >Das Blatt< jemandem einmal ein solches Etikett aufgeklebt habt - das geht nie mehr ab. Verlassen Sie sich darauf. Ich werde mit der Hilfe aller, die zu mir halten, und natürlich auch mit der Unterstützung nützlicher Idioten, es schaffen das natürliche Klima in der Welt hochzuheizen und das soziale Klima zugleich zu unterkühlen. Ich werde unterstützt von all den lieben Menschen, die mich anbeten, mit der Geschwindigkeit eines Hurrikans den Globus in einen jauchegetränkten Klo-Ball verwandeln. Sie, Ihre Redaktion und alle Ihre lieben Leser können sich darauf hundertprozentig verlassen."

K.W.: „Wir freuen uns nun, Sie als den ersten deutschen Satan bei uns willkommen zu heißen. Allerdings – sollen wir sie wirklich so nennen? Satan, Teufel - diese Bezeichnungen sind ja alle fremder Herkunft. Was halten Sie davon? Wir könnten doch eine Leserumfrage starten, um einen guten deutschen Namen für Sie zu finden!"

Dr. H.J.: „Tun sie das, tun sie das, meine Liebe. Die Anregungen, die >Das Blatt< veröffentlicht, werde immer von großen Wert für mich sein. Sie haben recht: Ich möchte nicht so genannt werden, wie diese elenden Weicheier, die jetzt dem Teufelseibeiuns in den Hintern kriechen. Lassen Sie Ihre Leser einen richtig fetzigen Name für mich suchen. Bis Sie den gefunden haben – bis dahin nennen Sie mich einfach Dr. H.J. Zeitgeist."

K. W: "O.K. Mr. Spirit of the Age - we thank you for this most enlighting discussion."

$€

Satanswerk in guten Händen
Es hat so gut wie niemanden gegeben, der das Interview nicht gelesen hätte. Sogar Satanello hat die neuste Ausgabe von „Das Blatt" am Kiosk geklaut und nach hause getragen:
„Jetzt bleibt uns wohl gar nichts anderes mehr übrig, als mühsam nach oben zu krabbeln!"
Der Exteufel: „Ja - jetzt haben wir es schwarz auf weiß. Der Dr. H.J. hat uns unsere Aufgaben abgenommen. Wir sind jetzt entbehrlich."
Satanella: „Sag mal Väterchen: Aufgaben – ich höre immer Aufgaben. Wir wollten doch als Teufel nichts weiter als zerstören und zerfetzen und zertrümmern. Aufgaben – wer könnte Dir den Aufgaben zugeteilt haben? Gott??? Mit dem hattest Du doch bisher nichts am Hut!"
Der Exteufel: „Eigentlich nicht. Aber immerhin war er mir gegenüber auch damals in meiner Zeit als Satan weisungsberechtigt. Und in einigen wenigen Fällen hat er davon auch Gebrauch gemacht."
Satanella: „Wann? Wo? Wie? Inwiefern?"
Der Exteufel: „Nun – er brauchte mich um die Künste zu fördern! Künstler sind begabte Leute, die nur dann reifen, wenn sie mehr oder weniger Leid erfahren haben. Satanella, gerade Dich habe ich in letzter Zeit immer häufiger und immer mehr Tränen vergießen sehen, wenn Du der Geige eines Zigeuners lauschtest. Doch kein Zigeuner vermag Dich zu rühren, der nicht gelitten hat. Wenn ihm aber Schmerzliches widerfahren, dann dringt sein Leid direkt über die Melodie seiner Geige in Dein Ohr und sie rührt Dich zu Tränen und sie bringt Dich zum Jauchzen. Mein Auftrag war es für dieses Leid zu sorgen. Weil ich in der letzten Zeit von anderen Aufgaben abgelenkt war, stümpern schon seit geraumer Zeit alle möglichen öffentlich gesponserte Möchtegernmaler, Möchtegernmusiker, Möchtegernautoren und Möchtegernarchitekten in der Öffentlichkeit herum. Man nennt das Kunstbetrieb. Doch das hat alles gar nichts zu bedeuten. *Ponos* - das allein ist die Mutter aller Künste."
Satanello: „*Ponos* - was ist denn das schon wieder?"
Satanella: „Nello – Du solltest wirklich was für Deine Bildung tun. *Ponos* ist griechisch und bedeutet >Leid<!"
Der Exteufel: „Richtig - *Ponos* ist das Leid. Und der Satan ist der Vater des Leides. Echte Künstler sind alle >Teufelskerle<! Noch nie was von Paganini gehört?!"
Satanella: „Was ist mit den Künstlerinnen? Die hast Du vergessen! Wieder mal typisch!"
Der Exsatan: „Ich will gerne zugeben, das auch die, wenn sie gut sind, verteufelt gut sind. Niemand soll mir nachsagen, ich wäre nicht der *political correctness* mächtig.
Im Grund genommen hat jede und jeder die Aufgabe in sich seine eigene Welt zu schaffen, in der er leben will und leben kann. Alle müssen in diesem Sinne Lebensschöpfer und Lebenskünstler sein.
Doch die echten Künstler, die schaffen Welten, in die - vorübergehend - andere freiwillig eintreten, sie aber auch freiwillig und ungehindert wieder verlassen

können. Scharlatane, Gurus und Diktatoren aber auch die beengende Volksmeinung schaffen Welten aus Stahlgittern, die sie anderen überstülpen und in denen sie sie gefangen halten.
Doch unsere Aufgabe ist es in uns unserer eigene Welt zu schaffen. Die Frage, die über Lebensglück und Lebensunglück entscheidet ist, ob wir darin allein bleiben müssen, oder ob wir sie mit anderen teilen können - das was wir geschaffen wir mit ihnen und das, was sie geschaffen, sie mit uns."
Satanello: „Wird der Neue auch Aufgaben von Gott gestellt bekommen?"
Der Exsatan: „Möglicherweise schon. Aber ich bin mir nicht sicher, ob er sie auch ausführt. Offengestanden - für die Kunst sehe ich da schon ein bisschen schwarz!
Ich selbst bin ja ein – wie 's augenblicklich ausschaut vorübergehend - gefeuerter Exengel. Doch jetzt liegt die ganze Satanerei in wirklich guten Händen, in Menschenhand. Wenn die erst mal richtig loslegen – ihr werdet schon sehen, was dann los ist, wenn die Menschen los sind! Dann wird sich die gesamte Schöpfung nach dem guten alten Satan zurücksehnen. Wir Exteufel waren zwar tief gefallen, hatten immer wieder eine gewisse Bodenberührung. Aber die neuen Fürsten des Bösen – die stecken bereits tief im Boden!"
Satanello: „Die neuen Teufel jetzt, die werden dann wohl niemals mehr nach oben kommen!"
Der Exteufel: „Hör mal gut zu Santanello: Hier meine Hand, halt Dich fest, Du rutschst sonst wieder tiefer.
Zum einen: Feuergeister waren wir. Das jedoch sind Menschen, die jetzt ganz tief abgerutscht sind. Auch wenn die uns weit übertreffen, dennoch darfst Du nicht sagen, dass die niemals mehr aufsteigen könnten. Allein so ein Gedanke zieht Dich tiefer. Nein, nein - es geht nicht darum, ob Du das glaubst oder nicht glaubst. Du sinkst dann ganz automatisch tiefer, wenn Du das wünschst. Weißt Du was dem Dr. H.J. und zugleich Dir selbst gut täte: Bete einfach für die Erlösung des aktuellen Satans.
Siehst Du - da gab es – vor mehr als einem halben Jahrtausend einen Heiligen. Der hat die allerschönsten Lobpreisungen des göttlichen Lichtes verfasst. Dadurch ist er immer höher und höher gestiegen. Doch plötzlich überkam es ihn – das heißt natürlich ich überkam ihn und habe mich in ihm eingenistet. So hat er denn etwas ganz fürchterliches geschrieben:

Denn durchflutet sind sie (die Seligen) von dem Licht der Herrlichkeit Gottes, Lichtträger und Leuchten sind sie und freuen sich darüber und wissen wirklich erfüllt von allem Glauben, dass diese Herrlichkeit währen wird ohn' alle Grenzen. Doch frag ich voller Staunen, wo denn die wohl hausen werden, die von Gott verworfen? Die, die weit geschieden sind von dem, der doch ist überall? Und das ist wahrhaft, Brüder, ein Wunder, ein erstaunliches, und um es wirklich zu erfassen musst Du erleuchtet sein vom Geist, damit Du nicht anheim fällst einer Ketzerei, wie einer der nicht glaubt den Worten des göttlichen Geistes. Denn zweifellos werden auch die im All sein, in Wahrheit aber außerhalb des göttlichen Lichts und außerhalb von Gott. ..... Dunkelheit, die hindert sie, dass sie ihn nicht

> *können schauen, dass sie nicht haben die geringste Wahrnehmung und Erkenntnis von ihm. Nein, brennen werden sie, von ihrem eigene Gewissen verdammt, wird namenlose Trübsal, unsagbares Leid sie niederbeugend drücken bis in alle Ewigkeit.*

Das hat er nicht nur so hingeschrieben, sondern das hat er auch ganz heftig gewünscht und - platsch – war er dadurch ein gutes Stück in die Tiefe weggesackt.

Satanella: „Ich stelle mir das schwierig vor. Da bin ich als Selige im Himmel, mir aber ständig bewusst, dass andere in ewiger Pein in der Hölle schmoren. Kann ich mich dann selbst wirklich wie im Himmel fühlen? Auch wenn es sich dabei um Hitler, Stalin und Mao handelt, um staatsmännische Ölgötzen, die Bombardierungsterror lostreten und Hurrikane provozieren, um Umweltverbrecher, korrupte Industrielle oder auch einige Leute, denen man vielleicht auch persönlich gelegentlich ganz gern die Hölle an den Hals wünscht! Ich selbst kann doch keine ewige Lust genießen, wenn ich ständig an deren ewige Qualen denken muss. Hätte ich daran meinen Spaß, brauchte ich mich nicht jetzt mühsam abrackern um den Himmel zu erreichen, sondern könnte eine Satanine bleiben."

Der Exteufel: „Du kannst aber auch was Gutes tun, indem Du derartigen Typen im Traum als Satan erscheinst und ihnen vorgaukelst in der Hölle sei genug Öl vorhanden, um sie dauerhaft zu grillen. Vielleicht bringt sie das ja zur Vernunft!"

Lelipi, die selten etwas sagt, obwohl sie in Religionswissenschaft ganz gut bewandert ist, wirft hier ein: „Was brauchen die Menschen eine Hölle in der Unterwelt. Sie verstehen sich doch prächtig darauf sie sich gegenseitig auf Erden zu bereiten: Pakistanische Moslems, die der Richtung der Ahmadia angehören, sehen die im Koran geschilderte Höllenpein als zeitlich begrenzte Strafe an. Prompt werden sie von Vertreter anderer Richtungen als Ketzer diffamiert. Die Ahmadia-Anhänger halten diesen furchtbaren Gedanken der ewigen Pein nicht aus. Sie sind zu liebevoll dazu.

Der Exteufel: Im Verketzern von Leuten, die etwas mehr Sensibilität aufbrachten, waren auch schon die christlichen Amtsträger ganz groß – und zwar schon wenig mehr als 100 Jahre nach Jesu Tod. Da gab es einen klugen Menschen, der lehrte, dass jeder, der gefehlt habe, sich durch eine entsprechend große Folge von Widergeburten bewähren und reinigen könne. Am Ende würde sogar ich, der Satan, erlöst werden. Da ich zu der Zeit an der für mich vorgesehene fast unübersehbaren Zahl von Wiedergeburten kein gesteigertes Interesse hatte, habe ich den Vertretern der Amtskirchen eingeblasen, er sei ein Ketzer. Das war keine große Leistung von mir. Sie alle waren ziemlich borniert und schauten mit Neid auf die intellektuellen Fähigkeiten des Gelehrten. Heute tut mir das wahnsinnig leid, dass ich dem Origines, so hieß der Mann, derart übel mitgespielt habe. Aber er hat mir alles vergeben. Er war der lange Hagere, der beim großen Mörderrinder-Endkampf erschienen ist und die Führung übernommen hat. Als er sich plötzlich materialisierte, wusste ich, dass er mir nichts nachträgt.

Kinder – ich denke davon muss ich den Leuten noch ein bisschen was erzählen und sie über den neuesten Stand der Dinge informieren so lange ich das noch kann."

Sokrates und Origines
„Darf ich Sie um etwas Aufmerksamkeit bitten!
Wie Sie bereits der Presse und anderen Medien entnehmen konnten, hat den Posten des Verderbers jetzt ein Mensch übernommen. Ich, der ehemalige Satan, und die Meinen, sind jetzt nicht mehr unsterblich bis Matthäus am Letzten, sondern müssen uns von Wiedergeburt zu Wiedergeburt ganz allmählich nach oben hocharbeiten. Es ist ziemlich mühsam in die Höhe, von der wir heruntergefallen sind, wieder hinaufzuklettern bis wir wieder da sind, wo wir einmal waren. Für mich persönlich ist es ein Trost und eine Genugtuung, dass der Meister Origines mir bedeutet hat, wir würden das schaffen. Und es ist ja auch eine ganz hübsche Aufgabe so als Exsatan die Welt vor den üblen Machenschaften von entmenschten Menschen zu retten.
Also - Ihr altböser Feind ist jetzt Ihr >neuguter Freund<.
Wir wollen Ihnen von nun an helfen, denn Sie sind auf unsere Hilfe angewiesen. Dabei sollten wir unsere Aufgabe nicht unterschätzen. Es gibt da Typen unter den Menschen – ich könnte Ihnen da Geschichten erzählen! Doch ich lasse es lieber, denn ich will Sie schließlich nicht entmutigen. Sie können jedenfalls jetzt auf uns zählen.
Wenn ich hierhin gucke und dorthin – rundherum in der Welt, sehe ich lauter fragende Gesichter. Ihr wollt gerne wissen:
Wie ist das, wenn, wie Origines lehrt, der ursprüngliche Zustand wieder hergestellt wird? Geht dann der Teufel in die Gottheit ein und die Gottheit – gleichgültig, ob wir sie als Göttin oder Gott sehen - wird wieder ihre Boshaftigkeit von ehedem annehmen? Der Gott-Teufel als der Gut-Böse? Wird der, der damit begonnen hat, alles zu trennen, zu zerhacken und zu zerschneiden, weil er sich selbst abgetrennt hat, abgehackt und abgeschnitten – wird gerade der wieder zusammengefügt mit dem Herrn allen Zusammenfügens? Gibt es vielleicht die große ungetrennte oder auch gefugte Einheit des Zusammenfügenden und des Trennenden? Vielleicht wird der Satan bevor er wieder in Gott aufgenommen wird, während zahlloser Wiedergeburten gereinigt? Aber darüber müsst ihr schon selbst ein bisschen nachdenken.
Alles will ich Euch nicht erzählen. Sonst wisst ihr ja plötzlich, was gut und was böse ist. Und gerade das hat ER doch so „Am Anfang" gar nicht gewollt.
Und wenn Ihr das wüsstet, würde für den armen Menschen, der jetzt meine Rolle als >der Satan< übernommen hat, und für alle seine Gefolgsleute von Satanen und Satänchen und natürlich - nicht zu vergessen! - Sataninen, die Chance jemals da wieder rauszukommen fast aussichtslos. Und außerdem - wollt ihr das wirklich wissen? Ich glaube nicht. Wenn ich so sehe, was ihr alles anstellt, wollt ihr nur eines - Gott gleich sein. Aber wenn ihr wirklich wüsstet, was gut und böse ist, würdet ihr gerade das nicht wollen. Denn

der Gottheit gleich zu sein, das bedeutet die Welt so zu lieben, dass man keine Macht mehr über andere will. Keine Macht von Menschen über Menschen" - das ist nun wirklich nicht das, was ihr wollt. Und dennoch - so wird es, so muss es kommen: Zusammen mit Origines ist Sokrates erschienen. Er hat damals im alten Athen etwas ganz wesentliches erkannt: Der Mensch braucht die Sophrosyne ......"

Satanella: „Oh Papa, das musst Du den Leuten erklären. Das ist wieder griechisch und bedeutet >ausgeglichene Zufriedenheit.<"

Der Exteufel: „ Ja – und bedeute gerade auch die Zufriedenheit damit, zu wissen nicht alles zu wissen. Gelassen seine Unwissenheit einzugestehen – das ist Weisheit.

Sokrates hat eingesehen, dass die größte Sünde darin besteht in sich den Hochmut zu hegen zu glauben alles zu wissen. Der Aberglaube mit allem Wissen, was denn gut sei und vor allem was böse, von der Gottheit gesegnet zu sein, ist der Stoff aus dem die Fundamentalisten und Terroristen gemacht sind. >Kann den Wissen Sünde sein?< Aber sicher, es kann!"

Lelipi: „Ich bin eigentlich mit der neuen Entwicklung ganz zufrieden. Aber Sünde hin, Sünde her - eines möchte ich eben doch noch wissen: Wer wird den eigentlich meine Nachfolgerin?"

Der Exteufel: „Meines Wissens hat der Dr. H.J. da schon jemand im Auge. Da ...."

Lelipi: „Meinst Du, dass Du sie schon bei ihm findest? Es wird Zeit, dass wir uns wieder einmal bei ihm umsehen. Hole doch mal schnell auf dem Bildschirm seine Residenz herein."

Der Exteufel: „ Nein, nein – da tut sich zur Zeit nichts. Die Dame, die in Frage kommt, ist zu ihrem Ehemann gereist, zu Fritz Meyer. Aber lasst uns mal sehen, was sich bei dem abspielt!"

$

Des neuen amtierenden Satans Großmutter

Auf dem Schirm erscheint ein kleiner Raum in Meyers versteckter Klause, seinem derzeitigen Aufenthaltsort. Durchs Fenster winken Palmwedel herein. Ein Tisch, aus einfachen Brettern zusammengenagelt, steht in der Mitte des Zimmers umgeben von drei Stühlen mit geflochtenen schon etwas ausgefransten Lehnen. Einer ist mit Armstützen ausgestattet und auf dem sitzt Fritz Meyer. Ihm gegenüber mit kokett übereinander geschlagenen Beinen thront Felizitas. Sie versteht es ihre zerlöcherte und zerschlissene, ausgewaschene, mutmaßlich ehemals braune Bluse so geschickt um sich zu trapieren, dass ihre körperliche Vorzüge optimal zur Geltung kommen. Sie weiß das auch und sie weiß auch, dass gelegentlich ein theatralisch drapierter Lumpenlook einer Robe aus Seide, Spitzen und Paletten weit überlegen sein kann. Felizitas hat es nach dem geheimnisvollen Verschwinden von Dr. H.J. verstanden ihren Mann ausfindig zu machen und hat, dank ihrer natürlichen Robustheit, mittlerweile die beschwerliche Reise zu ihm leidlich verkraftet.

Ein weitere Stuhl ist auch besetzt und ein vierter wartet auf jemanden, der sich kurzfristig angesagt hat.
Der Dritte in der Runde ist Bruno Kreuzer. Schon seit langem war er ja abgetaucht – und dies aus gutem Grund. Aber erst vor kurzem hat er den Weg zu Meyer gefunden.
Felizitas genoss die bewundernden Blicke der beiden Männer – nicht zuletzt auch deren nicht unerhebliche Beimischung an Anzüglichkeit. Sie war ja oder ist auch noch eine vielseitige Frau, und da sie lange nicht mehr von Dr. H.J. gehört hatte – wenn man von dem Bericht in „Das Blatt" absieht, den sie sich natürlich zu Gemüte geführt – hat sie zu dem früheren Krematoriumsleiter Beziehungen aufgenommen, die man gut und gerne als etwas intensiver bezeichnen könnte.
Aber es kam ihr dennoch stark darauf an ihre Erscheinung auf den wirken zu lassen, der sich angesagt hat und der gerade jetzt den Raum betrat – Dr. H.J. Zeitgeist alias Lupitz.
Der als Satan amtierende Doktor informierte sie über die neue Situation. Es sprach darüber, wie denn zu erreichen sei, dass die vorhandenen Massen von Humanmaterial vor dem Zugriff der Behörden gesichert werden könnten. Schließlich gab es immer noch die AVA. Die als Global Player operierende Organisation war durch das Desaster vor dem Präsidium in der niedersächsischen Landshauptstadt nicht weiter in Mitleidenschaft gezogen worden. Wenn man den Konzern etwas umstrukturierte, könnte er weiterhin für die Herstellung und den Vertrieb des Humanmaterials herangezogen werden.
Der Dr. Zeitgeist versicherte sich der weitern Mitarbeit von Fritz Meyer und zusätzlich auch von Bruno Kreuzer und fragte dann unumwunden Felizitas, ob sie nicht Lust hätte des neuen Teufels Großmutter zu werden. Der Hinweis auf die Großmutter ließ eine Wolke von angemessener Dunkelheit ihr Gesicht überschatten.
Er versicherte ihr rasch – fast etwas hastig, dass sie sobald sie diese Funktion übernähme, wieder 17 würde und megawunderschön und auch immer 17 bliebe, vor allem aber immer megawunderschön: „Hör doch mal zu, meine Teuere, es ist doch ein großer Vorteil immer jung zu bleiben, niemals Cremes benutzen zu müssen, die vorgeben Falten zu beseitigen und niemals genötigt zu sein, sich von einem Schönheitsoperateurs im Gesicht herumschnippeln zu lassen. Und eine Großmutter – das bist du gar nicht. Das ist nur ein Name und so ein Name ist doch Schall und Rauch."
Felizitas: „Ich weiß Dein Angebot, insbesondere auch angesichts Deiner neuen hoheitlichen Stellung voll und ganz zu schätzen. Doch bitte ich mir Bedenkzeit aus. Im Augenblick wollen Bruno und ich inkognito verreisen. Er ist der Neffe von Dr. Heinrich Sieghelm, was Du ja sicher weißt. Der ist vorgestern verstorben. Wir gedenken beide an seiner Bestattung im Großfürstin-Emilia-Stift teilzunehmen. Wenn wir wieder zurück sind, werde ich Dich meine Entscheidung wissen lassen."
Dr. H.J. Zeitgeist etwas süffisant: „Fahrt nur hin, ich wünsche Euch viel Glück und gute Reise! Den Dr. Sieghelm, den kenne ich gut. Als Staatsanwalt habe ich zweimal verhindert, dass ihm der Prozess gemacht wurde.",

€

Dr. Sieghelm als Versucher
In der Hauskappelle des Großfürstin-Emilia-Stiftes waren die sterbliche Übereste des Dr. Heinrich Sieghelm aufgebahrt. Der Raum war überfrachtet mit Blumen in allen Farben, vorzugsweise in Gelb und Rot und natürlich auch in Weiß. Der Arzt war allgemein beliebt gewesen. Sechs schwarzgewandete Träger mit ebenso schwarzen urväterlichen Dreispitzen auf den Köpfen verneigen sich respektvoll vor dem Sarg, reihen sich neben ihm auf, heben ihn hoch und tragen ihn nach draußen. Die Menge schließt sich an und folgt ihm auf dem Weg zur – wie alle annahmen - letzten Ruhestätte.
Der Exteufel liefert den Seinen folgenden Kommentar zu der Szene: „Ihr glaubt wohl auch, er wäre tot. Ist er aber nicht. Er ist nur erstarrt. In ihm brodelt gefrorene Energie. Er ist ein Tsombi."
Die letzen haben nun die Kirche verlassen. Ganz am Schluss versucht ein Paar würdevoll einher zu schreiten. Sie ziert eine Mähne aus recht dickem und festem schwarzen Haar. Es muss eine Perücke sein, für den ein Pferd seinen Schwanz hatte lassen müssen.. Der falsche dunkle Bart des Mannes stellt das modische Gegenstück dazu dar. Beide tragen große Hornbrillen. An den Spiegelungen in den Gläsern ist deutlich zu erkennen, dass es sich um schlichtes Fensterglas handelt.
Plötzlich eilt von hinten der Inspektor hinzu, gefolgt von einigen Männern in schwarzen Ledermänteln. Er spricht das Paar an. Trotz der Gläser und den Spiegelungen darinnen ist zu sehen, dass Kreuzer und Felizitas verwirrt die Augen aufreißen. Dann begeben sie sich, auffällig unauffällig gesäumt von den Ledermantelmännern, zu einem Polizeibus. Der fährt sie zum Gefängnis, das – so günstig fügen sich die Dinge – gar nicht so sehr weit vom Friedhof entfernt ist.
Inzwischen verabschiedet sich die Trauergemeinde vom Sarg des Dr. Heinrich Sieghelm.
Satanello: „Sag mal, weißt Du etwas Näheres. Wieso hat der H.J. als Staatsanwalt Anklagen gegen den Sieghelm niedergeschlagen. Wenn da irgendeine schräge Sache gelaufen war, wusstest Du doch sicher Bescheid – oder Du stecktest sogar dahinter.
Der Exteufel etwas verschämt: „Tatsächlich kenne ich die Geschichte, habe da auch mitgewirkt: Der Doktor war gegen Ende des Krieges Kommandant in Norditalien. Er hat wegen eines Überfalles von Partisanen sich irgendein abgelegenes Dorf herausgepickt und den Befehl erteilt, es zu umstellen, in Brand zu stecken und alle Bewohner, ob Männer, Frauen oder Kinder, zu liquidieren. Liquidieren - so nannte man das damals. Sieghelm wollte keine Zeugen übrig lassen.
Seine Einheit hat ein paar Tage später einen italienischen Soldaten aufgegriffen, der seine Waffen weggeworfen hat. Sie haben ihn verhört. Zwei Tage später wurde dem Kommandanten ein neuer Mann zugeteilt,

der in Russland mittelschwer verwundet worden war. Der Neue hatte von dem, was hier vorgefallen war, keine Ahnung. Er war ganz froh darüber nach Italien versetzt zu werden, und er war ganz besonders gut gelaunt, weil er am Morgen diese Tages einen Brief mit einer erfreulichen Nachricht erhalten hatte. Seine Frau hatte einem Mädchen das Leben geschenkt. Es sollte übrigens später die Großmutter von Guste Languste werden.
Der Kommandant ließ ihn gleich nach seiner Ankunft rufen. Er gratulierte ihm zur Geburt einer Tochter und sagte dann so ganz beiläufig: >Nun ja mein Lieber, Sie haben ja reichlich Fronterfahrung. Ja! So'n bisschen Pulverrauch kann sie sicher nicht mehr stören. Also - da draußen stehen zwei unserer Leute mit einem Italiener, den wir kürzlich erwischt haben. Die bringen ihn in den Hinterhof. Gehen sie mit denen mit und knallen sie den Spaghettifresser ab!<
Der Mann war verwirrt : >Das, das – das kann ich nicht. Ich, ich ...<
Der Kommandant: >Man nehmen Sie Haltung an!
Befehlsverweigerung! Das gibt es hier nicht. Wo kämen wir da denn hin. Sie liquidieren den Mann oder Sie können sich gleich daneben stellen.<
>Herr Kommandant, ich bitte Sie mich von dieser Aufgabe zu entbinden.<
>Der Kommandant: Papperlapapp – wir sind keine Entbindungsanstalt! Ich weiß Ihre Frau wurde von einem Mädchen entbunden. Sie haben Familie. Für die tragen Sie auch eine persönliche Verantwortung! Was soll aus Ihrer Familie werden, wenn ich Sie heute an die Wand stellen lasse? Also - mache Sie schon!<
Nun ja – er machte schon. Aber er ist darüber niemals mehr hinweg gekommen. Nach dem Krieg hat er versucht eine Klage gegen den Dr. Heinrich Sieghelm anzustrengen. Als der Dr. HJ. den Prozess zum zweiten Mal niedergeschlagen hatte, versuchte er Selbstjustiz zu üben. Das misslang und er hat sich erschossen."
Satanello: „Hätte er den Italiener nicht erschossen, wäre er dann wirklich selber erschossen worden?"
Der Exteufel „Nein - wäre er eben nicht. Der Kommandant hätte nicht darauf bestanden, dass er den Henker macht. Es ist kein Fall bekannt, dass die Verweigerung eines solchen Befehls mit dem Tode bestraft wurde. Aber das konnte der Ärmste natürlich nicht wissen."
Satanello: „Du hast ihn also in eine Situation gebracht, die er selbst für aussichtslos hielt!"
Der Exteufel: „Mein Sohn, das musst Du etwas differenzierter sehen. Ich bin zwar in den Kommandanten gefahren, damit er den Befehl gibt den Italiener zu erschießen. Aber mein Einflüsterungstext war: >Erschieß den Jungen und Du bekommst sofort Sonderurlaub oder Du wirst befördert.< Das war schlimm genug von mir. Aber. zu drohen ihn bei Befehlsverweigerung selbst zum Tode zu verurteilen, das war die brillante Idee des Kommandanten. Er allein war es! He brought the soldier >between the devil and the deep blue sea.<
Was nun mich betrifft - ich war immer nur der große Versucher. Ich versprach den Leuten irgendwas, meist Gold oder Geld, denn das wollen

177

sie doch alle. Mit der Konstruktion von Zwickmühlen habe ich nichts zu tun. Tödliche Konflikte – die zu konstruieren ist die Spezialität einiger derer, die sich Menschen nennen.
Denkt doch mal an die Geschichte mit dem Wanderprediger Jesus von Nazareth! Als der in der Wüste meditierte, habe ich gewispert:
>Mach doch aus den Steinen Brot! Wenn Du das machst werden Dich alle Leute verehren.
Schwebe doch von den Zinnen des Tempels herunter. Dann sehen die Leute, dass Du göttlich bist.
Ich schenke Dir die ganze Welt! Du musst nur niederfallen und mich anbeten. Er, der ALTE, hat das doch auch verlangt von mir, dass ich vor Adam, dem ersten Menschen, niederfalle und ihn verehre! Und er hat mir gar nichts dafür versprochen. Aber ich bin doch viel größer als die Menschen und viel Großzügiger als der ALTE. Und ich schenke Dir voller Huld für einen einmaligen kurzen Niederfall vor mir die ganze weite Welt. Ach was – Niederfall! Ein kleiner Knickser reicht. Damit bin ich schon zufrieden. So gut meine ich es mit Dir.<
Ich habe ihn ganz schlicht in Versuchung geführt. Jesus in einen Konflikt zu bringen hätte so ausgesehen:
>Ich gebe dir die ganze Welt, wenn Du vor mir niederfällst. Wenn nicht, dann sieh nur zu was dann passiert. Wenn du dann kommen wirst mich in der Unterwelt aufzusuchen, werfe ich Dich in Ketten und Du wirst niemals mehr, in alle Ewigkeit nicht, die Erde, geschweige denn den Himmel sehen.<
Das wäre dann eine echte Zwickmühle gewesen. Aber offen gestanden. Genützt hätte das ohnehin nichts. Er hätte darauf ebenso wenig reagiert wie auf meinen zugegebenermaßen etwas naiven Versuchungsversuch. Dabei habe ich mir solche Mühe gegeben auch noch aus der Bibel zu zitieren. Ihr müsst wissen, dass ich der beste Bibelzitierer von der ganzen Welt bin. Lelipi weiß, von was ich rede! Ich habe schon so manchem Demagogen beigebracht, wie er seine Lügengespinste mit Bibelsprüchen würzt. Normalerweise ist das eine Erfolgsgarantie. Der Jesus war bisher der einzige, der das s richtig durchschaut hat."
Sartanella: „Eine ganz andere Frage. Wie hat denn nur der Inspektor erfahren, dass Bruno Kreuzer und Felizitas zum Begräbnis kommen.
Der Exteufel: Ganz einfach, der Dr. H.J. Zeitgeist, der hat es ihm gesteckt!"
Satanello und Satanella: „Wieso das denn?!"
Der Exteufel: „Schauen wir doch jetzt mal in den Gefängnishof. Ihr werdet schon sehen, weswegen er die beiden – wie sagt man so unter anständigen Ganoven`? - >verpfiffen< hat."
Im Gefängnishof wandeln Bruno Kreuzer und Felizitas auf und ab.
Satanello: „Diesmal ist das Bild wieder ausreichend klar. Aber wir haben eine Tonstörung - totale Stille und dazwischen mal ein Knacken. Das kriege ich nicht klar. Möchte aber doch zu gern wissen, was sich die beiden da erzählen."
Satanella: „Das ist kein Problem. Ihr müsst lediglich ranzoomen, damit man nur die Köpfe sieht. Ich kann ganz gut den Leuten von den Lippen ablesen."

Satanello: „Nella – die alles weiß und alles kann. Da fühlt man sich ja so was von abgemeldet. Aber den Bildschirm richtig einstellen – das kriegst Du nicht hin! Hier Deine Köpfe ganz nahe – und nun erzähl` mal."
Satanella: „Felizitas sagt: >Verstehe mich recht, Bruno, ich wäre gerne, sehr gerne bei Dir geblieben, wenigsten noch ein paar Wochen oder Monate. Aber dies Gefängnisarie hier – die halte ich nicht aus. Alles Grau in Grau und ich selbst fühle mich Grau in Grau und mich graust es vor dem, was auf mich zukommt. Sobald sich eine Gelegenheit dazu gibt, werde ich als des neuen Satans Maitresse und als seine Großmutter - nun ja, wenn´s denn unbedingt sein muss, dass die mich so nennen – ins neue Reich des Bösen abschwirren.<"
Und schon tut sich was auf dem Schirm. Goldgeklitzere – eine Wolke aus lauter golden glänzenden und funkelenden Riesenschmetterlingen. Nein – Schmetterlinge sind es nicht - es sind goldene Kälblinge, 113 goldene Kälblinge. Sie hüllen Felizitas ein, beißen sich an den Kleidern, den Haaren auf dem Haupt und in den Achseln, den Nägeln der Finger und der Zehen fest und flattern und flattern, flattern immer hektischer. Die Wolke steigt hoch und entschwebt – und Felizitas Luxusleib wiegt sich mitten drin.
Der Exteufel: „Na Lelipi – ganz schön viel Aufwand für deine Nachfolgerin. Aber hingekriegt hat er´s, der Doktor!."
Lelipi: „>Welch´ Schauspiel – aber ach ein Schauspiel nur!< Du hast mir so was nie geboten – und so was werden wir wohl auch nie wieder erleben!"
Der Exteufel: „Nur keine Bange. Gleich werdet Ihr das nochmals zu sehen kriegen."
Da ist die gleisnerischen Wolke schon wieder – vibriert über dem noch offenen Grabe von Sieghelm. Die goldene Kälblingstraube senkt sich hinein und steigt mit dem starren Körper des Dr. Sieghelm in ihren Klauen wieder hoch.
Der Exteufel: „Ist doch klar. Dem Dr. H.J. fehlt es an Unterteufeln und anderen Mitarbeitern. Mit dem Dr. Heinrich Sieghelm hat er seine Kälblinge einen guten Griff tun lassen.
Aber schwenken wir doch mal zu Bruno Kreuzer rüber. Der ist ziemlich verzweifelt. Und der Inspektor und der Commissario haben ihn auch schon in die Mangel genommen. Der packt jetzt aus. Nur viel rauszuholen ist aus ihm nicht. Immerhin kennt er den Aufenthaltsort von Fritz Meyer."
Lelipi: Das hat mir so gut gefallen, diese glitzernden flirrenden Wolken.
Der Exteufel: >Bleib nur mal schön am Bildschirm. Der Dr. H.J. Zeitgeist hält seine goldenen Engelchen in Trapp."
Tatsächlich war der Dr. H.J. Zeitgeist etwas in Verlegenheit, weil fast alle ehemaligen Satane, Satänchen und Sataninen ihrem früheren Chef folgen und mit ihm nach oben strebten. Der Doktor braucht dringend neue fähige Mitarbeiter."
Da tut sich nun was in Corlione auf Sizilien.
Zehn Männer kommen abends im romantischen Schein des vollen Mondes auf einem Landgut zusammen. Sie versammelten sich um einen von Fackeln malerisch beleuchteten Tisch. Der quillt über von leckeren Vorspeisen,

von Salaten, gut gewürztem Fisch und Fleischgerichten, saftigen Früchten. Es ist genug Wein da, ihn in Strömen fließen zu lassen. Man bekreuzigt sich und spricht artig ein Gebet. Dann wird geschmaust, man prostet sich lebhaft zu - *salute*! - und singt *canzione*. Einer mit einer leichten Stirnglatze, ein ganz lustiger, erzählt gerade einen Witz. Da fallen acht der Männer über ihn her, schlagen und stechen auf ihn ein, bis er blutüberströmt und hilflos am Boden liegt. „Der Mann hat einen Fehler gemacht!" bemerkt der Anführer lässig zu dem Gast, einem Neuling, der in ihre Gruppe eingeführt werden soll. Dann packen sie den Halbtoten, werfen ihn in einen Trog umgeben von Schweinen, die 14 Tage kein Futter erhalten hatten. Schon nach 10 Minuten ist nichts mehr von ihm übrig.

Die Männer begeben sich zurück zum gedeckten Tisch um sich zu bekreuzigen und ein Gebet zu sprechen und dann weiter zu speisen, zu trinken und zu feiern.

Doch das Gelage sollte keine 10 Minuten mehr währen. Dann senkte sich eine golden leuchtende und hell flirrende Riesenwolke auf die Schmausenden herab. Diesmal waren 1113 Kälblinge im Einsatz. Die gehen mit den Herrn Mafiosi etwas weniger zart um als mit Felizitas. Jeder Kälbling packte nur ein einziges Haupt-, Brust-, Bein- oder sonstiges Haar von ihnen. Es ist ein toller Anblick (den Lelipi am Bildschirm genießt), wie die leuchtende kumulusähnliche Wolke in den Nachthimmel aufsteigt. Von den Männern ist nichts mehr zu sehen. Man hörte nur ein schreckliches Kreischen und Schreien und Wimmern, dass die Wolke zucken lässt und sie schneller und schneller in die Ferne treibt.

Am nächsten Tag ist die Lokalpresse voll von Berichten über Ufo-Erscheinungen. Der Dr. H.J. aber war außerordentlich zufrieden. Immer wieder schlägt er die Hände über dem Kopf zusammen. Er freute sich ganz unbändig so prachtvolle Neosatane als Mitarbeiter gewonnen zu haben. Dann hält er plötzlich inne. Es ist ihm eine Idee gekommen. Da war ja noch jemand mit einer ungewöhnlich hohen Qualifikation. Den musste er unbedingt noch anwerben. Berauscht von seinem Einfall und davon, dass er eine so tollen Einfall hatte, singsangte er vor sich hin: > Chikago, Chikago...<

Doch an dieser Stell ist es angebracht einmal festzustellen: Als Satan wird man nicht geboren. Falls Sie Ambitionen in dieser Richtung haben sollten, merken Sie sich eines: Satan ist ein Beruf, den man mit Umsicht erlernen muss. Und da gibt es im Augenblick noch die eine oder andere Lücke bei Dr. H.J Zeitgeist. Weil er sich nämlich an die satanische Praxis überall gleichzeitig präsent zu sein, noch nicht so recht gewöhnt hatte, ist ihm etwas entgangen, nämlich die fast tragische Komödie oder auch das komische Drama, das sich zwischen seinem Erzfeind, dem *Commissario* Berlcanto und Yasmina abspielte, aber auch die ersten Gehversuche, die die fast immer gut gelaunte Blonde auf den Brettern, die die Welt bedeuten, zu unternehmen gedachte.

$

Yasminas gute Vorsätze – und ein tolles Stück
Der Commissario erhielt Anrufe aus seiner Dienststelle in Rom, die sich täglich mehrten und auch immer dringlicher wurde. Es ging um seine Rückkehr nach Italien. Die Ursachen des Rinderterrors war dank seiner effektiven Mitarbeit geklärt, der Angriff des neoliberalen Neo-Satans - vorerst einmal - abgewehrt, die magische Ausbildung im niedersächsischen Präsidium einigermaßen zu Ende geführt.
In den letzten Tagen und Stunden, war es ihm sogar gelungen, mit Hilfe seiner magischen Geste wertvolle Einblicke in die Schlüsselpositionen bei der AVA zu gewinnen und die bestehenden Halden von Humanmaterial zu lokalisieren. Das war's. Weiter konnte er von Niedersachsen aus nichts tun. Die Daten mussten an die Interpol weitergeben werden, in der Hoffnung, dass die im internationalen Rahmen aktiv würde. Für ihn gab es eigentlich keinen Grund noch länger in Hannover zu verweilen.
Obwohl sie beide in den letzten Tagen vor seinem Abflug versuchten noch eine Versuch zu riskieren, gelang es ihnen nicht so bei der Sache zu sein, dass es ihnen gelungen wäre, wirklich zur Sache zu kommen. In Yasmina rumorte hernach ziemlich heftig die Frage, warum es ihr nicht geglückt war mit dem charmanten und liebenswerten Belcanto die Intimität herzustellen, der sie doch beide nicht gerade so sehr abgeneigt waren. Zu ihrer eigenen Überraschung kam sie auch rasch zu einer Erkenntnis, die sogar zu einer ernsthaften Konsequenz führen sollte: In ihr tauchte erneut der Gedanke auf, der sie schon einmal geschreckt hatte, nämlich dass ihr eigentlich nicht so sehr an einer Affäre, wie reizvoll die auch immer sein mochte, gelegen war. Im tiefsten von ihr selbst bisher kaum entdeckten und schon gar nicht berücksichtigten Grund ihres Herzens, lauerte eine stille Sehnsucht nach einem Mann, der schon bewiesen hat, dass er sich im Leben durchsetzen kann, der auch nicht ganz unvermögend war und ein gewisses Ansehen genoss. Es müsste einer sein, der ihr ein unbeschwertes Leben und vielleicht auch das eine oder andere mit ordentlichen Genen ausgestattete und daher lebenstüchtige Kind bescherte. Zunächst hat sie das bleiern bedrückt – bis sie die bittere Erkenntnis, eines von jenen Ludern zu sein, die willens und in der Lage sind sich eine wohlhabenden älteren Mann zu angeln, dadurch versüßte, dass sie sich mit einem abrupten Ruck entschloss, sich gerade dazu zu bekennen. „Wenn schon so etwas Biestiges in mir steckt, was spricht dann eigentlich dagegen, nicht auch so zu sein? Ich nehme mir jetzt etwas felsenfest vor: Ich angle mir einen Millionär, oder zumindest einen gutbetuchten Erfolgsmenschen, solange mir noch eine einigermaßen erfolgversprechende Erscheinung eigen ist." Also sprach sie zu sich selbst und begann von Stund' an sich auf die Suche zu machen.
Gerade als sie sich so weit durchgerungen, traf sie in einem Eiscafe – wie der Zufall in Romanen so spielt – Konrad Konrad. Und genau so zufällig traf es sich, dass der eine Darstellerin für sein neues Drama suchte. Und nicht ganz so zufällig hatte er auch gerade das Manuskript seines Exposés dabei. Er gehörte nämlich zu jenem Typ von Leuten, deren Phantasie zu ihrer vollen Entfaltung eines leicht dahinplätschernden Geräuschpegels in

einem gemütlichen Ambient bedarf, wie es in einem Cafe vom Wiener Typ oder in einer urigen Bar zu finden ist.
Beide waren sich auf Anhieb sympathisch. Yasminas Ausstrahlung inspirierte ihn ihr ausgiebig seine Visionen zu schildern, wobei er die Knackpunkte mit ebenso lebhaften wie großzügigen und ein bisschen, offensichtlich bewusst von ihm gewollt theatralischen Gesten unterstrich: „Mir geht es um die Kleinen – die kleinen Bauern und die kleinen Handwerksbetriebe. Die will ich – und das betrachte ich als meine Lebensaufgabe – veranlassen sich zusammen zu schließen, um dann gemeinsam ihre Produkte einerseits zu verarbeiten und andererseits zu vermarkten. Wir müssen uns gegen die gefräßigen Großkonzernen wehren!" Yasminas Augen begannen gefährlich zu glitzern und das regte wiederum ihn an, ihr auch noch von seinen Theaterplänen zu erzählen.
So musste die unternehmungslustige Blonde auch nicht lange überredet werden, das neue Werk Konrad Konrads durchzusehen. Sie erkannte sofort, dass die Grundlage der Geschichte eine Problemstellung war, zu deren Lösung mehrere Vorschläge ausgearbeitet wurden:
So hatte sich als Basis-Thema angeboten, eine Schauspielgruppe ein Stück proben zu lassen, wobei es immer wieder zu lebhafte Debatten über dessen Weiterentwicklung kommen sollte. Für das Profi-Theater ist diese Form der Rahmenhandlung zwar schon etwas ausgelutscht, aber für das Laientheater, das sich ja doch etwas mehr Zurückhaltung in Hinblick auf modische Aktualität leisten kann, erschien das immer noch als ausreichend interessant.

Der Entwurf:
Arabella und Antonino
Personen

Arabella	Jeanette
Antonino	Konrad Konrad
Professor Dr. Palmer	NN 1
Esmeralda, Arabellas Bekannte	NN 2

Alle Szenen spielen auf einer Probebühne

Szene 1: Die Schauspieler sitzen im Halbkreis auf Stühlen und unterhalten sich darüber, was sie aufführen wollen. Jeanette schlägt vor, dass sie sich an folgendem Problem abarbeiten sollten: Arabella und Antonino, die sich von früher her kennen, aber aus den Augen verloren hatten, treffen sich zufällig wieder. Beide verlieben sich aufs heftigste ineinander. Doch Arabella ist mit Professor Dr. Palmer liiert, den sie auch gern hat. Er war ihr immer gut - und er war auch beziehungsweise ist noch immer gut zu ihr.
Die Schauspieler improvisieren, wie sich die beiden treffen, sich zart ihre Liebe gestehen, aber Arabella zugleich bekennt, wie schwer es ihr fällt sich von Professor Palmer zu trennen. Antonino sagt ihr sie müssten auf einen Ausweg sinnen.

Jeanette äußert sich in der Schlussbesprechung der Szene äußerst kritisch. Es sei zwar gut herausgekommen, dass es für Arabella seelisch nahezu unmöglich sei, sich von Professor Palmer zu trennen. Aber es sei nicht sehr deutlich geworden, wie heftig sie beide, Arabella und Antonino, sich liebten und begehrten.
Sie schlägt deshalb vor, dass die beiden spielerisch und scherzhaft die Namen Camilla und Charles annehmen, um klar zu machen, wie groß die gegenseitige Anziehung sei, wie gewaltig die Hindernisse, die einer Erfüllung ihrer Liebe im Weges stünden – und dass da doch letztlich die eine oder andere Chance in der Luft läge.
Sie wiederholen das Stück in diesem Sinne und begründen die Wahl der Namen wie folgt: Antonino hat eine besondere Vorliebe für den Geruch von Kamillenblüten. Bei der Lektüre einer Zeitschrift fand er unter den astrologischen Ratschlägen einen Hinweis, dass die Kamille von den Astrologen ausgerechnet dem Sternbild zugeordnet wurde, unter dem Arabella geboren wurde. Als sie das von ihm erfährt nennt sie sich Camilla und gibt ihm den Namen Charles.

Szene 2. NN 1 schlägt vor dass Arabella sich mit Professor Palmer trifft. Bei einem Abendessen erzählt der ihr von seinen derzeitigen Schwierigkeiten im Ministerium. Camilla/Arabella wird ganz aufgeregt. Sie telefoniert mit Charles/Antonino und erklärt ihm, dass sie gerade jetzt, da der Professor so wichtige Aufgaben zu lösen habe, unter keinen Umständen von ihm trennen kann. Er müsse das verstehen Sie könnten aber natürlich gute Freunde bleiben. Er wird am Telefon ruppig und legt auf. Sie sieht ein, dass es besser ist auf ihn zu verzichten.
Sie spielen versuchsweise diese Szene. Doch hinterher, in der Diskussion, erweisen sich alle als total unzufrieden. Sie beschließen eine ganz andere Lösung zu suchen, zumal zu diesem enttäuschenden Ende die Namen Charles und Camilla absolut nicht passen wollen.

Szene 3: NN 2 schlägt vor, dass eine weitere Frau eingeführt wird, die den Professor anmacht. Er verliebt sich in sie und hat nun seinerseits alles Interesse daran Camilla/Arabella freizugeben.
Die anderen kritisieren diese Fassung als dramaturgisch wenig tauglich. Die Lösung darf nicht einfach so vom Himmel fallen, sondern muss von den beiden Verliebten herbeigeführt und „erarbeitet" werden.

Szene 4: Jeanette schlägt vor, dass Camilla dem Professor gesteht, dass sie sowohl ihn als auch Charles liebt.
Sie möchte am liebsten beide Männer beibehalten, würde aber dann auch ihm gestatten sich eine weitere Freundin zu angeln.
Der Versuch das Ganze improvisiert zu spielen, endet damit, dass der Professor ausrastet und Arabella zum Teufel schickt.

In der Diskussion wird dann zwar festgestellt, dass damit zwar auch eine Lösung gefunden sei, aber doch eine, die für ein Drama etwas zu unkompliziert wirkt und auch inhaltlich nicht ganz befriedigt.

Szene 5: Sie beschließen die Fassung mit der Beichte Camillas gegenüber dem Professor nochmals aufzugreifen. In dieser Spielfassung entscheidet sich der Professor schweren Herzens auf den Vorschlag Camillas einzugehen. So spricht er sich mit Antonino alias Charles aus. Er erfährt von Charles, dass auch er sich mit dem Vorschlag Arabellas alias Camillas, sie beide sollten sie sich teilen, nicht so ohne weiteres abfinden kann. Nach einigem hin und her ringt er sich aber doch dazu durch. Das Gespräch bringt die beiden Männer einander näher. So fällt es ihnen leichter, die Situation zu akzeptieren.
In der Diskussion findet diese Version schon eher Anklang. Konrad Konrad meint allerdings, dass der Wandel in der Einstellung des Charles von der Skepsis gegenüber Camillas Vorschlag bis zu einem überzeugten Ja dazu in psychologischer Hinsicht noch besser ausgearbeitet werden müsse.
Es sollte eine unwirklich gehaltene, am besten mit Schwarzlicht ausgeleuchtet Traumszene eingefügt werden:
Eine aus einer Wolke herausragende Hand streckt dem im Schlaf versunkenen Charles erst einen etwas zusammengefallenen Kuchen hin und dazu ertönt eine schmeichelnde Stimme: „Hier ein schöner Kuchen"! Charles ganz verschlafen: „Nein, nein, nein – der ist mir zu trocken!" Stimme: „Oh Du kannst ihn ganz haben – alleine für Dich!" Charles: „Nein, nein, nein – den mag ich nicht!"
Eine zweite Hand erscheint und streckt ihm eine üppige Torte entgegen. Sie ist deutlich aufgeteilt in 12 Schnitten. Und wieder eine Stimme: „Hier eine leckere Torte. Doch davon kannst Du nur eine einzige Schnitte haben. Wähle!"
Jeanette ist begeistert und schlägt vor, das Ganze musikalisch zu untermalen – so nach der Melodie: „Aber bitte mit Sahne."
Jetzt sind alle recht zufrieden, wollen aber dennoch weitere Lösungen durchzuspielen.

Szene 6: NN 1 schlägt vor, dass Charles als bisexuell veranlagt darzustellen sei, dass er den Professor verführte, dieser sein *coming out* als Schwuler erlebt und er fortan auf Frauen, und natürlich auch auf Camilla verzichtet.
Der Versuch das improvisiert zu spielen endet in einer mehr als kontroversen Diskussion. Jeanette findet die ganze Szene sei völlig unglaubhaft. Konrad Konrad pflichtet ihr bei, gibt aber zu bedenken, dass der Einbau zumindest einer homoerotisch veranlagten Figur in ein Stück heutzutage von vorneherein einen gewissen Widerhall in der Presse, im Funk und vor allem im Fernsehen garantierte.

NN 1 fügt hinzu, dass ja auch der Sinn der Kunst darin bestünde, Toleranz, ja mehr, nämlich Verständnis, für außerhalb der gesellschaftlichen Generallinie stehende Lebensformen zu fördern. Dies Argument führte schließlich dazu, dass alle darin übereinstimmten, dass hier außerordentlich wichtige Fragen angeschnitten würden. Strittig blieb, ob mit dieser Fassung eine thematisch wirklich gültige und überzeugende Lösung gefunden worden sei, Allerdings könne man sich vorstellen, dass ein breiteres Ausspielen der Frage, wie denn Camilla mit der bisexuellen Veranlagung von Charles umgehen könnte, diesem Ansatz noch zusätzlichen Sinn und Bedeutung gäbe.

Szene 7: Der nächst Vorschlag kommt von NN 2:
Camilla erzählt Esmeralda, in welcher schwierigen Lage sie sich befindet. Nach einigem hin und her erklärt Esmeralda ganz unverblümt, dass sie an einem gestandenen und nicht unvermögenden Mann interessiert sei. Camilla schlägt ein Treffen vor, damit ihr Mann Esmeralda kennen lernen könne. Esmeralda ist vom Professor recht angetan. Camilla gibt ihr Instruktionen darüber, wie sie ihn für sich gewinnen kann. Der Plan gelingt. Esmeralda erobert ihn, den Professor.
Ob jetzt die beiden Paare sich gegenseitig dulden, oder ob – und darauf ist Esmeralda aus - die beiden neue Konstellationen erwägen sollten, sich ehelich zu verbinden, bleibt offen. So oder so wäre das Problem gelöst.
Nach dem Probespiel halten die Schauspieler diese Lösung für die überzeugendste. Sie möchten allerdings aus dramaturgischen Gründen noch eine Reihe von Schwierigkeiten für „die Eroberung" des Professors einbauen. Esmeralda soll mehrere Versuche unternehmen ihn zu sich unter den Nagel zu reißen und erst beim dritten Mal zum Ziel gelangen.

Angesichts ihrer langjährigen intensiven Erfahrung mit allem, was mit Kriminalistik zu tun hat, erfasste Yasmina instinktiv, dass hier ganz offensichtlich ein für den einen oder anderen der Darstellenden höchst aktuelles Problem fürs Theater – wie sie es bei sich nannte – „verwurstet" worden ist. Konrad Konrad direkt daraufhin anzusprechen – das scheute sie sich doch, wiewohl, die Rolle des scheuen Rehs vermutlich die war, die ihr am wenigsten zu Gesicht stand. Die der dreisten Esmeralda wollte sie gerne übernehmen. Das gäbe ihr auch eine gute Gelegenheit mit Jeanette etwas eingehender über das Stück und über diesen offensichtlich höchst interessanten Professor Palmer zu plaudern. Heute beschränkte sie sich darauf Konrad Konrad nahe zu legen, zwischendurch auch das Publikum mitdiskutieren zu lassen, von ihm Lösungsvorschläge abzufordern und wenn diese es zuließen, sie aus dem Stegreif heraus zu spielen.

Es ist nichts so fein gesponnen.....
Auch ein Satan, speziell wenn es ein ganz frisch gebackener ist, braucht zuweilen etwas Glück, um seine Vorhaben erfolgreich in die Tat umzusetzen. Und solch' Glück widerfuhr dem Dr. H.J. Zeitgeist als er versuchte, sich in das Gehirn von Reverend Williams einzuklinken um sich eine Panoramaübersicht über den Inhalt von dessen Gedankenwelt zu verschaffen. (Glück – nun ja. Doch niemand, auch kein Teufel, sollte aus den Augen verlieren, dass Glück und Glas zerbrechlich ist!)
Reverend Williams war just in diesem Augenblick in eine verzweifelte Situation geraten, weil er begonnen hatte an sich selbst zu zweifeln. Jahrelang hatte er auf Kundgebungen, im Rundfunk und vor allem im Fernsehen für die kreationistische Ideologie (nach der das Universum tatsächlich in sechs Tagen geschaffen worden sei) geworben, gegen die Sündhaftigkeit seiner Hörer heftig angewettert und Ihnen den Untergang der Welt angedroht. Den drängenden Fragen seiner sich um ihn scharenden Jünger und nicht zuletzt auch seiner ihn anschmachtenden Jüngerinnen nach dem Zeitpunkt dieses einigermaßen bedeutungsvollen Ereignisses war er immer ausgewichen - bis vor einem Jahr. Da hatte er einen Open-Air-Service vor weit mehr als 200000 Menschen in Chikago abgehalten. Sein Redeschwall hatte die Leute, die Mitglieder seiner sogenannten Kirche, in eine wahren Rausch versetzt. Die Luft war förmlich gesättigt von Gebetsfetzen und Hallelujah-Getöse. Die von ihm selbst erregte Welle der Hysterie war hochgebrandet, hatte seine Hörer erfasst, war von ihnen auf ihn zurückgebrandet und hat ihn überrollt: Mit sich überschlagender Stimme schrie er das Datum des Weltuntergangs in die vier Dutzend vor ihm aufgebauten Mikrofone. Das war vor knapp einem Jahr und der *dies irae dies illa*, der Tag des Zornes, sollte Freitag in drei Wochen sein. Mit jedem Tag der jenem Tag näherrückte, vergrößerten sich sein Selbstzweifel. Ein höllische Angst erfasste ihn, dass die Welt nicht datumsgerecht und – oh Gott, oh Gott! - vielleicht überhaupt nicht untergehen wolle:.
„Was ist, wenn ich mich mit meiner Voraussage geirrt hätte. Das hat es schließlich im Laufe der Weltgeschichte gegeben – mehrmals, häufig sogar. Immer wieder wurde der Tag des jüngsten Gerichts geweissagt und immer wieder war der vorhergesehene Tag stillschweigend über die Voraussage hinweg geglitten. Wenn sich sogar der Apostel Paulus diesbezüglich irrte - warum, zum Teufel noch einmal, soll ausgerechnet meine Weissagung in Erfüllung gehen?"
Und in dem Moment, als sich des Zeitgeistes Kontrollfunktion in Reverend Williams Birne eingeloggt hatte, wurde diesem eines mehr als sonnenklar: „Am Freitag in drei Wochen wird überhaupt nichts passieren, gar nichts - kein Weltuntergang und nicht einmal eine mittelschwere Katastrophe, auf die ich mich herausreden könnte. Verdammt noch mal – wie nur komme ich aus der Sache raus?! Vielleicht bekenne ich einfach, dass ich mich geirrt habe und füge eine Erklärung hinzu, weswegen Gott gerade diesen Irrtum gewollt hat. Da wird mir doch wohl was einfallen!"

Bevor der Referent weiter vor sich hin spintisieren konnte, begann der Dr. Zeitgeist seine kreativen Ideen in ihn hineinzublasen – und er tat dabei, als ob er ER wäre:

„Ich bin Dein Herr und ich werde am übernächsten Freitag der Welt ein Ende bereiten. Aber Du bist mein gehorsamer Diener, den ich von Anbeginn der Welt an auserwählt habe. Niemand – auch Du nicht – kann erwarten, dass ich selbst tätig werde, um dies große Werk in Angriff zu nehmen und zugleich zu vollenden. Aber Du bist doch mein williges Werkzeug. Du bist es, der in meinem Auftrag meinen Willen erfüllen muss. Und ich weiß, Du wirst mir treu sein und den Untergang der Welt auf furiose Weise einleiten."

Was war das für eine Erleichterung für den Reverenden, als ihm diese neuen genialen Gedanken fledermausgleich, gewissermaßen wie Kälblinge, im Kopf herumschwirrten und schwirrten und schwirrten und schwirrten – bis ihm schwindelig wurde. Reverend William sank in seinen Polsterstuhl – völlig erschöpft, aber zugleich auch völlig erleichtert: „Ich - ja ich bin im Recht. Der Herr ist mit mir. Ich bin nicht dazu verurteilt mich unsäglich zu blamieren! Ich habe den Auftrag als Gottes Vertrauter den Willen des Herrn in dieser Welt durchzusetzen – solange sie noch besteht. Bei meinen Anhängern will ich anfangen. Das ist die Initialzündung. Was weiter geschieht, dafür wird der Herr schon Helfer haben, die über größere Mittel verfügen."

Aber auch ihm standen einige Mittel für sein Vorhaben zu Gebote – die Spendengelder seiner „frommen" Gefolgsleute.

„Zunächst einmal müssen Waffen her." Das war in seinem Land eine naheliegende Idee – und dazu eine die sich schnell in die Tat umsetzen ließ. Etwas schwieriger war schon die Frage, wer sie bediene sollte. Allen seinen Anhängern mitzuteilen, dass der Tag des Weltunterganges doch etwas anders verlaufen sollte, als sie sich das bisher vorgestellt hatten – das, nein das konnte er nicht riskieren. Aber auf ihn hörten genug eifrige junge Männer, erfüllt von tiefer Abergläubigkeit, wie es ansonsten nur moslemische Selbstmordattentäter sind, und zugleich mit Testosteron aufgeladen, das sie wegen der rigorosen „moralischen" Vorschriften ihrer „Kirche" nicht abbauen können. Die würden alles ausführen, was immer er befahl.

Für den Abend, des Tages, der der letzte aller Tage sein sollte, bestellte er alle seine engeren Anhänger und Anhängerinnen auf die Spitze des Mount Mania. Er hatte sie dazu verdattert das Treffen geheim zu halten – absolut geheim. Dann postierte er sich auf einem hohen Felsen. sprach zu den Massen, die sich unter ihm drängelten und ließ sie Choräle singen.

Die Zeile

Our hearts want to see you - oh Lord!

war das Zeichen für 12 jungen Männer, die mit Maschinenpistolen in den Büschen lauerten. Sie fühlten sich als die Repäsentanten der 12 Apostel, weil er sie immer „meine Apostel" genannt, und sie schossen die zunächst noch

laut singenden und hautnah aneinander klebenden 873 Menschen zusammen.
In die plötzlich eintretende Stille mischten sich nur noch einzelne Salven – zwölf an der Zahl.
„Das hat ja vorzüglich geklappt" hörte der Reverend etwas ebenso laut, wie erstaunt in sich selbst rufen. „Jetzt bist Du an ...."
Eine andere tiefere Stimme unterbrach seine Gedanken, eine die er abermals für SEINE Stimme hielt:
„Oh nein Reverend Williams! Es ist noch nicht vollbracht. Eine kleine Weile noch musst Du in dieser Welt verbleiben! Dich, Dich ganz alleine zeichne ich dadurch aus, dass Du für mich einen ganz besonderen und ganz besonders schwierigen Dienst leisten darfst. Ja, ja Du, der getreuestes unter den getreuen meiner Diener!.
Sieh Du zu, dass Du in den Handtaschen und Jacketts der bereits Dank Deiner Hilfe Erlösten noch Geld findest. Dann mache Dich ganz heimlich davon. Tauche in New York unter – hebe bevor die Öffentlichkeit dahinter gekommen, was hier geschehen, alle Gelder Deiner Kirche ab. Fahre dann mit Eurem Lieferwagen zu dem Haus, zu dem ich Dich geleiten werde. Dort im Keller findest Du zwei Männer, die Dir Plutonium verkaufen, genug um Dein angefangenes Werk zu vollenden. Mach schnell, bevor man Dich hier findet!"
Weder der Dr. H.J. Zeitgeist noch der Reverend hatten ernstlich damit gerechnet, dass ihre Pläne durchsickern könnten. Zwar waren die Informationsmöglichkeiten des Exteufels und der Seinen schon erheblich reduziert, seit sie den Pfad der satanischen Untugend verlassen hatten. Aber der eine oder andere ihrer ehemaligen Mitarbeiter hielten Ohren und Augen offen – in einem Falle sogar recht große Augen.
Der Versammlung auf dem Mount Mania hatte er, Bubo, der Uhu, beigewohnt. Niemand hat ihn gesehen, doch er selbst hat alles registriert, was da vor sich ging. Er hat es sogar verstanden mit seinen gelben Augen tief in die schwarze Seele des Referenden hinein zu scheinwerfern und in seinem Kopf zu lesen, wobei er peinlich darauf achtete Kolissionen mit den einwirkenden Energieströmen des Dr. H.J. Zeitgeistes zu vermeiden. Lebenserfahren, wie er war, konnte ihn nicht viel erschüttern. Das dachte er jedenfalls bis dahin von sich selbst.
Doch als er sich über die Konsequenzen des Plutoniumprojektes klar wurde, brach ihm der kalte Schweiß aus. Obwohl die Tropfen in seinem Gefieder ihm das Fliegen zur Qual machten, flatterte Bubo schnurstracks ins Zentrum der nächsten Kleinstadt. Er stürzte sich von hoch oben herab auf den erstbesten Handy-Benutzer, schlug seine Krallen in das gute Stück, huschte zum nahe gelegenen Hain, wo er sich im Schutze der Baumkronen geborgen fühlte und wählte die Nummer seines alten Chefs.
Am Apparat war Satanello.

Sonderauftrag für Satanello
Das Duvelsbrücker Alt schäumte erregt auf, als das Mobilphon in den Maßkrug platschte. Ein Spritzer traf den Exteufel ins Auge:
„Nanu Nello – was ist den mit Dir los?"
Satanello: „Scheibenhonig! Der Bubo war am Apparat. Der hat mir vielleicht einen Schrecken eingejagt. Dem Dr. H.J. seine Leute sind jetzt voll mit Plutonium zu Gange."
Der Exteufel: „Jetzt wird's Ernst. Bisher haben wir mehr oder weniger gute Vorsätze hin und her gewälzt. Jetzt ist es an uns zu handeln – und zwar schnell. Nello – ich vertraue Dir einen Sonderauftrag an. Hoffentlich schaffst Du das.,,
Satanello: „Mach Dir keinen Kopf! Ich hab's schon im Urin, um was es geht – und bin auch schon weg."

Kaum war er entschwunden, machte sich Satanella bemerkbar:
„Der Dr. Zeitgeist, der scheint es doch tatsächlich darauf abgesehen zu haben die Welt untergehen zu lassen. Ich wundere mich schon sehr, dass Du früher so was in der Art nicht in Angriff genommen hast. Wäre das nicht Dein Job gewesen?"
Der Exteufel: „Der Weltuntergang! Wer soll denn das machen? Der ALTE vielleicht? Will der doch gar nicht! Und der Teufel? Der kann das nicht – war mir übrigens schon immer klar. Und was hat der schon davon? Der wird arbeitslos! Man sperrt ihn irgendwo in der Unterwelt ein. Für mich als Satan war der Weltuntergang immer schon im höchsten Maße unattraktiv. Für die Menschen – für die ist das ein spannendes Thema! Ja, wirklich! Es ist fast schon komisch, dass ausgerechnet so viele von denen geradezu fasziniert auf den Weltuntergang starren. Ich will Euch was verraten: Alle die, die besonders davor warnen und ihn ständig im Munde führen – gerade die sehnen ihn insgeheim mit wahrer Inbrunst herbei.
Meine Einschätzung ist: Wenn die dummen Menschen wirklich den Weltuntergang wollen, dann müssen sie das schon selber machen. Ich garantiere Euch - die schaffen das auch. Dazu brauchen die doch uns nicht. Nur weiter so mit CO^2 – und die Hurrikans fegen die gesamte Erdoberfläche sauber. Nur weiter so: Ölgötzen aller Länder vereinigt Euch. Auf, auf Dr. Zeitgeist! Eilen sie nur ihren gefügigen Helfern voran!"

€

Die satanischen Verse der Bibel
Der Exteufel erlebte etwas für ihn völlig Neues. Er fühlte sich erschöpft, und zwar total erschöpft. Die Ereignisse der letzten Tage hatten ihn doch ziemlich mitgenommen. Er war daher froh ein verlängertes Wochenende fernab von allem Stress und auch fernab von seiner üblichen Umgebung verbringen zu können - in Norditalien, zusammen mit seiner Lilibeth. Die drei Tage dort und die Zeit die zwischen den Tagen verstrich, hat er so richtig genossen. Dafür fiel ihm aber der Abschied hinterher umso schwerer.

Der Exteufel: „Ach schau mich nochmals an Lilibeth. Wenn ich meine Augen schließe und zu träumen beginne, dann sollen Deine Augen immer vor mir erscheinen - Deine wunderbaren, etwas geheimnisvollen Nougataugen. Du hast Nougataugen – so schmelzend süß. Hat Dir das noch niemand gesagt?

Lilibeth: „Doch, doch, mein Liebling, das bekomme ich immer wieder zu hören. Nun - manche sagen auch, ich hätte jüdische Augen. Immerhin war meine Großmutter Jüdin."

Der Exteufel: „Welche Großmutter war das – die mütterlicherseits oder die väterlicherseits?"

Lilibeth: „Die mütterlicherseits - aber warum fragst Du?"

Der Exteufel: Hat mich nur interessiert. Wenn das so ist, dann bist Du nach jüdischem Brauch auch Jüdin. Jüdin oder Jude ist immer das Kind einer jüdischen Mutter."

Lilibeth lacht: „So, das habe ich ja noch gar nicht gewusst! Ich bin also Jüdin und blinzle dich mit meinen jüdischen Nougataugen an."

Dem Exteufel war es bei diesem Worten gar nicht so lustig zu Mute. Harsche Schuldgefühle überwältigten ihn, an denen er auf dem Heimweg doch kräftig zu kauen hatte.

An der Ausrottung der Juden durch die Nazis eine Mitschuld zu haben, empfand er jetzt als schwere Last. Von Tag zu Tag drückte sie ihn mehr. Vieles, was er ansonsten angestellt hat, wird er versuchen jetzt wieder gut zu machen. Aber Tote zu erwecken - das vermag er nun wirklich nicht. Besonders setzte es ihm aber zu, dass er die Verfolgung der Juden durch Christen und postchristliche Täter schon in sehr früher Zeit von langer Hand vorbereitet hatte. „Mein Gott," sagte er zu sich selber, „mein Gott, Ich habe es doch tatsächlich geschafft, nicht nur im Koran und im alten Testament sondern auch im Evangelium echt satanische Verse unterzubringen. Schaut Euch nur mal bei Johannes um:

Joh. 18,31: *Pilatus sagte zu ihnen: Nehmt ihn (Jesus) doch und richtet ihn nach Eurem Gesetz. Die Juden antworteten ihm: Uns ist es nicht gestattet jemanden hinzurichten...*

19,6-7: *Als die Hohenpriester und ihre Diener ihn sahen, schrieen sie: Ans Kreuz mit ihm, ans Kreuz mit ihm! Pilatus sagte zu ihnen: Nehmt ihr ihn und kreuzigt ihn! Denn ich finde keinen Grund ihn zu verurteilen. Die Juden entgegneten: Wir haben ein Gesetz und nach diesem Gesetz muss er sterben.....*

Ja, das war wirklich eine reife – vielleicht sogar meine nachhaltigste – Leistung. Pilatus hat den Jesus umgebracht und ich habe den Evangelisten eingeflüstert: Die Juden waren an allem schuld. Sie sind Gottesmörder. Ihr müsst das in Eueren Texten gut herausarbeiten. Damit signalisiert Ihr den Römern, dass ihr nichts mit diesen Juden zu tun habt. Dann werden sie Euch nicht mehr verfolgen. Und das haben die Evangelisten denn auch prompt

gemacht, die einen mehr die anderen weniger penetrant - und das wirkt bis heute nach.
Aber wenn ich in die brauen Augen meiner Lilibeth sehe, in ihre jüdischen Nougataugen, dann wird mir so weh ums Herz und ich muss eines einsehen: Gerade das – das hätte ich den Evangelisten unter keinen Umständen einblasen dürfen."

$€

Alles unter Kontrolle
Felizitas war nicht sehr lange in der Unterwelt, da fing sie schon an dem Dr. H.J. in den Ohren zu liegen. Es gefiel ihr da gar nicht. Er solle doch irgendwie eine standesgemäße Bleibe oben auf der Erdoberfläche besorgen. Da er sich eingestand, das sie eigentlich recht hatte, trieb er mit der hochherzigen Hilfe einer Equity-Bank einen finanziell angeschlagenen Bauherrn in die Pleite und riss sich dann dessen fast fertiggestelltes Hochhaus unter den Nagel. Es ließ es ohne weitere Komplikationen für seine Zwecke ausbauen. So kam Felizitas zu dem von ihr ersehnten Komfort.
Dem Dr. Zeitgeist selbst ging es aber um anderes - vor allem um einen Infobildschirm von erheblicher Größe. Seit er mit seinem Weltuntergangsprojekt auf den Bauch gefallen war – derselbige zog sich immer noch zusammen, jedes Mal wenn er daran dachte – war im klar geworden, dass er dem von ihm so gern als Weichei herabgewürdigten Exteufel doch noch einiges abgucken musste, wenn er tatsächlich Erfolg haben wollte. Er stellte daher sein Übertragungsgerät so ein, dass es sich immer dann automatisch einschaltete, wenn sein Vorgänger, der Exteufel, über die guten alten Zeiten sprach, da der selbst noch >der Satan< war.
Der alte Trick, bewährt als Praxis von Geheimdiensten (am Rande der Legalität), funktionierte recht ordentlich. Einige Male schon war der Bildschirm aufgeleuchtet und die Worte des Exteufels und seiner Sippschaft quollen aus den Lautsprechern. Was dabei herauskam war aber – wenigstens in des Dr. Zeitgeistes Augen – nur wirres und belangloses Zeug.
Doch eines schönen nachmittags fiel die Informationsdichte, unter deren Beschuss er geriet, ungewöhnlich groß aus. Erst rief ihn Felizitas an und teilte ihm mit, dass sie sich - sie machte es ganz geheimnisvoll – an einem ganz bestimmten Ort aufhielt. An welchem Ort? Nun denn, in der Praxis eines Gynäkologen. Der hatte ihr gerade eröffnet, dass sie Zwillinge bekämen und zwar Jungen.
Er hatte das noch kaum verkraftet da schaltet sich auch schon seine Abhör- und Absehanlage ein. Familie Exteufel saß gemütlich am offenen Kamin zusammen, leerte das letzte Fass Duwelsbrücker Alt, dass sie noch zu fassen gekriegt haben und unterhielt sich lebhaft gestikulierend.

Reife Leistungen satanischer Natur

„Sag mal Papa, was mich schon lange interessiert hat," fragte Nella, „was siehst Du eigentlich als Deinen größten und sozusagen folgenschwersten Erfolg aus Deiner Vergangenheit an?"

Der Exteufel: „Zum einen habe ich es verstanden die Bedeutung eines Wortes aus dem Neuen Testament in den Übersetzungen in ihr Gegenteil zu verkehren. Ihr alle kennt den Aufruf Johannes des Täufers: >Tut Buße<. In Wirklichkeit steht da im Urtext ganz was anders."

Nella: „Ach ja Du meinst >*Metanoia*....<"

Nello: „Auweia - wir ahnen es ja schon, Du Verkörperung klassischer Bildung! Das ist sicher wieder griechisch und bedeutet – na sag schon! Was denn schon?"

Nella: „So kannst aber auch nur Du fragen, Du Vater aller Banausen. Was das bedeutet? Das bedeutet umdenken, neudenken, kreuz- und querdenken."

Der Exteufel: „Ganz richtig Töchterchen! Und das heißt, wir sollen uns vom alten Denken und von alten Vorstellung lösen und forsch völlig neue Denkansätze entwickeln und die auch durchsetzen. Das Umdenken ist auf die Zukunft ausgerichtet. >Tut Buße<, das meint dagegen sich auf das Vergangene zurückzuziehen, es zu bereuen und sich in Trübsal zu verlieren. Dadurch wird gerade alles Umdenken gelähmt und alles Neudenken und Querdenken abgewürgt.

Meine Aktion >Tut Buße, Ihr elenden Sünder!!!< war ein ungeheurer Erfolg. Damit habe ich die Leute drangekriegt zurückzublicken anstatt nach vorne zu schauen. Bis zum heutigen Tag.

Doch da war noch was, was so richtig hingehauen hat: Ich habe den Priestern und Kirchenführern eingeflüstert, sie würden die Menschen beherrschen können, wenn sie ihnen nur erzählten, das alle Lust und aller Genuss Sünde sei. Ihre Kunden sollten die meiste Zeit im Jahre fasten, dürften an mehr als 150 Tagen ihren Partner nicht berühren, sollten das Singen und das Tanzen lassen.

Nun war ich ja nicht umsonst der Teufel mit dem Rinderfuß vom goldenen Kalb. Ich arrangierte es so, dass ich den Leuten für ihre ihnen eingeredeten Sünden mit der Hölle droht – es sei denn sie kauften sich mit klingender Münze frei – und das natürlich nicht zu knapp.

Doch dann tauchte plötzlich dieser Luther Martin auf – und der hat mir kräftig in die Suppe gespuckt. Er hat mich zwar in der Hinsicht gestärkt, dass er felsenfest an mich glaubt. In der Beziehung war der echt gut! Aber er hat auf der anderen Seite auch erklärt, dass die Leute nicht dadurch der Hölle entrönnen, dass sie fasteten oder auf die Liebe verzichten oder das Tanzen und Singen sein ließen. Und das auch nichts bezahlt werden müsse, um in das Paradies zu gelangen.

Von da an begannen die Leute wieder fröhlich zu essen und zu trinken und sich ganz ungezwungen der Liebe hinzugeben. Er selbst hat sich in dieser Hinsicht ja auch keinerlei Zwang angetan."

Nella: „ Das muss damals ein großer Rückschlag für Dich gewesen sein."

Der Exteufel: „War es auch – aber inzwischen habe ich alles wieder auffangen können. Damals vor Luther mussten die Leute zahlen, nachdem sie Lust und Genuss gehabt haben. Aber inzwischen habe ich's wieder geschafft: Heute zahlen die Leute vorher, um sich die Lust und den Genuss nur einbilden zu können. Die Werbung spiegelt den Leuten vor, sie würden für jedermann und jede Frau anziehend sein, wenn sie nur genug Geld ausgäben und eine teuere Schmierage kauften oder sich das Gesicht zerschnibbeln ließen, sie würden alle Freiheit haben, wenn sie nur ihren Hintern auf möglichst viele möglichst teuer zu bezahlende PS platzierten.
Worum es mir immer ging war das volle Menschenleben vom Geld abhängig zu machen - so oder so."
Nello: „Und das ist Dir auch voll und ganz gelungen. Leider haben wir jetzt die Bescherung und müssen alles wieder rückgängig machen."

Der Dr. Zeitgeist, der verfolgte diese Diskussion mit großer Aufmerksamkeit. Im ging es einzig und alleine darum, die Gier der Menschen anzuheizen, Sie sollten sich gegenseitig die Knie in den Bauch hauen und mit ihren Füßen auf die Hände treten, um, wie jeder von ihnen erwartete, alleine nach oben zu kommen. Jeder sollte nur sich selbst einen Platz an der Sonne gönnen. In Wirklichkeit würden sie auf diese Weise alles tun, um allesamt miteinander unterzugehen.
Seine Söhne, die in Kürze das Licht der Welt erblicken würden, sollten so erzogen werden, dass sie die altbewährten satanische Rezepte wieder aufgriffen und nach Möglichkeit optimierten. Daher gedachte er ihnen auch die passenden Namen zu verleihen – „Mutlos" und „Lustlos".
Der Neuteufel dachte sich ganz selbstverständlich, dass er nunmehr, nachdem er die Tricks des Altteufels kannte, erfolgreich sein würde. Der Exteufel dachte, dass sich der Neuteufel akkurat das denken würde, dass aber natürlich letztlich er selbst obsiegen werde.

€

Das Osterfest
Morgen feiern die Griechen und Russen Ostern. Nun wäre die Feier der Osternacht eine gute Gelegenheit für die Familie des Exteufels zu beten – und zwar für ihre ehemaligen Mitarbeiter. Es wäre ja wirklich nicht fair diese so einfach sich selbst zu überlassen.
Zwar traute sich der Exteufel selbst noch immer nicht so recht einen Tempel, eine Moschee oder (mit den erwähnten Ausnahmen) eine Kirche zu betreten. Er ließ sich jedoch ohne, dass es besonderer Überredungskunst bedurfte, dazu herab seiner Nella den Besuch einer griechische Kirche zu gestatten. Sie war schon lange darauf aus gewesen – sogar schon zu einer Zeit, als das noch ein unüberwindliches Tabu für sie war – einmal eine Osternachtfeier mitzuerleben.
Nella kam gegen 11 Uhr in der Nacht an und erwarb an einem Stand am Eingang eine schöne große Kerze. Sie wollte weitergehen, zögerte jedoch kurz, drehte sich noch einmal um und verlangte dann nach einer zweiten. Ganz hinten im Kirchenschiff war ein Gestühl für die Gebrechlichen angebracht. Wenn sie sich dahinein quetschte, würde sie kaum jemand beachten. Es war noch sehr dunkel, fast könnte man sagen finster, im Schiff, das überfüllt war von Leuten, die alle eine noch nicht entzündete Kerze in der Hand hielten. Sie betete still für die einstigen Mitarbeiter ihres Vaters, und auch für alle diejenigen unter den Mäusen, Ratten, Lurchen, Eulen, Fliegen und Fledermäusen, und natürlich auch den Katzen, nicht zuletzt für die kleine Lucella, mit dem schwarzen braunrot geflammten Fell, die früher so manchen Auftrag ihrer Familie ausgeführt hatten. Völlig in Andacht zu versinken – das war für Nella eine ganz neue Erfahrung.
Und so schrak sie aus ihren Gedanken auf, als vorne vor der den Chor verdeckenden vergoldeten Bilderwand zwei Flammen ihr Licht verstrahlten. Der Priester, angetan mit kostbarem Ornat, war dort erschienen, in jeder Hand eine Kerze. Er gab das Licht weiter an alle diejenigen, die vorne in der Kirche standen und ihm ihre Kerzen hinhielten und die reichten das Licht wieder weiter an die hinter ihnen Drängelnden und die sich schneller und immer schneller ausbreitenden Flammen wurden zum Lichtermeer und das Licht ergoss sich, einer sich machvoll aufbrandende Woge gleich, durch das ganze Schiff bis zu ihr hin. Ein junger Mann und eine altes Mütterchen, die beide gerade das Licht ergattert hatten, drehten sich gleichzeitig zu ihr um und gab das Licht ihrer Kerzen an ihre weiter:
„Χριστος ανεστι"
„Αληθως ανεστι"
antwortete sie und schmunzelte dabei etwas vor sich hin.
Ihr Brüderchen kam ihr in den Sinn. Wäre er jetzt hier, hätte sie ihm bestimmt gesagt: „Nello," hätte sie gesagt, „mein Nello, das ist natürlich griechisch und bedeutet >Christ ist erstanden – er ist wahrhaftig auferstanden.<
Der Gedanke verflog gleich wieder und sie schaute nur noch auf die Lichterwoge, die sich inzwischen durch die Eingangspforte hindurch über den Vorplatz der Kirche und ins Dorf hinein ergoss, fühlte ihre Kerze mit diesem

Meer verschmelzen und sich selbst mehr und mehr in diesem Licht versinken, solange, bis sie darin aufgegangen war. Sie wurde ergriffen von einer wohligen Begeisterung, in der sie sich der Gewissheit hingab, dass ihre Freunde, ihre früheren Mitarbeiter und vor allem ihre Tiere nicht zurückbleiben würden im Dunkeln.

Es war noch nicht ein Uhr als sich die Kirche zu leeren begann. Die Leute wollten schnell nach Hause. Sie hatten vierzig Tage auf Fleisch, Öl, Käse, Eier und Wein verzichtet – zumindest die Frauen hatten die Fastenregeln weitestgehend durchgehalten, stellvertretend für die ganze Familie. Und jetzt lockten rot gefärbte Ostereier, ein warmes Süppchen mit Innereien, und ein schönes Glas Wein, in dem leuchtend rot die Flammen der Osterkerzen aufscheinen.

Nella hatte nun genügend Muse das Bild zu betrachten, das auf einem Pult vor dem Epitaphios, dem symbolischen über und über mit Blumen geschmückten Sarkophag Jesu, postiert worden war - die Ikone der Hadesfahrt Jesu: Der Gekreuzigte war, eine Lanze mit Kreuzesknauf in der Rechten, in die Welt der Toten hinabgestiegen. Er zertritt die eisernen Flügel ihrer gut gesicherten Pforte. Den Hades als Repräsentanten des Todes durchbohrt er mit seiner Waffe und der Satan kollert bereits mit schweren Ketten gefesselt in den düsteren Abgrund.

Adam und Eva strecken ihre Hände aus um sich nach oben ziehen zu lassen. Und im Hintergrund warten schon Mose, David und Salomon um ihnen zu folgen.

Nella war die Szene gut vertraut. Ihr Vater hatte ihr erst unlängst geschildert, was damals wirklich vorgefallen war: „So wie das da erzählt und dargestellt wird," pflegte er zu sagen, „war das nicht ganz gewesen". „Von Lanzen und Ketten hatte wir damals nichts bemerkt. Im Gegenteil! Dieser Jesus – ich kannte ihn gut, weil ich mit meinem Versuch ihn zu verführen, so großes Pech hatte – war mit einer Fackel in der Hand herabgestiegen und sprach dann ganz freundlich zu Hades und zu mir: >Ich führe jetzt die Verstorbenen heraus aus der Unterwelt. Sie werden mir alle nach oben zum Licht hin folgen. Ihr beide – für Euch wird der Aufstieg etwas mühselig werden. Aber Ihr habt die Chance jetzt oder auch später es ihnen nachzutun.< Damals wollte ich davon überhaupt nichts wissen. Aber irgendwie sind seine Worte doch irgendwo in mir hängen geblieben – vielleicht in meinen Eingeweiden, denn ein lebendiges schlagendes Herz hatte ich ja damals keines – ich machte zumindest keinerlei Gebrauch davon."

Nella hatte damals ihren Vater auch gefragt: „Da habt ihr eine ganz freundliche Unterhaltung gehabt und trotzdem wird das so beschrieben und gemalt, als ob Du fürchterlich misshandelt worden wärest. Das muss doch sehr sehr ärgerlich für Dich sein?"

„Ach weißt Du Kind," hatte er geantwortet, „früher habe ich mich über so was wahnsinnig aufgeregt. Inzwischen kenne ich aber die Menschen. Die schließen sich nur dann zu einer gemeinsamen Partei, einem gemeinsamen Verein, einer gemeinsamen Glaubensgemeinschaft oder sonst was zusammen,

wenn sie einen gemeinsamen Feind ausfindig machen. Der geprügelte und geschunden Satan, das war der Kitt, der die Kirchen zusammenhielt und zusammenhält – bis heute und möglicherweise in alle Ewigkeit.
Dasselbe Spiel treiben die Moslems. Was denkst Du, warum die Mekkapilger einen Pfeiler mit Steinen bewerfen und ihn als den >Satan, den zu Steinigenden< beschimpfen? Die verschiedenen islamischen Richtungen mit ihren unterschiedlichen Ansichten brauchen mich um zusammenhalten zu können. Ohne Feindschaft keine Freundschaft. Die Menschen sind nun mal so. Die brauchen den Teufel als Kitt um zusammenzuhalten und als Seziermesser um sich von anderen abzutrennen."
Nellas Kerze war inzwischen fast niedergebrannt. Sie betet nochmals für ihre ehemaligen Mitstreiter unter den Menschen und den Tieren, die sie jetzt mehr den je alle zu ihrer Familie zählt. Dann weitete sie ihr Gebet aus auf alle Menschen und Tiere und auch auf alle Pflanzen der lebendigen Schöpfung.
Und da – da beginnt die Flamme zitternd und irrlichternd zu flackern. Ihr Beben zeigt an, wie das Mädchen, das die Kerze hält, von Wellen von Schauern erfasst wird. Sie durchlebt nochmals wie das Licht der Liebe von einer Quelle ausgeht und dann hierhin und dorthin springt und wie das Dunkel sich mehr und mehr erhellt und wie schließlich sie selber ergriffen wird. Sie selbst wird zu einer zuckende Flamme, liebevoll eingebunden im Lichtermeer der Liebe und sie hat nur einen Wunsch für ewig darin zu verweilen, voll von Liebe und erfüllt mit Licht.

Ελλα Αφροδιτι, που ισσαι? Ελλα δο!

Die hektische sehr hohe Stimme einer Mutter, die ihr Töchterchen sucht, ruft Nella zurück und sogleich kommt ihr wieder ihr Bruder in den Sinn und sie flüstert leise, als ob er sie hören könnte: „Das ist griechisch und bedeutet >Komm Aphrodite, wo bist Du? Komm her!< Aphrodite ist übrigens die hellenische Göttin der Liebe. Den Namen – den wenigstens solltest Du Dir merken, Du Banause, Du lieber!"
(Und wie der Zufall so spielt, so ist dem Nello, der schon längst friedlich schlummerte, in dieser Nacht die Aphrodite erschienen. Er erwachte und wunderte sich sehr, dass die, die er eben geschaut, ungewöhnlich lange Beine hatte und dazu recht burschikos wirkte. Doch irgendwie gefiel ihm das.)
Die Flamme zuckte, flackerte, blakte und drohte zu erlöschen. Das letzte Aufflackern nutzte sie um ihre zweite Kerze zu entzünden. Dann brachte sie das Licht, die Flamme sorgsam mit der Hand beschirmend, nach Hause zu ihrer Familie.

$

Die Apokalypse – gut geplant, doch dumm gelaufen
Es war in der gleichen Nacht und zur gleichen Stunde und sogar in der gleichen Minute als Referend Williams in einem Keller im Zentrum von New York die Zündschnur anzündete, die von einem Container herabhing. Die Schnur geriet in Brand. Der Reverend zählte bis 300, dann musste der zündende Funke die Schnur durchkrochen und die Lunte des Apparates, die das Plutonium zünden sollte, erreicht haben: 301, 302, 303, 304, 305, 306, 307, 308, 309, 310. Williams harrte freudig des großen Weltenbrandes. 311, 312, 313, 314, 315 - nichts geschah. Als er bei 3000 angelangt war, hielt er es nicht mehr aus. Er musste er sich vergewissern, was schief gegangen war. Er kletterte in den Container und konnte nur noch eines feststellen: Die Zündschnur war ausgebrannt ohne etwas ausgerichtet zu habe. Der Reverend war ratlos. Was sollte er jetzt tun. Irgendeine Stimme in seinem Inneren riet ihm alles Geld seiner Kirche an sich zu nehmen und unterzutauchen. Aber bevor er auch diese Stimme dem HERRN zuordnen konnte, fiel ihm ein, dass kaum etwas übrig geblieben war. Er hatte fast alles für das Plutonium ausgegeben. Verzweifelt streckte er die Hände gegen Himmel und rief: „Oh LORD, hole mich heim!"
Und wirklich – vom Himmel hoch da tat sich was.
Da rauschte es und da flatterte es in der Luft und da flimmerte es golden und von obern kamen Krallen herab und ergriffen ihn und hoben ihn empor und verfrachteten ihn ins Reich des Zeitgeistes.
Der Dr. H.J. war zu der Zeit ständig am Überlegen gewesen – und, wie wir ihn so einschätzen, tut er das vermutlich noch heute – , welche Leute er direkt als Satane, natürlich niedrigeren Ranges, zu sich holen sollte und welche er auf ihren Plätzen als sogenannte „Menschen" belassen sollte. Solche in Regierungsverantwortung, die Kriege anzetteln können und auch nicht davor zurückschrecken dies zu tun (selbstverständlich immer mit dem Segen des HERRN!), Militärs und Milizen, die sich mit nicht nachweisbaren Foltermethoden gut auskennen, Chef-Terroristen und Umweltkriminelle und viel andere mehr – alle die sind viel effektiver, wenn sie so lange wie nur möglich an ihrem Platz in der realexistierenden Welt gehalten werden können, so lange wenigstens, bis er es geschafft hätte, die Welt zu ruinieren.
Ursprünglich hatte er auch daran gedacht, den Referend Williams auf seinem interessaten Posten zu belassen Aber bereits nach dessem ersten missglückten Versuch den Weltuntergang einzufädeln, erschien der ihm reif einen mehr oder minder gehobenen Verwaltungsposten, etwa den als Pressechef im neosatanischen Reich, anzutreten.
Als Satanello zurückkehrte und meldete, dass er seine Auftrag erfüllt hab, sah sein ansonsten eher rosiges Gesicht aschfahl aus. Er wirkte müde, traurig und geradezu zerknirscht.
Der Exteufel: „Was krämst Du Dich, mein Sohn. Du hast doch ganze Arbeit geleistet."
Das traf auch zu, denn Satanello war es gelungen Pjotr, Mischa und Sergej, drei Plutoniumschmugglern aus der Ukraine, abzupassen noch bevor sie

Williams belieferten. Er hat ihnen versichert, dass für sie sich keinerlei Konsequenzen ergäben, wenn sie statt des bestellten Plutoniums einen Container mit Sand lieferten und an Stelle des Zündmechanismuses den Motor einer ausrangierten E-Lock. Ihr Geld würden sie dennoch bekommen und behalten dürfen. Was er vorschlüge, wäre für sie doch ein viel besseres Geschäft.
Gesagt getan. Die Drei übergaben Williams den Container und machten sich dann eiligst mit dem Geld aus dem Staube.
Satanello hatte nun sein Problem damit, dass so gefährliche Leute davonkommen sollten und weiterhin in der Lage waren, ihr Unwesen zu treiben. Deshalb blies er Pjotr und Sergej eine leidenschaftliche Zuneigung zueinander ein und er sorgte dafür, dass Mischa, der eigentliche Favorit von Pjotr, sie beide in heißestem Flagranti erwischte. Mischa tat dann zwar ganz lässig, als ob ihn dies nicht weiter berühre, lief aber heimlich, still und leise zur Polizei, verpfiff die beiden, gab den Lagerort des Plutoniums preis und stellte sich selbst als Kronzeuge zur Verfügung.
Kurz vor dem Eingang des Flughafens bekamen die beiden Wind davon, dass sie verfolgt wurden. Es ergab sich ein Schusswechsel. Pjotr und Sergej starben im Kugelhagel, Mischa wurde schwer verletzt.
(Dies mit dem Flughafen musste der Autor so arrangieren, denn Flughäfen werden in TV-Krimis immer als die „Location" schlechthin gewählt, an denen die Verbrecher und mit ihnen der Film in der einen oder anderen Weise enden!)
Satanello gab sich die Schuld an ihrem Tode: „Ach – was war das doch noch für eine Zeit, als wir alle echte Teufel waren. Was haben wir nicht alles an rüden Gemeinheiten eingefädelt und Leid getan hat uns das kein bisschen!"
Der Exteufel: "Gewiss mein Sohn. Von Zeit zu Zeit überfällt uns schon die eine oder andere Anwandlung diabolischer Nostalgie. Es hat uns Äonen lang eine Menge Spaß gemacht, dass wir's so schlimm getrieben und daher ist es auch nicht weiter schlimm, wenn wir uns ab und zu mit etwas Wehmut daran erinnern. Schließlich wollen wir unsere Vergangenheit nicht verdrängen. Das ist auch gut so, denn so manche Erfahrung aus dieser Zeit können wir ja auch heute nutzen – nunmehr für ganz andere Ziele. Wer Gutes will, muss ja nicht unbedingt blöd sein."
Satanello: „Doch jetzt leide ich wie ein geprügelter Hund darunter, dass ich eine Sache eingefädelt habe, bei denen zwei zu Tode kamen.
Warum hast Du eigentlich mich beauftragt? Das hättest Du doch eigentlich auch selber machen können!"
Der Exteufel: „Weil ich das nicht mehr richtig gekonnt habe. Du steckst noch am tiefsten von uns allen im Satanssumpf und hast daher auch für dies Aufgabe noch ausreichend starke satanischen Energien gehabt. Wir nehmen aber alle so ganz allmählich die Eigenschaften von Menschen an und verlieren unsere teuflischen Fähigkeiten mit Ausnahme von der, einige eher unbedeutender Zauberkunststückchen besonders effektvoll demonstrieren zu können.

Satanello: „Ich habe bei der Aktion noch ganz hübsch herumgeteufelt. Jetzt aber – ich glaube meine Seelenkrise hat auch mit dem Katzenjammer darüber zu tun, dass ich plötzlich teufelsmäßig nicht mehr so gut drauf bin."
Der Exteufel: „Mein Gott Nello! Du hast soeben die Welt gerettet. Das würde mancher gern machen – wenigsten so lange es ihn nichts kostet. Aber wer kann das dann letztlich schon von sich sagen, dass ihm das gelungen wäre? Du kannst jetzt die letzten Dreckspritzer aus dem Satanssumpf abschütteln. Du hast wirklich was Gutes getan. Du wandelst Dich – und dies in eine ganz schöne Tempo – zu so was, wie einem Gutmenschen. Aber dann kannst Du natürlich auch nicht erwarten, dass Du noch über die gesamte Palette an diabolischer Künsten verfügen kannst. Wir alle werden uns und unser Leben total verändern. Statt im Satanssumpf zu stecken, tauchen wir jetzt in den Menschensumpf ein. Aber so ganz unvertraut wird uns die neue Situation nicht vorkommen. Im Menschensumpf geht es auch gar nicht selten ganz hübsch satanisch zu."

€

Noch ist Europa nicht verloren – wirklich nicht?
Der Exteufel: „Wie ich das so sehe, wird unser Familie ziemlich menschlich in Europa leben. Leider ist das keine so gute Nachricht. Das Land ist in einem schlimmen Zustand.
Satanella: „Dann erkläre uns doch mal ob man da überhaupt noch was machen kann – und was wir machen können?"
Der Exteufel: „ Natürlich man kann – oder man könnte. Mir ist auch klar, wie es geht, schließlich habe ich die ganze Fahrt in den Abgrund selbst sehr erfolgreich vorbereitet. So weiß ich auch genau, wie eine ganze Menge von dem, was ich mir da geleistet habe, zurückzudrehen ist. Und da müssen wir ran!"
Satanello: „Wo liegen denn die wichtigsten Probleme?
Der Exteufel: Ein ganz aktuelles Problem ist die Abhängigkeit vom Erdöl. Das Öl verschmutzt die Umwelt, die Vorkommen werden in absehbarer Zeit erschöpft sein und der Löwenanteil des Öls kommt aus Krisengebieten. Von dem schmierigen Stoff, den die Ölgötzen mit dem Blut ihrer Soldaten aufwiegen, muss Europa weg – möglichst weit weg und je eher desto besser. Und das ist auch zu machen, und zwar mit einem Dreischritt:
+ Energiesparen – auch mit energiesparender Technologie.
+ Ersatz des Öls durch andere Energiequellen.
+ Neue ölunabhängige Verkehrstechnologie.
Andere schwerwiegende Probleme sind bedingt durch den derzeit weitestgehend ungeregelten Markt.
Die sogenannte freie Marktwirtschaft kann nachhaltig gesehen ebenso wenig klappen, wie die totale Planwirtschaft.
Anarchie auf dem Markt, wie sie heute von den Ideologen und den Lobyisten des Neoliberalismus propagiert wird, führt dazu, das die Starken und

Großen die jeweils Kleineren auffressen. Sie folgen dem Naturgesetz, das ich, während ich in meiner satanischen Hochform war, eingebracht habe: Wer unkontrollierbare Macht hat, missbraucht sie auch! Totsicher!
Absolut freie Marktwirtschaft kann daher nicht funktionieren. Alle Kultur und alles menschliche Zusammenleben beruht auf der Kontrolle der Macht und auf der Begrenzung der Willkür der Mächtigen. Der Schutz der weniger Mächtigen ist eine Grundlage jeder Gesellschaftsordnung.
Die Naturvölker leisten das mit ihrem Sittensystem, die Staaten mit der Verfassung. Das gesellschaftliche Leben wird durch die Spielregeln der Gesetzgebung überhaupt erst ermöglicht. Jeder Kaninchenzüchterverein hat seine Satzung. Warum soll dann ausgerechnet die globale Wirtschaft ohne Regeln funktionieren? Es gehört eine Charta her, eine globale Marktordnung - und es gehören die Instrumente her, sie auch durchzusetzen. Darauf muss Europa bestehen – und erst mal selbst eine europäische Marktregelung kreieren.
Satanella: „Aber wenn ich mich recht erinnere, bist doch Du es der immer wiederbetonte, dass zu viele Gesetze und Verordnungen alle wirtschaftlichen Initiativen blockieren!
Der Exteufel: Sicher tun sie das. Eine ganze Menge von Gesetzen und Verordnungen, vielleicht sogar die Mehrzahl davon sind absolut überflüssig und sogar schädlich.
Aber es geht gar nicht um einzelne Gesetze aus dieser oder aus jener Ecke. Wir brauchen keine Verordnungen, die die Krümmung der Gurken festlegen und die Menge des Harzes im griechischen Wein. Wir brauchen keine Gesetze die die traditionellen Kuttelsuppen verbieten. Solchem Unfug muss der mündige Verbraucher die Stirn bieten. Es geht auch nicht um dicke Gesetzeswerke, durch die keiner mehr durchkommt. Es geht letztlich um ein knappes überschaubares Regelwerk, das die Abgrenzungen des Spielfeldes sorgsam absteckt. Die Wirtschaft muss eine geregelten Rahmen haben, der verhindert, das die Großen sich über die Kleinen hermachen.
Was ist denn menschliche Kultur anderes als die Überwindung der darwinschen Gesetze durch vernünftige Regeln? Erst dem Neoliberalismus bleibt es vorbehalten die Menschheit wieder ins vormenschliches Chaos zurückzuwerfen: Fressen und Gefressenwerden.
Ich hätte da schon eine ganz Menge von Ideen, wie da einiges zu verbessern wäre. Die sind nachzumessen im Internet unter: www.asupoleng.de."
Satanella: „Ich sehe schon: Menschen sind zu vielem, eigentlich zu allem fähig, sogar dazu ihre Menschlichkeit abzuschaffen. Wenn ich das bedenke, finde ich es keine so tolle Karriere vom Satan zum Menschen zu werden!"
Der Exteufel: „Die neoliberalen Ideologen berücksichtigen eines nicht: Im Zeichen eines freien, sprich ungeregelten Marktes, gibt es in Wirklichkeit gar keine Freiheit. Die herrschenden Verhältnisse führen zu einem >Geflecht von Abhängigkeiten<. Und das ist nicht anderes, als eine hübsche Umschreibung von - Korruption. Die wieder verläuft nach Regeln – aber nicht nach denen eines Staates, sondern nach denen einer Wirtschaftsmafia. Wo die herrscht, wächst kein Grad mehr.

Ehrlich gestanden kann ich mir selbst jetzt noch, da ich das anders sehe, einen Rest von Stolz darüber nicht verkneifen, dass ich der Erfinder des Neoliberalismus bin. Ihr habt ja vor Augen, wie schön das klappt: Ein Großbetrieb vernascht den jeweils kleineren, die alten eingesessene Betriebe gehen reihenweise Pleite. Verhältnisse, wie wir sie jetzt haben, die kann sich wirklich nur der Satan wünschen.
Oh mein Gott, wird das ein Stück Arbeit für mich werden, das alles wieder zurückzudrehen! Ach was! Von nun an sehen wir es einfach einmal positiv: Wir haben eine wundervolle neue Aufgabe, die uns glücklich macht, und wir haben neue Freunde, die uns unterstützen und die wir unterstützen. Ich sage nur eines – Bundschuh!"

€

Der Bundschuh und die drei toten Krähen
Versammlungen der Bundschuh-Leute drohen mit schöner Regelmäßigkeit ins Chaotische abzugleiten. Doch diesmal war es besonders schlimm. Die, die sich zum harten Kern zählten, also alle die, die über Kalaschnis verfügten, gestikulierten aufgeregt. Sie wollten auf der Stelle losziehen um die nächsten industriell arbeitenden Rinderzüchter zu überfallen und vorsorglich deren Tiere den Garaus zu machen. Die Viecher in den Mega-Ställen würden doch alle zu Menschenfressern herangezüchtet. Wenn man schon mal angefangen hätte, gegen den Dr. H.J. und die AVA vorzugehen, müsste man die Sache auch komplett zu Ende bringen. Für sie wäre das, wie man bei der letzten Auseinandersetzung gesehen hätte, auch kein so großes Problem.
Brenzlich wurde die Situation, als einer im Gedenken an die erfolgreiche Schlacht den Huiiii-Gesang anstimmt. Die Kalaschnikowskis stimmten grölend ein und sie rissen auch die gemäßigteren Landleute mit fort. Konrad Konrad, der sich sonst immer durchsetzen konnte, versuchte vergeblich das Wort zu ergreifen. Da fasste sich Jeannette, die neben ihm saß, ein Herz, riss einem der mit der AK 47 vor ihrer Nase herumfuchtelte, das Ding aus der Hand und gab eine Salve in die Luft ab.
Und – klatsch, klatsch, klatsch – einer nach dem anderen hagelten die schwarzen mit rotem Blut besudelten Körper dreier Krähen aus dem blauem Himmel herab. Die Vögel hatten das Pech gehabt rein zufällig in Jeanettes Schusslinie geraten zu sein.
Der bis dahin überhohe Lärmpegel erstarb. Konrad Konrad erhob sich, und rief – etwas theatralisch, wie er sich selbst eingestand – in die Menge: „So was passiert, wenn man schießt! Dann gibt es Tote.
Freunde, Bundschuhler, Landleute!
Nicht um Euch zu beschwichtigen spreche ich zu Euch heut′.
Es ist mir durchaus bewusst, dass die Gefahr durch blutsaufende Kühe gefressen zu werden, zwar nicht allenthalben, aber doch noch da oder dort droht. Ich begrüße es daher ausdrücklich, dass ihr gerüstet seid und dass

Ihr auch in Zukunft gerüstet bleibt. Haltet – so rufe ich Euch zu - Flinten, Mistgabeln und Traktoren in Bereitschaft.
Doch eines müsst ihr bedenken.
Mörderkühen sind eine Gefahr, aber sie sind sozusagen eine Restgefahr. Das erledigen wir ohne jede Revoluzzerei auf legale Weise. Jeder von Euch, der einen begründeten Verdacht hat, meldet die Sache mir. Ich gebe die Hinweise sofort weiter an das Präsidium in der Hauptstadt. Ich weiß, dass entschiedene Maßnahmen – nicht nur für das Inland, auch für das Ausland getroffen worden sind, die Strukturen der Konzerne des neuen Satans und seiner Mitarbeiter zu zerschlagen, die noch bestehenden Reste von Humanpulver ausfindig zu machen und zu vernichten.
Aber es sind noch andere Konzerne da, die des Teufels sind - und die immer größer und reicher werden. Ihr dahinten trinkt gerade Cocacola. Diese Firma hat – und das ist nur ein Beispiel - für Ihre Produktion in Rajasthan dem Boden so viel Wasser entzogen, dass der Spiegel des Grundwassers von 12 auf 37,5 Meter absank. Das bewirkte, dass eine Menge von Brunnen, die der Versorgung der Landbevölkerung dienten, trocken fielen.
Überdies hat der Konzern auch noch Wasserressourcen mit giftigen Abfällen verseucht – ganz abgesehen, dass er die lokalen mittelständischen Getränkehersteller in den Bankrott trieb. Können wir es wirklich verantworten, einen Konzern, der sich so verhält, dadurch zu unterstützen, dass wir die von ihm produzierten Getränke kaufen?
Nestle und Starbucks haben durch den Druck auf die Erzeugerpreise die Kaffeebauern in Äthiopien ruiniert. Die Zahl der Existenzen, die zu Grunde gingen, kann nur geschätzt werden. Sollen wir solche Machenschaften durch unser Konsumverhalten fördern?
Wenn Mao behauptet, dass die Macht aus den Läufen der Gewehre kommt, dann irrt er. Im realexistierenden Kapitalismus kommt die Macht aus den Geldbeuteln und Kreditkarten der Einkaufenden.
Die richtigen Produkte einzukaufen und vor allem die Waren der Wirtschaftsverbrecher in den Läden verrotten zu lassen – das ist eine Waffe, stärker als Gewehre, stärker als Kanonen und stärker als Raketen. Nur wir müssen schnell handeln. Es besteht dir Gefahr, das die kleinen ehrlichen und anständigen Produzenten vom Markt verdrängt werden und es letztlich gar keine Produkte mehr gibt, die auf ehrliche und anständige Weise und vor allem auf eine Art und Weise, die keinen Menschen ruiniert, hergestellt werden!,,
„Er, der im Alltag immer so gehemmt wirkt oder vielleicht sich auch nur so schüchtern gibt, ist nicht nur ein Organisationstalent, sonder auch ein mitreißender Redner!" Das dachte sich Jeanette und warf Konrad Konrad einen funkelnden Blick zu, den er, ganz so, wie sie sich das ersehnt hatte, auch auffing.
Als der Beifall und Jubel aufbrandete, wehte ihn der Gedanke an, dass es doch eine reizvolle Aufgabe sein könnte, die für den normalen Konsumenten schwer durchschaubaren wirtschaftlichen Fragen und Probleme den Leuten in einer einfachen Sprache näher zu bringen – beispielsweise mit

Hilfe eines eingängigen Theaterstückes, vielleicht sogar eines, das so richtig nach Klamotte riecht.
Der Beifall wollte nicht enden. Die meisten klatschten, einige trampelten, viele schrieen. Die , die sich selbst als besonders verwegen einschätzten, sich in Wirklichkeit aber nur durch besonderen Leichtsinn auszeichneten, ballerten mit ihren AK 47 Gewehren in der Gegend herum. Zum Glück hatte vorsichtshalber die gesamte Krähenpopulation dieser Gegend den Luftraum über der Versammlung verlassen.
Konrad Konrad fühlte sich plötzlich weit weg auf eine Bühne entrückt, und das Klatschen und Toben wandelte sich für ihn zum Beifall, den die erste Szene seines neuen Stückes erntete, die nunmehr vor seinem inneren Auge wie ein Filme abzulaufen begann:

Theaterprojekt – Entwurf der ersten Szene:
Die Wasserpiraten
Die Szene spielt in einer Schule. Es findet gerade ein Schulfest statt mit einem Wohltätigkeitsbasar. Die Schüler laufen mit Colaflaschen herum.

Szene 1: Schüler gehen zwischen den Anwesenden herum und verkaufen Lose für eine Tombola.
Erster Schüler: „Wer will noch ein Los? Es gibt tolle Preise!"
Herr aus einer Gruppe von Erwachsenen: „Wie sehen denn diese tollen Preise aus?"
Erster Schüler: „Och – wir haben schon einiges zu bieten: Gutscheine für Restaurants, Theaterkarten und natürlich den Hauptpreis, eine Flugreise für zwei Personen nach Mauritius. Und außerdem - es ist für'nen wirklich guten Zweck."
Ein Lehrer tritt hinzu und verfolgt aufmerksam das Gespräch.
Der Herr: „Für was wird das Geld gebraucht".
Zweiter Schüler: „Sie wissen ja, ein großer Teil der Menschen kommt nicht an einwandfreies Trinkwasser heran. Wir wollen ein Wasserprojekt in Nordwestafrika unterstützten."
Dame aus der gleichen Gruppe: „Ein Wasserprojekt! Schön und gut! Aber wenn Ihr so daran interessiert seid, dass die Menschen gutes Wasser haben – warum trinkt Ihr dann alle Coca-Cola?"
Erster Schüler: „Weil es uns schmeckt natürlich!"
Zweiter Schüler: „Was hat denn das damit zu tun?"
Dame: „Diese Company hat in Indien den Landleuten das Wasser geraubt. Das ist aktenkundig. Das hat Menschen die Existenz und manchen auch das Leben gekostet."
Erster Schüler: „Ja doch – wir hören immer wieder einmal solche Geschichten. Ich glaube aber nicht, dass so angesehene Firmen es sich überhaupt leisten können, so'nen Schietkram zu machen."
Zweiter Schüler: „Die haben doch auch gute Leute, die aufpassen, dass so was nicht passiert! Wenn die wirklich den Leuten das

Wasser geraubt hätten, dann würden wir die rote Brause bestimmt nicht trinken. "

Dame: „Aber ihr könnt das doch alles nachlesen – z.B. im Internet. Auch Bücher gibt`s drüber – zum Beispiel >Das Imperium der Schande< von Jean Ziegler. "

Lehrer: „Verzeihen Sie mir, wen ich mich einmische. Leider nimmt tatsächlich heute niemand solche Dinge ernst. Ich denke mir, das hat damit zu tun, dass damals die Propaganda der kommunistischen Länder immer lautstark die westlichen Länder und ihre Firmen aufs Korn genommen hat. Andererseits haben die Ostblockländer selbst nicht sonderlich glaubwürdig gehandelt. Deshalb hat man auch ihre Anschuldigen nicht ernst genommen – gleichgültig, ob sie berechtigt waren oder aber auch nicht. Leider wirkt das bis heute nach. Vorwürfe gegen die großen Konzerne legt man noch immer unter der Rubrik >Sozialistische Klassenkampfparolen< ab. Und das bedeutet das Aus für jede Diskussion."

€

Korruption ist Mord
Der Dr. H.J. Zeitgeist musste einsehen, das seine ersten Aktionen als Satan nicht sonderlich erfolgreich verliefen. Er hat zwar mit dem evangelikalen Reverenden Williams einen recht fähigen Mitarbeiter angeworben. Doch auch dessen Aktivitäten waren „von der andern Seite", wie er den Exteufel und die Seinen jetzt nannte, konterkariert worden. Es war ihm nunmehr bewusst geworden, dass er richtig erfahrene Leute brauchte und die konnte er nur aus dem Lager „der anderen Seite" herausziehen.
So suchte er zunächst das Gespräch mit Jonny Bear. Das erwies sich als gute Idee, denn der hatte selbst auch ausgesprochen gute Ideen im Hinblick auf die tatkräftige Förderung der Korruption. Die bedurften lediglich noch eines gewissen neosatanischen, man könnte getrost auch sagen neoliberalen Supports.
Was die beiden zusammen aushecktten, erfuhr der Exsatan erst aus der Zeitung, da seine alten Kommunikatskanäle bereits erheblich gestört waren:
„In einer Region in Westafrika waren die Leute alle, wie fast überall in Afrika, recht arm. Die Bedingungen dort die Landwirtschaft zu entwickeln, wurden aber als hervorragend angesehen. Ausgerechnet dies sollte ihnen zum Verhängnis werden.
Jonny Bear war es nämlich gelungen sich als Gutachter für Entwicklungs-projekte zu profilieren. Man muss dazu wissen, dass es bei der staatliche Unterstützung für Entwicklungsprojekte um ganz beachtliche Summen geht. Eine Untersuchung in der betreffenden Gegend ergab, dass sich sowohl die Bodenverhältnisse, wie die Bewässerungsmöglichkeiten hervorragend dazu eigneten Fruchtbäume zu kultivieren. Die Anpflanzungen hätten auf den kleinen Parzellen der vielen kleinen Landeigner in jenem Gebiet geradezu optimal versorgt werden können. Überdies hätte sich die Ernte

auch sehr gut in einer nahen Stadt absetzen lassen. Doch unser Jonny Bear hatte ein nicht unerhebliches Interesse daran, einer Firma, die Erntemaschinen für Getreide herstellte, den Entwicklungsauftrag zuzuschanzen. Also empfahl er, die Betriebe zusammenzulegen und den großflächigen Anbau von Getreide zu fördern. Die Leute wurden überredet ihre Eigenständigkeit aufzugeben. Die Folgen: Die Ernten missrieten. Das Getreide wollte, wie von jedem vernünftigen Agronomen vorauszusehen gewesen wäre, absolut nicht gedeihen. Im übrigen hätte es auch nicht vermarkten lassen.
Die betrogenen Menschen verloren ihr Land an Banken, die das Projekt betreut und mitfinanziert hatten, und an kapitalkräftige Käufer. Zuvor waren die Landleute schon arm gewesen – jetzt aber versanken sie in einem tiefen Abgrund an Verelendung. Viele, insbesondere Kleinstkinder und ältere Leute verhungerten qualvoll. Jonny Bear natürlich, der brachte seine goldenen Schäfchen ins Trockene.
Korruption ist Mord – und sollte als solcher bestraft werden!"
Der Exteufel hatte seinen Kindern diesen Text nicht direkt vorgelesen. Er hatte ihnen vielmehr das erzählt, was er aus seinen Erfahrungen heraus zwischen den Zeilen gelesen hat. Das nämlich war eine Fähigkeit, die ihm nicht abhanden gekommen war (und ihm auch in Zukunft nicht abhanden kommen sollte!).
Satanella: „Ich wunder mich schon, dass die Presse so etwas nicht richtig ausschlachtet."
Satanello: „Ja eben - die Presse und die anderen Medien. Die sind doch frei. Die haben doch alles Interesse daran den Finger auf Korruptionsfälle und andere Fehlentwicklungen zu legen. Für ihre Leser ist so was doch ein gefundenes Fressen!"
Der Exteufel wird von einem Rückfall heimgesucht, indem er in ein wahrhaft höllisches Gelächter ausbricht: „Bruhaha – Bruhaha – Bruhaha:
„Weißt Du, als Jonny Bear als leitenden Manager des uns bekannte Auto-Konzerns die Aktienkurse manipulierte, hätten einige tüchtige Journalisten – die gibt´s tatsächlich noch - liebend gerne auf die Zusammenhänge hingewiesen. Konnten sie nicht, durften sie nicht. Der Konzern hatte riesige Anzeigen geschaltet. Und die wollten sich die Geschäftsleitungen auch für die Zukunft sichern. Es ist doch völlig blauäugig anzunehmen, dass von Werbung abhängige Medien unabhängig seien. Im Fernsehen kommt der Quotenwahnsinn hinzu, der selbst die Anstalten des öffentlichen Rechtes erfasst hat, so dass sie sich unter kommerziellen Druck setzen lassen. Die derzeitig laufenden Korruptionsaffären mit *product placement* sind nur die logische Folge. Es gibt so einige wenige Versuche auf kommunaler Ebene unabhängig Radiostationen oder Zeitungen zu betreiben. Auch im Internet kann jeder alles bringen – bisher wenigstens. Autoritäre Konzerne und Staaten versuchen aber auch im Netz ihren Fuß zwischen die Tür zu kriegen."
Satanello: „Aber Alterchen! Dagegen müssen wir doch was tun.
„Ja –Söhnchen! Tue was dagegen! Du kannst unabhängiger Journalist werden und versuchen die heißen Themen zu publizieren!

Nur wundere Dich nicht, wenn Dir der Gegenwind ins Gesicht bläst. Für unabhängige Journalisten gibt es keine unabhängigen Medien mehr! Wer heute die Wahrheit gegen das golden Kalb in Stellung bringen will, wird Sturm ernten – und ich fürchte die Windstärke wird noch zunehmen! Man muss es klar sehen: Das golden Kalb nimmt heute in der Rangordnung der viel besungenen westliche Werte die Spitzenstellung ein.",

Satanella: „Man los, Brüderchen, Du wirst es dann wieder mit dem neuen Pressechef von Dr. H.J. zu tun haben. Aber wie Du den klein kriegst – damit hast Du ja schon Deine Erfahrungen gesammelt."

€$

Felizitas klärt die Situation

Nach der erfolgreichen Anwerbung von Jonny Bear, traute sich der Dr. H.J. Zeitgeist sogar an den mit Abstand fähigsten Mitarbeiter des Exsatans heran, an den zungenfertigen Reverenden John Brownheart, allseits bekannt unter dem Namen Halleluja-Jonny.

Der hatte einen interessanten Auftrag des ehemaligen Satans durchgeführt: Es ging um prominente Leute einer führenden Nation, beteiligt an Öl- oder sogar an Waffen-Konzernen, die stattliche Aufträge erhalten, Diesen Herrn sollte es ermöglicht werden, einflussreiche Regierungsposten zu okkupieren.

Wie wir alle wissen, verlief diese Aktion ungewöhnlich erfolgreich. Jonny machte den leitenden Figuren der zahlungskräftigen Oligopole klar, dass sie im Wahlkampf entsprechende Summen für die ihnen verpflichteten Kandidaten flüssig machen müssten. Dass die an die Regierung kämen, sei schließlich der Wille des HERRN – Halleluja.

Und so kamen diese Herrn ans Ruder. Und wie der „Zufall" so spielt – bald darauf standen auch schon die ersten Entscheidungen an, ob man den eigenen Einfluss auf Erdöllagerstätten gewaltsam vergrößern sollte oder lieber versuchen Frieden zu bewahren, ob man etwa saftige Bombenangriffe durchführen sollte ohne Rücksicht auf „Kollateralschäden" oder aber ob besser Zurückhaltung im Einsatz von Waffen angebracht sei. Wie die Entscheidungen ausfielen - das zu erraten bedarf nun wirklich nicht großer Phantasie: Wer an jeder produzierten Bombe verdient und dann noch mit dem Wiederaufbau seine gutes Geschäft macht, fackelt nicht sehr lange, wenn er über Krieg oder Frieden zu entscheiden hat.

Halleluja-Jonny hat auf diese Weise das Kunststück vollbracht eine geradezu unglaublich effektvolle Form von neoliberaler High-Standard-Regierungs-Korruption zu installieren – und dann auch konsequent als Regierungsprogramm durchzuhalten.

Der Doktor H.J. war deshalb maßlos enttäuscht, als Jonny überhaupt kein Interesse an seinem Angebot zeigte nunmehr dem Neusatan zu Diensten zu sein und seine bewährte und von ihm, dem Doktor, auch voll anerkannte und geschätzt Arbeit weiter fortzuführen.

Der Reverend äußerte ihm gegenüber klipp und klar, dass er die Chance aufzusteigen nutzen wolle. Der Altteufel hatte ihm zugesagt ihm dabei unter die Arme zu greifen. Da er, John Brownheart, in der Vergangenheit ganz vorzügliche Arbeit geleistet habe, sei das Hinaufklettern zwar eine extrem mühsamere Angelegenheit. Dennoch – er habe sich fest vorgenommen diesen steinigen und steilen Pfad einzuschlagen.
Da schien nun tatsächlich nichts zu machen zu sein!
Sogar ein mit dem goldenen Kuhfuß hingehextes Pentagramm verfehlte seine Wirkung.
Felizitas hatte sich - erotikmäßig und so - schon einigermaßen ins Zeug legen müssen um den frustrierten Dr. Zeitgeist wieder etwas aufzuheitern. Schließlich fragte sie kokett und mit eine Anflug von Ironie: „Sag mal mein Süßer, mein klügster Satan aller Zeiten! Was hältst Du eigentlich von meinen Beinen."
„Das spürst Du doch! Die sind verteufelt schön – einmalig - durch nichts zu übertreffen!"
„Und was denkst Du so? Meinst Du, dass das der Hallelujah-Jonny etwa anders sieht?"
Tatsächlich hat es der Jonny nicht anderes gesehen. Felizitas gelang es denn auch ihn bei der Stange zu halten. Ob sie auf die Dauer erreichen kann, dass er auch mit einer gewissen Nachhaltigkeit dabeibleibt? Jedenfalls gab sie das, was ihr der neoliberale Neosatan ins Ohr flüsterte, weiter indem sie es ebenfalls flüsternd in Jonnys weit aufgetanes Ohr einträufelte: „Für so einen tollen Mann, wie Dich, gibt's hier noch und noch zu tun. Nehme Dir die Futtermittelindustrie vor. Ich sage nur eins: >Humanmaterial!< Das fällt doch während der derzeitigen und künftigen Kriegshandlungen jede Menge an! Und wenn Du das Futter den rodeogestärkten Rindviechern in des Teufelseibeiuns eigenem Land zum Fraße gibst - was denkst Du wie die dann loslegen. Und deren Fleisch dann in den Corned-Beef-Dosen – lecker sag ich Dir, mein Goldschatz!"
Allerdings hat der Altteufel auch schon Wind gekriegt, von dem was da vorgeht. Und da er gedachte selbst politisch zu wirken, lag es für ihn nahe Gegenmaßnahmen zu planen. Das wird spannend werden.

$€

Unerwartete Unterstützung aus dem anderen Lager
Und es wurde spannend. Der Altteufel hatte alles erwartet, nur nicht das. Ganz unvermittelt war ihm ein Verbündeter zugefallen. Das war wirklich verwunderlich, denn der Mann hatte zwar erst vor kurzem die Arbeit für den Dr. H.J. aufgenommen, war aber dennoch bereits ziemlich tief hineingezogen worden in den Wirbel der zeitgeist'schen Machenschaften. Der Mann des Neuteufels hatte eine ganze Reihe äußerst spannender Aufträge ganz weit weg in einer entlegenen Gegend zu erledigen. Einer davon – und das schien ihm zunächst selbst der reizvollste – war dafür zu sorgen,

dass Dosen mit Baby- und Kindernahrung angereichert wurden – natürlich mit Humanpulver!

Er befahl zunächst seinen teuflischen Mitarbeitern Spritzen mit dem Pulver zu füllen, mit deren Nadeln die Dosendeckel zu durchstoßen und das Pulver hineinzupressen. Dies Verfahren erwies sich aber sehr schnell als wenig effektiv. Das Einspritzen war eine reichlich anstrengende Prozedur. Die Füllmengen fielen zu gering aus und zudem konnte man nur eine sehr begrenzte Menge von Dosen bearbeiten.

Des Neuteufels Mann zog es daher vor, auf ein altbewährtes Verfahren zurückzugreifen: Korruption! Tatsächlich gelang es ihm auch an zwei Abteilungsleiter in der Produktionsstätte heranzukommen und sie zu bestechen. Nun hatte er freie Hand zu klotzen statt zu kleckern. Es war die einfachste Sache von der Welt: Das Anreichern mit Humanpulver wurde in den Produktionsprozess integriert. Keiner hat es gemerkt und die Höhe der Korruptionszahlungen hielt sich auch in Grenzen - und so hätte das „Spielchen" unbeanstandet noch lange weitergehen können, wenn ihn nicht - ja wenn ihn nicht die Neugierde übermannt hätte. Naseweiser Vorwitz hat schon manches schöne Projekt verdorben – damals zu Köln am Rhein, aber auch anderswo.

Er hatte es sich nämlich in den Kopf gesetzt, herauszufinden, was der Verzehr des Pulvers bei menschliche Wesen bewirkte. So machte er sich in einem Einkaufszentrum kundig, wer denn diese Dosen in größeren Stückzahlen erwarb. Bald schon konnte er eine Pflegefamilie mit vier Kleinstkinder herausfiltern. Deren Wohnung in einem winzigen Gartenhaus begann er von nun an – nein, nicht etwas beobachten zu lassen, sondern selbst eigenäugig auszuspähen.

Zunächst genoss er es sich als Voyeur zu fühlen. Doch als sich vier Wochen, fünf Wochen, ja sechs Wochen lang nichts tat, kam in ihn schon der Gedanke hoch die ganze Belauerei aufzugeben.

Doch dann, eines abends, noch vor dem Essen, passierte es. Die vier Kleinen fielen, wie auf Kommando aber ohne ersichtlichen Grund übereinander her und verbissen sich ineinander. Ersparen wir uns die Details! Der heimliche Beobachter jedenfalls erlitt einen Schock. Als sich die Krabbelkinder dann aber auch noch mit ihren spitzen Milchzähnchen über den Hund des Hauses, eine niedliche schwarz und weiß gefleckte Promenademischung hermachten – unbeschreiblich! Es war einfach nicht zu fassen, weswegen er auch prompt die Fassung verlor. Sein Gehirn schaltete vor grauem Entsetzen auf „blank". Alles was sich bisher unter seinem Schädeldach regte, war plötzlich wie weggewischt. Der Schreck hatte vor allem seine Voreingenommenheiten total ausgetilgt. Sein Bewusstsein wandelte sich für einen Augenblick wieder in ein weißes unbeschriebenes Blatt, gerade so leer, wie es vor seiner Geburt gewesen.

Der bleierne Deckel über seinen Gedanken und Ansichten, die bisher darunter in immer gleichen Bahnen kreisten, hat sich gehoben. Langjährig darin eingesperrter und vor sich hinfaulender Gedankenmüll quoll heraus.

Der schmale Spalt und die kurze Zeit, die er sich auftat genügten. Ein hell funkelnder Gedanke schlug, einem Blitze gleich, in sein Bewusstsein hinein und mit einem Mal taten sich seine inneren Augen auf und er sah sich selbst in aller Klarheit wie in einem Spiegel, in einem Spiegel der strahlend hell beleuchtet war.

Und ein schmerzhafter Schreck durchzuckte ihn angesichts dessen, was sich ihm zeigte. Es erkannte, dass er nicht etwa zum derzeitigen Satan übergelaufen beziehungsweise zu ihm hinübertransportiert worden war, sondern, dass er auch zuvor schon immer des Satans Spiel getrieben, auch in der Zeit, als er sich als Repräsentanten der guten Seite gesehen und ausgegeben hatte.

Er sah, dass es das größte Satanswerk ist, die Menschen an die Kette der Abhängigkeit zu legen, dass es die eigentliche menschliche Bestimmung ist selbstbestimmt zu leben, frei von aller Unterdrückung – auch von der Unterdrückung durch Autoritäten, die sich den Anschein geben religiös zu sein, und frei von den Fesseln wohlfeiler unverstandener Bibelsprüche aus dem Munde von Leuten, die ihr als einem „papierenen Papst" huldigen.

Es wunde ihm endlich klar, dass nicht Regeln aus Stahl und Mauern aus Eisenbeton die Menschen einschnüren sollten, sondern dass es nur ein Ziel gibt, dem es nachzujagen gilt – der Lebendigkeit der Liebe.

Und er wusste jetzt, dass er in Zukunft so ziemlich alles in seinem Leben ganz anders machen wollte. Aber wie sollte er das erreichen?

Er grübelte die ganze Nacht hindurch, versuchte die alten Gedanken, die sich noch an sein Hirn klammerten, hinauszufegen und er schob die neuen hin und her und her und hin.

Des morgens ging die Sonne strahlend auf. Und zugleich kam ihm der Exsatan in den Sinn, von dem er ja wusste, dass auch er einen völligen Kurswechsel vollzogen hatte. „Ja – den will ich aufsuchen. Der wird mir raten können!"

Und so kam es, dass wenig später jemand kräftig an die Wohnungstür des Exsatans klopfte. Der tat die Tür auf und sein erstaunter Blick fiel auf – Reverend Williams.

Die beiden hatten nun wirklich einiges zu besprechen. Der Exsatan notierte sich genau, was ihm die Reverend über die Lagerstätten der Humanfutterbestände zu berichten wusste. Das müsste für den General Schiernagel von äußerstem Interesse sein.

Der Reverend gedachte seine neuen Aktivitäten zunächst einmal mit einer breit angelegte Gegenevangelisation in Südamerika, am besten in Brasilien, zu starten, um die dort massenweise unter die nordamerikanischen Fundamentalisten geratenen Menschen zu erlösen:

„Das ist enorm dringend! Die aus dem Norden setzen viel Geld ein. Sie zielen darauf ab, die neugewonnen Evangelikalen auch für ihre Politik auszunutzen. Für mich ist es allerdings schwierig, dort was zu tun. Ich werde ja noch verfolgt – verständlicherweise, wegen meiner missglückten apokalyptischen Experimente. Aber deswegen auf den elektrischen Stuhl zu geraten, ist eigentlich wenig sinnvoll. Es ist doch besser, wenn ich mich

jetzt ganz radikal für eine unabhängige – ich meine innerlich unabhängige Menschheit einsetze! Könnten Sie es nicht arrangieren, dass meine früheren Verfehlungen aus den Gehirnen der Menschen gelöscht werden? Aber natürlich sollte doch zugleich die positive Erinnerung an mich als den redegewandten, den gottbegnadeten – jetzt bin ich's ja wirklich! - Reverenden Williams erhalten bleiben. Das wäre dann das Pfund, mit dem ich wuchern könnte."
„Tut mir wahnsinnig leid, Reverend! Aber ich verfüge nur noch über einen Mini-Anteil meiner ehemaligen teuflischen Gestaltungsfähigkeit. Ich kann Ihnen wirklich nicht mehr helfen! Aber Sie selbst, Sie als Sonderbeauftragten des Dr. H.J. Zeitgeistes, Sie können ja noch munter in der Welt herumzaubern. Nutzen Sie das schnell noch aus. Sobald Sie sich nämlich für Ihre neuen Ziele eingesetzt haben, bekommen Sie zwar himmlische Bonuspunkt, aber mit Ihren magischen Talenten geht's bergab. Das ist bedauerlich. Ich kann es Ihnen nachfühlen. Hin und wieder wurmt mich das auch ein bisschen. Sei's drum. Ihr Plan gefällt mir. Wie wär's, wenn wir gemeinsam einen Strategie ausarbeiteten? Ich unterstütze zunächst Sie und ihm Gegenzug – ich lasse mir da schon was einfallen!"

$

Freiheit

In der Oper von Manaos am Amazonas, die extra für diesen Zweck von Predigern aus den Staaten angemietet worden war, brach heftiger Beifall los, als Reverend Williams ans Rednerpult trat. Sein Gesicht strahlte hell auf – in 121facher Vergrößerung hinter ihm auf einem Bildschirm von riesigen Ausmaßen.
Im Saal herrschte eine so angespannte Ruhe, dass die Zuhörer hektisch zusammenzuckten, als der Reverend, der seit seinem Wendemanöver an Humor und sogar an einer gewissen Schlitzohrigkeit ganz erheblich gewonnen hat, nur so des Spaßes halber eine Stecknadel auf den Boden donnern lies.
Man hatte lange nicht von ihm gehört, wusste nicht so recht zu sagen, was da gewesen, und erwartete nun etwas besonderes von ihm. Und das kam dann auch.
„Brüder und Schwestern, ihr wisst das der Apostel Paulus nicht von vornerherin ein Prediger im Namen Jesu war. Erst ein Lichtstrahl, dem berühmten Blitz aus heiterem Himmel gleich, hat ihn erleuchtet und hat ihn geformt zu jemandem, der sich dann schließlich mit seiner ganzen Persönlichkeit der Macht von Oben verschrieb.
Auch ich wurde eines – sicherlich bescheideneren, aber immerhin – eine Damaskuserlebnisses gewürdigt. Der göttliche Blitz hat bei mir eingeschlagen und all mein früheres Leben weggebrannt. Sein heller Schein hat mir klar gemacht, dass mein früheres Leben, mein früheres Lehren, ja auch meine früheren Auslegungen der heiligen Schriften ein – so musste ich das bitter erkennen – ein Irrweg war.

Von diesem Tage an sehe ich alles in einem neuen Licht und in diesem neuen Licht erkenne ich das, was wirklich hinter den Dingen steckt – auch den Sinn hinter Jesu Gleichnissen und ganz besonders den Sinn des Gleichnisses vom verlorenen Sohn. Und das, was ich neu erkannt habe – das will ich Euch nunmehr künden:

Wie der Vater, als das Bildnis Gottes, seinen Sohn nicht gezwungen hat bei ihm zu bleiben, sondern ihn in die Welt entlassen hat, so ist es auch unsere heilige Aufgaben den Menschen jede Freiheit zu lassen sich zu entscheiden – ja auch die Freiheit sich falsch zu entscheiden. Wir dürfen niemanden mit Regeln knechten und an Gesetze fesseln. Nur dann, wenn sie frei sind, können die Menschen durch Irrungen und Wirrungen hindurch aus eigener Erkenntnis heraus den rechten Weg finden und ihn aus besserer Einsicht heraus beschreiten. Dies ist dann die echte Erlösung.

Wenn wir das, was wir für den rechten Weg halten, mit Mauern und Stahlgittern säumen, so dass den Menschen gar nichts anderes übrig bleibt, als ihn bedrückt und unterdrückt entlang zu kriechen, dann bleiben sie zwar auf dem rechten Weg – aber dies ist nichts wert, weil es nicht ihrer ureigenen Entscheidung entspricht.

Niemand darf andere bevormunden! Keiner Kirche, keiner Religion ist es erlaubt die Menschen zu knebeln! Wer kann sich schon anmaßen zu wissen, wie der Weg aussehen soll, den ein Mensch zu gehen hat? Und Ihr – werdet mündig! Lasst Euch nicht am Händchen halten – nicht von einem Bischof, nicht von einem Mullah, nicht von einem Papst – und auch nicht von mir! Sucht Euren Weg. Denn wenn ihr ihn suchet, so werdet ihr in finden!"

Ein exstatischer Gesang brandete hoch. Die Menschen in der Oper hatten jedes Wort seiner Rede gut begriffen und sie haben sie angenommen. Selbst im letzten Winkel des Raumes wurde alles, was er sagte, verstanden. Das jedoch war ein echtes Wunder, denn die Evangelisatöre aus dem Norden hatten dem Referenden das Mikrofon abgestellt – schon bei der ersten Erwähnung des Wortes „Freiheit".

$€

Wenn´s Schluss ist, ist´s noch lange nicht Schluss
Lelipi setzt sich als erste ab – wie es scheint irgendwie in Richtung Frankreich. Auch in ihrem Fall finden schließlich Topf und Deckel zueinander. Doch da sie die anderen nicht bedrängt haben und sie selbst von sich nichts hören lässt, bleibt ungewiss, ob sie eher in die Rolle des Topfes oder des Deckels geschlüpft ist. Möglicherweise haben in ihrem Falle auch entweder zwei Töpfe oder zwei Deckel zueinander gefunden. Man hört jedenfalls sie sei da oder dort mit einer ebenfalls außergewöhnlich gut vorzeigbaren Dame gesehen worden. Eve soll die sich nennen. Andere meinten sicher zu wissen, des ehemaligen Teufels ehemalige Großmutter würde im *Le Serpent*, einem mittelmäßig beleumdeten, aber dennoch oder gerade deswegen stark frequentierten Lokal, als Tänzerin auftreten, der eine gewisse Offenherzigkeit nicht abzusprechen sei. Einige behaupten auch steif und fest sie würde sich als Schlangentänzerin mit einer Anakonda dem Rampenlicht aussetzen. Das bejahen mehrere, sagen aber die Tänzerin hieße Eve und Lelipi sei in die Haut der Schlange geschlüpft. Sollten Sie sie näher kennen, dürfte auch Ihnen das nicht völlig aus der Luft gegriffen erscheinen. Doch es könnte auch sein, dass das alles nur üble Gerüchte sind, ausgestreut von einigen Großindustriellen, die ein Interesse daran haben sie zu verteufeln.
Man sagt nämlich auch, dass sie sich mit erheblicher Vehemenz – und das hieße für sie auch mit beachtlichem tänzerischem Elan – nunmehr für die Anhebung des Ölpreises auf 210 Dollar pro Barrel einsetze. Eve – von der man munkelt, dass sie eigentlich Raphaela hieße – habe sie für das Projekt gewonnen, um die Welt zu retten. Bei niedrigem Ölpreis würde die Menschheit auf dem Vulkan, auf dem sie tanze, sich immer schneller drehen, bis die überhitzte Wirtschaft zusammenbreche und Kriege um das letzte Öl den Uneinsichtigen den Rest gäben. Überhöhter Ölpreis, der HERR sei dafür gelobt, bedeutet aber, dass selbst der engstirnigste Wirtschaftsboss sich genötigt sieht, auf umweltfreundliche Energie umzusteigen.

Die Bar der Landeshauptstadt, in die sich Nello sofort nach seiner Ankunft begab, ist bekannt für ihre urige Atmosphäre. Allerdings war sie stark verqualmt und darauf stand er, der sich jetzt Hubertus nannte, seid kurzem nicht mehr so sehr. Dennoch raffte er sich auf und setzte sich an die Theke, denn dies hier war ein Treffpunkt für Journalisten. Unter anderem war es die aufsehenerregende Reportage über den Dr. Zeitgeist in „Das Blatt", das ihn dazu animiert zu versuchen im Journalismus fußzufassen.
Krimhild Wotan rauschte vorbei, würdigte ihn keines Blickes. Seit ihrem Erfolgsinterview betont sie ihre eigene Bedeutung dadurch, dass sie nur noch geschäftig vorbeihuscht und natürlich auch dadurch, dass sie niemand zu Wort kommen lässt.
Eine junge schlaksige Frau mit unübersehbar langen Beinen, die sie kurz sprechen wollte, hat Krimhild Wotan soeben für den Bruchteil einer Millisekunde abschätzend angesehen, innerhalb des gleichen Zeitrahmens konstatiert, dass die Schlaksige für ihr, der Kriemhild Wotan, eigenes weiteres Fortkommen

ohne jeglichen Nutzen wäre, und sie – wenn das überhaupt möglich ist - noch schneller als blitzesschnell abserviert.
Die Langbeinige nahm das gelassen, ließ sich auf dem Hocker neben Hubertus nieder, bemerkte, dass er an einem Campari nuckelte, bestellte sich ebenfalls einen und flüstert ihm zu: „Die Dame Wotan ist schrecklich hochnäsig geworden – wir nennen sie nur noch Tante Wichtig. Aber - ich habe mich ja noch gar nicht vorgestellt. Ich heiße Guste Languste!"
Hubertus Hummer warf leichthin hin: "Oh sehr erfreut Frau Languste. Mein Name ist Hummer. Ich finde der Doppelname Languste-Hummer klingt nicht schlecht. Eigentlich sollten wir heiraten."
Guste Languste: „Ihr Argument überzeugt mich, Herr Hummer. Ich muss jetzt in die Innenstadt fahren. Kann ich Sie mitnehmen. Dann bestellen wir gleich das Aufgebot."
Ihm blieb erst ein wenig die Luft weg: „Oh Sie sind ja eine Frau von schnellen Entschlüssen."
„Gewiss – und wenn Sie ein Mann von schnellen Entschlüssen sind, dann passen wir gut zusammen."
Es sah sie an. Sie gefiel ihm – und ihr leichter Hang zum Resoluten auch. Zum ersten Mal hat nicht er die Entscheidung zu treffen gehabt und zum ersten Mal hat nicht er jemand – wie er es nannte - „angebaggert", sondern hat sich jemand ganz bewusst für ihn entschieden – und dies mit einer solchen Geschwindigkeit, dass sich dem gegenüber das Abblitztempo, das Tante Wichtig eingeschlagen, wie Berner Schneckenjogging ausnahm. Er ist schon etwas bewegt:
„Schön – nur können Sie mich erst am Bahnhof vorbeibringen. Mein Gepäck liegt auf der Aufbewahrung. Ich muss da meinen Ausweis und meine Meldebestätigung herausfischen."
Sie lacht laut auf, weil sie sich beide etwas ungeschickt anstellen, als sie sich beim Verlassen des Lokals bei ihm einhängen will. Es dauerte dann noch ein paar Stunden bis ihnen auch das wechselseitige Du unverstolpert über die Lippen rutscht.
Im übrigen hatte ihre Art sich schnell zu entschließen für ihn auch den Vorteil, dass für den Moment seine Wohnungsprobleme gelöst waren. Was wohl aus seinen Plänen werden wird, die Medien vom Einfluss potenter Konzerne zu befreien? Tja – wir werden sehen!

Nella alias Aphrodíti Astakos hat sich doch nicht nach Kreta begeben. Konstaninos Yunanoglu hatte nämlich inzwischen eine Aufgabe in Zypern übernommen. Gerade das aber gab ihr die Gelegenheit, ihr erstes Auftreten vor ihm geradezu grandios zu inszenieren.
Als er im Abendlicht an der Steilküste von Paphos baden wollte, schaute er sie. Er sah sie nicht, er erblickte sie nicht, sondern er schaute sie als wäre sie eine Erscheinung aus einer ganz anderen Welt: Sie entstieg den strudelnden Wogen des aufbrandeten Meeres. Ihre rötliche vom Wind gezauste Mähne strahlte tiefrot im Gegenlicht der untergehenden Sonne auf und sie war gewandet in den poseidonischen Schaum des Meeres.

Wenn man sich die Szene so richtig plastisch und in voller Farbe vorstellt, dann muss man schon zugeben: Der Mann hatte ihr gegenüber wirklich keine Chance!

Der Abend brach herein und der volle Mond umschmeichelte sie mit seinem milden Schein. Sie hatten es sich gemütlich gemacht in einer *Paraliakí Tavérna*.

Konstantínos erklärte ihr: „Das ist griechisch und bedeutet >Taverne an der Meeresküste< ".

Sie taten sich nicht nur aneinander, sondern auch an Languste und Rotwein gütlich. Zu Meeresfrüchten genießt der Mann von Welt zwar Weißwein mit einer Temperatur von 14,3° C. Sie waren aber beide unabhängige Temperamente, die sich von Rubriken wie „Lebensart" oder „Feine Welt" keineswegs einschüchtern ließen. (Ihr brachtet diese Gesinnung übrigens eine ganze Menge an „Aufstiegspunkten" ein. Sie wissen schon was damit gemeint ist!)

Konstantínos flüsterte ihr ins Ohr: „Wenn der Wein im Glas rot auffunkelt, dann wird mich das von nun an immer und ewig daran erinnern, wie Deine feuerrote Lockenpracht inmitten von gischtenden Schaumkronen von der untergehenden Sonne durchstrahlt wurden." Und darauf haben sie sich zugeprostet: *Jia mas*"

Und da erklärte Aphrodíti dem Konstantínos: „Auch das ist griechisch und bedeutet: >Auf uns<".

Bei der Ankunft hatten sich der *Commissario* und der Inspektor mit gegenseitig respektvollen Wohlwollen begrüßt. Der Abschied artete sogar in ausgesprochene Herzlichkeit aus. Die wurde nicht einmal dadurch getrübt, dass Judith dem *Commissario* abschließend noch einen Kuss aufdrückte, den man ohne zu übertreiben dem engeren Bereich des Sinnlichen zuordnen könnte.

Yasmina dagegen lächelte etwas gequält, als sie Belcanto einen nicht ganz geglückten Kompromiss zwischen urbayerischem Busserl und rheinischem Pützchen auf die Wange hauchte. Sie trällerte mit geringfügig belegter Stimme vor sich hin:

> *„Sag beim Abschied leise Servus,*
> *nicht Lebwohl und nicht Adieu!*
> *Solche Worte tun nur weh.*
> *Doch das kleine Wörtchen Servus*
> *Is a liaber netter Gruß,*
> *wenn ma Abschied nehmen muß......"*

Die weanerische Melancholie mit ihrem Anflug von Wehleidigkeit passt zu ihrer, sicherlich wirklich nur augenblicklichen, Stimmung.

Stunden danach in Judiths Appartement ergab sich zwischen der blonden Schönheit und dem Inspektor noch eine – allerdings eher unbedeutende - Auseinandersetzung. Er äußerte ihr gegenüber etwas auffällig betont, dass

er wegen ihres feurigen Kuss auf des Belcantos Lippen keineswegs eifersüchtig sei. Judith erwiderte, dazu habe er auch keinen Grund. Sie hätte nur ihre Wertschätzung dem *Commissario* gegenüber zum Ausdruck bringen wollen. Schließlich hätte er sie und Yasmina von Anfang an ernst genommen, während er, der Inspektor, zu Zeiten, die sie jetzt der Vergangenheit zurechne, sich niemals auch nur auf eine Diskussion mit ihnen eingelassen hätte.
Der Inspektor versuchte, das erst zu bestreiten, wurde sich aber dann bewusst, das er sich angesichts seiner Eroberung Judiths ein neues Selbstbewusstsein leisten konnte. Und dies ermöglichte ihm nicht nur klein beizugeben, sondern sogar von sich aus zu versprechen seine Haltung in dieser Beziehung in Zukunft ganz entschieden zu ändern.
Sie überlegten, ob sie einfach so, wie heute üblich, zusammenbleiben oder heiraten sollten. Judith war natürlich für eine Verehelichung in Weiß und mit allem Brimborium. Der Inspektor gab ihr aber zu bedenken:
„In diesem Falle wirst Du nicht mehr unter mir in meinem Büro arbeiten könne. Aber um beim Thema von vorhin zu bleiben. Du könntest natürlich eine Fortbildung als Inspektorin machen und dann ein anderes Ressort übernehmen. Du siehst jetzt, wie schnell es Dir gelungen ist mich umzuerziehen: Ich werde einen Antrag stellen und das unterstützen."
So was wie Nachwuchs, wurde von keinem der beiden erwähnt, aber er schwebte – wenn man sich traut das mit einer etwas verunglückten Metapher auszudrücken – sozusagen unbenannt im Raum.
Dem Inspektor kam noch ein anderer Vorteil in den Sinn. Die Ehe mit Judith würde es ihm ermöglichen seinen Name auf ganz diskrete Weise zu verkürzen. Er wollte gerne den ihren annehmen. Sie hieß Judith Rose.

Endlich war der Abend der Premiere gekommen. Yasmina hatte sich die Rolle der Esmeralda mehr und mehr zu eigen gemacht. Sie war von Esmeralda fasziniert, empfand, dass sie selbst ja schon Esmeralda sei und gedachte sich auch wie diese zu verhalten. Die Idee sich in die Esmeralda hineinzustürzen und in ihr innerhalb der Umgrenzungen ihrer Haut aufzugehen, begeisterte sie um so mehr, als sie im Rahmen einer offenen Aussprache mit Jeanette von ihr, die die Camilla spielte, ganz unverhohlen in ihren Eroberungsabsichten bestärkt worden war. In ihrem hübschen Kopf zog seitdem immer nur ein Satz seine Kreise: „Den Herrn General, den ziehe ich mir an Land." Sicher – sie würde das schon glatt über die Bühne bringt. Niemand hatte Grund das zu bezweifeln, am wenigsten sie selber.
Doch wie das Leben so spielt, sind drei Probleme aufgetreten.
Zunächst einmal war der General nicht zu erreichen. Eine Dienstreise hatte ihn in weite Ferne entrückt, und es sah alles danach aus, als sollte schon geraume Zeit vergehen, bis er für Yasmina ergreifbar werden würde.
Zum andern hatte ein Bert Bullrich, ein ziemlich rustikaler Typ, die Rolle des Professors übernommen. Seine Version des gestandenen Akademikers war zwar von einer nicht zu überriechenden Prolo-Duftnote umhaucht, doch fand Yasmina, bodenständig, wie sie nun einmal war, dies ganz trollig. Sie

erwärmte sich für ihn zwar nur in recht maßvollem Rahmen, doch konnte letztlich nicht mit absoluter Sicherheit ausgeschlossen werden, dass bei intensiverer Zusammenarbeit nicht doch noch einige Flammen emporzüngelten oder gar das Ganze in eine vulkanische Eruption einmündete. Bert Bullrich, wäre, was ihn anbelangte, dem jedenfalls nicht so sehr abgeneigt gewesen.

Das dritte Problem sollte sich erst jetzt, 37 Sekunden nachdem sich der Vorhang aufgetan, ergeben, wurde aber erst später bemerkt, erst nachdem er sich unter tosendem Applaus wieder geschlossen hatte: General Schiernagel war zurück, konnte sich für den Abend frei nehmen und beabsichtigte die Theatertruppe durch sein Erscheinen zu überraschen. Zwar kam er, wie alle, die von ihrer Bedeutung durchdrungen sind, etwas zu spät, dies aber angesichts seiner Stellung bewundernswert geringfügig – eben nur 37 Sekunden.

Die Premiere war schließlich sowohl gut gelaufen, als auch wirklich gut bei den Zuschauern angekommen. Das intensive, glaubhaft anrührende Spiel von Camilla und Charles hat die Zuschauer tief bewegt.

Der Esmeralda war an diesem Abend besonders daran gelegen gewesen, das Luder in sich zum Vorschein zu bringen und dem Publikum so prall, wie nur möglich, vorzuführen. Sie hat das auch wirklich überzeugend hingekriegt – und es auch genossen..

Ja und nun stand plötzlich der General vor ihnen, gratulierte offensichtlich stark beeindruckt - und er musste natürlich zur Premierenfeier eingeladen werden.

Yasmina dachte nur bei sich: „Mein Gott, der hat doch alle die biestigen Tricks von Esmeralda beobachtet. Wie soll ich ihn nun im realexistierenden Leben für mich gewinnen. Der wird doch spätestens dann, wenn ich alle Register ziehe um ihn zu umgarnen, mein Spiel durchschauen - wenn er es nicht bereits hat."

Und nun saßen sie also alle zusammen. Der General erhob sich selbst und zugleich sein Glas: „Wie Sie wissen, bin ich nicht ein Mann der großen Worte (das pflegen hochrangige Militärs immer von sich zu sagen!). Daher will ich auch nicht viele machen. (Die Anwesenden atmeten bei diesen seinen Worten hörbar auf.) Ich will lediglich die Gelegenheit nutzen, in drei Toasts ausbrechen:

Zum Einen: Dies Stück hat mir gut gefallen. Sie haben es wirklich ganz hervorragend gespielt. Man fühlte es war, wie im echten Leben, und da – das ist jedenfalls mein Eindruck - gibt es möglicherweise ja auch die eine oder andere Verbindung zum echten Leben."

Jasmina registrierte leicht geschockt, dass er ihr dabei ganz unverholen zublinzelte. Doch er fuhr fort:

„Ich danke Ihnen allen für die Vorführung, gratuliere Ihnen zu dem großen Erfolg und möchte Ihnen mit diesem Schluck alles nur erdenkliche Gute wünschen.

Dann möchte ich Ihnen eine Mitteilung machen:

Ich werde für viele Jahre im außereuropäischen Ausland zu tun haben. Dort muss ich mich um die Machenschaften des umtriebigen Fritz Meyer kümmern. Der schürt Unruhen noch und noch. Den Burschen reitet der Satan. Ich werde also länger abwesend sein und gehe nun davon aus, liebe Jeanette, dass Du mir nicht folgen kannst und – so habe ich das Gefühl - sicherlich auch nicht so sehr gerne folgen willst. Ich darf Dir daher zusammen mit diesem Prost für die freundliche Begleitung auf meinem Weg danken und Dir für die Zukunft alles Gute wünschen.
Und dann noch etwas. Ich bin ein Mann, von dem gesagt wird, er sei recht geradlinig. Wenn ich so gesehen werde, ehrt mich das. Doch mir ist schon bewusst: Das Leben ist nicht allein Geradlinigkeit und Nüchternheit. Da muss noch was dazukommen, etwas Biegsames, Schmiegsames, Anschmiegsames - ja gewiss auch etwas Kompliziertes. Eine gute Portion an Offenheit und Ehrlichkeit bedarf der Ergänzung durch ein gewisses diplomatisches Geschick und durch eine gewisse Raffinesse und natürlich auch durch Phantasie. Und wenn ein Schuss Gerissenheit dabei ist – schaden kann das nicht. Kurzum – ich brauche jemanden, der manchmal durchaus berechnend sein kann, aber nicht berechenbar ist - letzteres gerade auch für mich nicht. Und wenn es jemand ist, der es ohnehin auf mich abgesehen hat, ist das dann umso besser.
Gnädige Frau – wie war doch noch Ihr Name? Yasmina? Also, gnädige Frau Yasmina, ich bitte Sie mit mir mit zu kommen, damit mir jemand nahe ist, wenn ich in der Ferne bin. Dies ist mir durchaus Ernst und, Yasmina, ich gehe davon aus, dass Du mir keinen Korb gibst. Jetzt sollen unsere Gläser klingen auf die Einheit der großen Gegensätze,
   der Nüchternheit und der Phantasie,
   der Offenheit und der Raffinesse,
   der Naivität und der Berechnung.
Auf unser aller Wohl, meine Damen und Herrn, liebe Freundinnen und Freunde, Prost!"
Yasmina dachte zwar verblüfft, dass diese abrupte Lösung dem General nur durch einen *Deus ex Machina* eingeflüstert worden sein konnte.
(Sie ahnte nicht, dass es diesmal die zwingenden Gedankenströme eines Exsatans waren, der die Gelegenheit nutzen wollte, sich noch den einen oder anderen „Aufstiegspunkt" zu verdienen!)
Die üppige Blonde war aber keineswegs willens dem General einen Korb zu geben. In einem intensiven Acht-Augen-Gespräch einigten sich Schiernagel und die, die er heute zwar nicht durch Entschlossenheit – dies waren sie an ihm gewohnt – aber durch Phantasie überrascht hatte, dahingehend, dass sie eine endgültige Klärung ihrer Verhältnisse so oder so gewissermaßen nach einer Probezeit, wenn er wieder zurück wäre, herbeiführen wollten.
Die beiden, die sich gegenseitig als Camilla und Charles titulierten – nun die beschlossen eine achte Szene ganz nach dem Vorbild der heutigen Ereignisse an das Stück anzuflicken und verließen bald die Gesellschaft um sich selbst zu widmen.

Nur der Bert Bullrich war leer ausgegangen. Er schluckte seine Enttäuschung hinunter und spülte kräftig nach – sehr kräftig. Aber er war ein Mann, der einiges vertrug.

Der Exteufel beschloss mit seiner Lilibeth sich in Norditalien niederzulassen. Er kannte sich da recht gut aus, weil er früher dort etwas engere Beziehungen zu einer gewissen Liga unterhalten hatte.
Damals hatte er gerade dort auch wesentliche Einsichten in die Technik der politischen Manipulation gewonnen. Aus der Fülle seiner Erfahrung gedachte er jetzt zu schöpfen, wenn auch die Stoßrichtig eine ganz neue sein würde.
Eine Zweitwohnung mieteten sie in der an der Leine gelegenen Landeshauptstadt, einerseits aus einer gewissen Nostalgie heraus, weil sich dort so Entscheidende abgespielt hat, andererseits, weil er so ein eher unbestimmtes Gefühl hatte, gerade da noch einige höchst interessante Aufgaben vor sich zu haben. Gerade jetzt halten sich die beiden dort auf. Und die wichtige Aufgabe für ihn, die sollte sich schneller als er je gedacht, ergeben.
Satan genannt zu werden – das mag er jetzt nicht mehr so sehr gerne. Er hat sich, erstaunlicherweise angesichts seiner früheren Vorbehaltung gegen den Namen, für Teufel entschieden, allerdings in der russischen Form des Namens, nämlich *Tschort*. Sein Vornamen sollte wegen der beiden Wohnsitze sowohl in Italien wie auch in den deutschsprachigen Ländern üblich sein. Er dachte zunächst an Frederico und Friedrich, fürchtete aber, dass das dann letztlich zu Fritz abgekürzt werden könnte. Schließlich entschied er sich nach einer intensiver Beratung mit Lilibeth zu Giovanni Johannes Tschort. Sie fand den Namen auch recht hübsch und meinte, das sie auch mit der Anrede *Signora* Tschort ganz gut leben könne.
Doch er spottete: „Ach Ihr, Ihr Frauen. Warum drängelt Ihr Euch eigentlich immer so zur Hochzeit? Die Jüngeren von Euch denken, danach begänne für sie die wirklich hohe Zeit und die Älteren, die meinen, es sei höchste Zeit unter die Haube zu schlüpfen. Keine unter Euch verschwendet auch nur einen einzigen Gedanken daran, dass sie möglicherweise hinterher ihre beste Zeit hinter sich hat. Warum sollte ich Dich heiraten, um Dir so was anzutun?"
Lilibeth tief enttäuscht: „Ja willst Du den überhaupt nicht, dass wir jemals heiraten?" Er grinst etwas diabolisch (denn noch hat er das voll drauf) und zieht dabei zwei güldene Ringelein aus der Tasche.
Lilibeth erblüht sichtlich, strahlt ihn an und lispelt: „Du - das war wirklich teuflisch!" Giovanni ganz ernsthaft: „Oh Du - ich muss Dir was gestehen. Ich selbst war früher ein Teufel, und zwar der Oberste von ihnen allen."
„Oh Du – das ist es, was ich so sehr an Dir liebe, diese verteufelt phantastischen Geschichten. Komm her mein Teufelchen." Sie nimmt seinen Kopf in ihre beiden Hände zieht ihn zu sich heran und küsst ihn auf den Mund. „Ich finde Dich einfach göttlich, mein Teufelchen!"

€$

Theaterteufelei

„>Ich find Dich einfach göttlich, mein Teufelchen!<
Liebe Leute - das wäre sicher das richtige Schlusswort gewesen, so nach der Devise: Klappe zu und der Springteufel ist wieder in der Kiste.
Nur - wenn ich's dabei beließe, dann würde ich wieder echt als der Satan handeln. Und ich will doch jetzt der Giovanni sein!
Das war doch eben einer meiner genialsten und effektivsten Tricks in meiner Vergangenheit: Ich habe immer dafür gesorgt, dass sich die Leute gegenseitig so nahmen, wie sie sich wünschten, dass die jeweils anderen seien. Das ist die kreativste Methode eine Hölle zu schaffen.
Jetzt, da ich danach trachte mehr und mehr nach oben zu klettern, bleibt mir gar nichts anderes übrig, als mit aller Kraft dafür einzutreten, dass wir uns gegenseitig so nehmen, wie wir sind. Dadurch können wir ein kleines bisschen Himmel auf die Erde holen.
Ich will es jedenfalls mit Lilibeth so halten. Ich liebe sie. Sie ist so schön, wie nach einer recht verbreiteten Meinung meine Großmutter mit 17 gewesen sein soll. Doch ich will Euch was sagen: Meine Lilibeth ist noch viel, viel schöner. Tja - ich bin schon ein verliebter Teufel!
Und deshalb werde ich, alles was ich Ihnen hier erzählt habe, für meine liebe nougatäugige Lilibeth aufschreiben. Ich werde es ihr zu lesen geben. Was meinen Sie, wird sie mich verstehen? Ihr seid doch Menschen. Ihr habt doch alle eine warme Ecke für den Teufel in Eurem Herzen!
Was sagt Ihr? Sie wird das Buch nicht lesen. Wird sie doch! Wird sie sicher. Schließlich ist Satanisches immer interessant. Ja, wenn wir etwa einen Wälzer verfassen wollten unter dem Titel: >Wenn Gott aus dem Nähkästchen plaudert.....< Wer würde da schon die Nase reinstecken wollen! Hand aufs Herz - Sie etwa!? Na dann sehen Sie! Aber wenn das Thema Satan Sie nicht alle hinter dem Ofen hervorlockte, dann müsste das schon mit dem Teufel zu gehen."

Tatsächlich ist es aber dann keineswegs mit dem Teufel zugegangen: Kaum war das Buch von Giovanni Johannes Tschort erschienen, wurde es den verdutzten Buchhändlern förmlich aus den Händen gerissen.
Und wer hat als allererster danach gegriffen? Sie können es sich denken! Konrad Konrad war's natürlich. Der suchte ohnehin gerade händeringend nach einem fetzigen Stück, denn inzwischen steht ihm ein Staatstheater mit repräsentativem Saal, einschließlich einer Bühne mit Orchestergraben davor, zur Verfügung.
Das Buch kam gerade recht. Konrad Konrade war total begeistert und machte sich ohne auch nur einen Augenblick zu zögern spontan daran, es als Theaterscript umzuschreiben. Allzu schwierig war das für ihn ohnehin nicht, da der schlaue Teufel in Vorahnung weiterer Auswertemöglichkeiten seines Buches beim Schreiben die direkte Rede bevorzugt hat. Außerdem hatte Konrad Konrad, wie wir bereits wissen, schon früher einige Erfahrungen mit dem Gestalten von Scripts für Klamotten sammeln können!

Natürlich hatte er auch, clever wie er war, schon beim Durchblättern des Buches die Zusammenhänge erfasst.

Giovanni seinerseits erfasste auch etwas sofort, nämlich dass er seiner Lilibeth am besten die Zusammenhänge vermitteln und verdeutlichen könnte, wenn sie beide in diesem Theaterstück sich selber spielten. Er hatte auch eine geradezu unbändige Lust die Rolle des Satans zu übernehmen.

Es gibt – müssen Sie wissen - keinen Teufel, und schon gar keinen Exteufel, der nicht so ein kleines bisschen anfällig wäre für so gewisse Stimmungen von satanischer Nostalgie. Dafür haben Sie doch sicher auch Verständnis.

In seiner Vergangenheit als Satan hat er doch auch den eine oder andern saftigen Streich ausgeheckt, an den er sich gerne und mit einem nicht zu übersehendem Schmunzeln in den Mundwinkeln erinnert. Denken Sie doch nur einmal wie er den Pr...- aber das ist eine andere Geschichte! Das würde hier zu weit gehen.

Dies Nostalgieanfälligkeit sollte übrigens hernach dazu führen, das unser Giovanni fortan, wann immer es nur anging, in die Rolle des *Advocatus Diavoli* schlüpfte.

Einen Augenblick lang war er im Zweifel, ob sich jemand kompetentes für die Rolle des Dr. H.J. erwärmen könnte. Nach einigem Nachdenken war er aber sicher, das ihm Reverend Williams schon den Gefallen tun würde – und dies sicherlich auch ganz gerne und vor allem gekonnt.

Und plötzlich kam den Altteufel eine Erleuchtung und er sprach – diesmal wieder einmal zu sich selbst:

„Das ist es. Mit meinem Theaterstück können wir die Menschen aufrütteln, erst sich selbst und dann die Verhältnisse zu ändern. Nur wenn wir uns bemühen hier auf der guten alten, so höllisch misshandelten Erde so ein kleines Stückchen Himmel zu schaffen, haben wir die Chance den Himmel zu erreichen.

Über mein politisches Wirken ist es mir möglich für die Verbreitung des Stückes über Bühne, Funk und Fernsehen zu sorgen. Und da die Vorführung darin ausmündet, dass wieder ein neues Theaterstück entsteht, wird sich das Thema immer und immer wieder wiederholen – vielleicht sogar bis in alle Unendlichkeit."

Doch – und bei diesem Gedanken angelangt, ließ er in einem leichten Anflug von Melancholie die Nase etwas trübselig nach unten durchhängen:

„Ich kann nur eines hoffen: Unsere Aktionen werden auch wirklich etwas bewirken!"

Und so kam es, denn dass Giovanni eines schönen Tages – nein, eines schönen Nachts, denn die Premiere wurde von Konrad-Konrad, der mehr und mehr ein ziemlich sicheres Gespür fürs Publikumswirksame entwickelte und dieses dann auch in sich hätschelte, auf die Mitternacht nach einem Tag angesetzt, an dem unsichtbar der Neumond geschienen - dass er also in dieser Nacht auf der Bühne hinter einem modernen Schreibtisch aus Metall und Kunststoff stand und mit seiner melodisch dunklen Stimme das voller Spannung lauschende Publikum ansprach:

„>Wo viel ist, da scheißt der Teufel einen Haufen d´rauf ´nauf.<
Das ist für mich das absolute Glanzstück in meiner Sammlung. >Wer mit dem Teufel isst, muss einen langen Löffel haben.< gehört dazu, ebenso wie: >Mit 17 war selbst Teufels Großmutter schön<.
Alles das sind Redensarten, die mich interessieren. >Hinter Jemanden her sein, wie der Giovanni hinter Lilibeth – nein nicht, Verzeihung - natürlich wie der Teufel hinter einer armen Seel´.< Auch das gehört dazu, oder >Den Teufel an die Wand malen< oder >In der Not frisst der Teufel Fliegen< – hat ja auch was für sich, denn schließlich ist eine Fliege in der Suppe besser, als gar kein Fleisch. Ich sammle wirklich alles, worin der Teufel steckt.
Ich nenne meine Sprichwörtersammlung die >verteufelte Datei<. Dies aber nur deswegen, weil das Wort Teufel so verbreitet ist. Ich muss nämlich schon zugeben, das mir persönlich das Wort Satan wesentlich lieber ist. Das zieht so richtig fetzig durch, wie ein Peitschenknaller auf den Rücken, auf den nackten natürlich. Spüren Sie´s auch? Ja? Nein? Wirklich nicht? Na –

>den Teufel spürt das Völkchen nie,
und wenn er sie am Kragen hätte!<

Oder spüren Sie etwa die goldglänzenden Vampire – die mit den Kalbsköpfen, die ihnen als winzige vom Zeitgeist entsandte Mini-Teufelchen im Nacken sitzen? Spüren Sie, wie die goldenen Kälblinge die guten Gedanken aus ihrem Hirn – natürlich nur falls Sie Pantoffelkinoheld, Sie Glotzbrocken, wirklich noch eins haben – heraussaugen, und Ihnen dafür diese modische Managerseuche, die nackte Gier nach Geld, hineinpusten?
Nein – natürlich Sie achten auf nichts, was sich da abspielt!
Aber mit diesem Stück, das wir heute spielen, werden wir Sie aufklären, denn dafür Sie aufzuklären, dafür bin ich von nun an da!
Das Schicksal aller Menschen, ja auch von Ihnen und von Dir, wird bestimmt durch ein Wort – das Wort
ZUSAMMEN.
Entweder Ihr haltet alle ZUSAMMEN und lasst einem jedem zukommen, was er braucht! Oder ihr macht auf Faschismus und bekämpft alle anderen um alleine Euere eigene Haut zu retten – nun ja, dann geht Ihr auch alle ZUSAMMNEN zum Teufel. Ihr habt die Wahl zwischen Entweder und Oder !
Wissen Sie was? Ein klein bisschen Teufel braucht der Mensch – auch in sich selbst. Der Teufel hat Energie! Der Teufel ist intelligent. Ich werde allen denen, die das Gute wollen, ihre Blödheit austreiben und ihre Unentschlossenheit und vor allem ihre Lustlosigkeit! Allein mit den abgedroschenen Engelsgesängen die Menschheit zu retten – das kann doch nichts werden!. Aber ich mit meinen Erfahrungen! Was bin ich froh, dass ich immer noch so ´nen Rest an teuflischen Mumm in den Knochen habe!
Wie mir zugeflüstert wurde, sieht das übrigens der ALTE auch so! Und ab und zu dürfen wir – ich und die Meinen – daher auch immer noch Mini-Teufelchen spielen. Schaut Euch mal um in Eurem Wohnzimmer. Wenn Ihr

was winziges Rotes in der Keksschale auf Eurem Sideboard sitzen seht – das sind dann wir!
Und lausch´ mal hinein in Dein Herz! Wenn Du dann so was Fipsiges, wie einen Grille vor sich hinzirpen hörst - das bin dann ich!
Hört auf Euer Inneres! Hört auf das, was ich Euch zuzirpe: Zerhackt das goldene Kalb! Bereitet es lecker zu – aber bitte mit Sahne: Züricher Geschnetzeltes – das wäre mein Vorschlag für die feine Küche! Das passt schon: Es schmeckt vorzüglich und ihr könnt es verschlingen und so verdauen, dass dieses Mal nichts davon übrig bleibt, gar nichts – auch nicht das geringste Fitzelchen!
Ich bin dazu da Euch zu ermuntern! Was heißt da ermuntern? Ich bin dazu da Euch aufzurütteln, damit Ihr richtig Lust bekommt Euch völlig neue Gedanken in den Kopf zu setzen! Neu denken müsst Ihr – neu denken –von Grund auf ganz neu denken!"

Und da genau setzt der Tusch aus dem Orchestergraben ein:

Die Besetzung:

Trompete:	Elefant
Geigen:	Grillen
Bratsche:	Bär
Saxophon:	Esel, Tokai (Riesengecko)
Fagott	Seelöwe
Kastagnetten:	Klapperschlange, Klapperstorch
Schlagzeug:	Gorilla, Orang Utan, Schimpanse
Summtöne:	Bienen, Hummeln, Wespen
Pausen:	Fische
Die drei Tenöre:	Beo, Rabe, Papagei.
Dirigent:	Kater Salambo (wen wundert´s schon!)

Nach einem kraftvollen Vorspiel schmetterten die drei Tenöre los:

Auch wenn die Welt voll Menschen ist,
die alles woll'n verschlingen,
wir fürchten weder Trug noch List,
Es soll uns doch gelingen.
Der Zeitgeist der Welt,
wird jetzt kalt gestellt.
Schaden kann er nicht.
Wir klettern hoch zum Licht,
Wir halten fest zusammen.

Wenn wir nach oben steigen hoch,
wir lassen kein'n zurück
wir schaffens's bis nach oben doch,
s'geht aufwärts Stück für Stück.
Geist und Mensch und Tier
zusamm'n stehen wir.,
Rühren nicht im alt'n Brei
wir denken völlig neu,
woll'n die Erde neu gestalten!

Die Liebe ist das Himmelslicht
zu dem wir alle streben.
Wir fürchten Nacht und Dunkel nicht
wir werden's überleben.
Global zählt nur das Geld!
Wir woll`n 'ne and're Welt
voll Fried' und Vertraun
Mit Lust und Liebe bau'n
Wir greifen nach den Sternen

Um's Öl, das aus der Tiefen dringt,
die Völker sich bekriegen.
Der Ölbaum Heil und Frieden bringt!
Er wird nun doch obsiegen.
Brot und roter Wein
Wird aller Nahrung sein.
Bunte Blumen blühn
Am Himmel Vögel ziehn
Wir tanzen mit den Sternen

Jeder Anfang ist der Anfang vom Ende und jedes Ende ist ein Anfang.

Vorläufiges €ND€

Das Personal des Romans

Der Satan
Lelipi, Partnerin des Satans (alias des Teufels Großmutter)
Satanella, ihre Tochter
Satanello, ihr Sohn
Diavoletto, Büroteufel

Commissario Belcanto, Kriminalbeamter aus Rom
Lucretia, Frau des *Commissario*
Inspektor Gürtelneurose, Kriminalbeamter aus Hannover
Judith Rose, Bürokraft im Präsidium
Yasmina Päonia, Bürokraft im Präsidium, spielt die Esmeralda
Ein Veterinär

Der IM, Innenminister Hans Jürge Pesel
Der VM, Verteidigungsminister
Der BK, Bundeskanzler
Dr. Hans-Jürgen Lupitz, Staatsanwalt
Felizitas, seine Maitresse
Konrad Konrad, Angestellter der AVA, alias Charles, spielt den Antonio
Fritz Meyer, Leiter der AVA
Edelbert, Leiter des Futtermittelvertriebes Health Food Europe
Peter Petersilie, Freund von Konrad Konrad
Joseph Schiernagel, Hauptmann der Bundeswehr
Dr. Heinrich Sieghelm, Arzt im Großfürstin-Emilia-Stift
Dr. Renhasba, Facharzt für Orthopädie
Bert Bullrich, auch B.B., Direktor eines Tiefbauunternehmens, spielt den
    Professor Dr. Palmer
Bruno Kreuzer, Krematoriumsdirektor,
Jonny Bear, Chef eines Autokonzerns, später Entwicklunsgspezialist

Marietta Taguon (auch Lilibeth genannt)
Jeanette, alias Camilla, spielt die Arabella
Guste Languste, Sekretärin bei der AVA
Klemens, angestellt im Archiv der APL, Ex von Judith
Götz, einer der immer rot wird

Reverend Williams
Reverend John Brownheart, genannt Halleluja Jonny

Konsul Weiher, Fisch in einem Aquarium
Kater Salambo, Sohn der geheimnisvollen Perserkatze Sheherazade
Lucella, ein kohlrabenschwarze, rötlich braun geflammte Katze

Alle Ähnlichkeiten mit lebenden oder verstorbenen Personen ergeben sich mit Ausnahme einer kurzen Szene rein zufällig und sind keineswegs beabsichtigt.

Die historischen Darlegungen beruhen auf Quellenhinweisen – auch das, was über die Verwertung der Gefallenen und ihre Pferde von Austerlitz, Leipzig, Jena, Eylau und Waterloo gesagt wurde.
Das Zitat aus der Vita Adam et Evae ist etwas modifiziert entnommen:
E. Kautzsch: Apokryphen und Pseudepigraphen des Alten Testaments, Band 2, Darmstadt 1975. „Das Leben Adams und Evas" ist vermutlich um die Zeitenwende entstanden.
Die Zitate aus Bibel und Koran sind authentisch, ebenso der Ausschnitt einer Meditation von Symeon, dem Neuen Theologen.

Danksagung: Der Autor möchte an dieser Stelle Palomo Paloma ganz herzlich für das Entgegenkommen danken, Charaktere aus seinem Roman „Der Engel mit den Pfauenflügeln", erschienen bei **asu poleng**, zu übernehmen und weiterentwickeln zu dürfen: Es handelt sich um:
Marietta und
Lucretia,
vor allem aber um die interessanteste Gestalt, den
***Commissario* Belcanto**.

Für sachkundige und einfühlsame Begleitung verschiedener Phasen der Textgestaltung habe ich meinem Freund Prof. Dr. Peter Pink ganz herzlich zu danken.

Weitere Infos: Die Vorschläge des Exsatans zur Verbesserung der Gesellschaft finden Sie unter: www.asupoleng.de.
Sie können sie auch anfordern bei
Verlag asu poleng Stadtbahnstr. 86 D-22393 Hamburg.
(In diesem Falle bitte einen mit Adresse versehenen und als Kompaktbrief frankierten Freiumschlag beifügen.)

Über den Autor:
Günter Spitzing
Geboren am 19. Mai 1931 in Bamberg, 1951 Abitur am humanistischen Gymnasium, wohnt Günter Spitzing seit 1955 in Hamburg. Seit 1956 verheiratet, zwei Kinder. (Die Tochter Tamara ist Filmemacherin beim SWF Freiburg, Sohn Alexander lebt als Musiker in Athen.) Nach ausgiebiger nebenberuflicher fotojournalistischer Arbeit macht sich Günter Spitzing 1965 als Schriftsteller selbständig. Er hat an die 70 Bücher verfasst, zunächst 35 über alle Fragen der Fotopraxis. Sein 1985 bei Beltz, Weinheim erschienenes Buch "Fotopsychologie" gilt inzwischen allgemein als das Grundlagenwerk für das Studium psychologischer Fragen der Fotografie. Seine weiteren Bücher befassen sich mit griechischer, indonesischer und indischer Kultur. 1988 schließt er ein Studium der Indonesistik, Religionswissenschaft und Ethnologie mit einer Magisterarbeit über die Ikonografie des Schattenspiels auf Lombok, Indonesien ab. Von seinen 7 Büchern über Indonesien ist besonders der Kunstreiseführer Bali bekannt geworden. 1992 gründet er die Nicht-Regierungs-Organisation (NRO) DEWI SARASWATI, Patenschaftskreis für die Ausbildung chancenarmer Kinder, Hamburg e.V. Der mit dem DZI Spendensiegel ausgezeichnete Verein ist über Dia- und Videovorträge und Fotoausstellungen bekannt geworden und konnte inzwischen ein Kinderdorf für 185 Kinder einschließlich einer Vor- und Grundschule und einer Mittelschule für 350 weitere Kinder in Kilavedu bei Chingelput, Tamil Nadu, Südindien errichten. Die Einrichtung wird von DEWI SARASWATI India betrieben. In besonderer Weise kümmert sich Günter Spitzing um leidende Ureinwohner (Adivasi) aus der unbekannten Ethnie der Irular. Es ist gelungen Kindern aus drei Ureinwohner-Ansiedlungen eine gute Ausbildung zu sichern. (Nähere Infos über die Organisation: www.dewi-saraswati.org)
Günter Spitzing ist Mitbegründer des Vereins deutsch-griechischer Tanzkreis Syrtos, gehört dem Vorstand der Deutsch-Indonesischen Gesellschaft Hamburg an. Zusammen mit Professor Dr. Tatiana Oranskaia, Indologin, rief er 2007 die AG „Ethno-Kultur für Entwicklung" ins Leben:
(http://humaneentwicklungskultur.googlepages.com)

edizione ondina

In der literarische Reihe des Verlages asu poleng sind folgende Erzählungen im Stile des phantastischen Realismus erschienen:

Palomo Paloma: **Die Hexe in der Papierwelt**

Eine Hexe kurvt zwischen den Buchstaben dieses Buches herum. Es ist eine heitere Hexe, was nicht bedeutet das alles, was mit ihr heiter anfängt, auch heiter ausgeht. Es ist eine Hexe, die bezaubern kann, und die bezaubernd ist. Dies Buch ist witzig und traurig zugleich. Es wirkt unbeschwert und erscheint zugleich tief belastend. Es ist frech und mutig und dennoch voller Angst. Es ist wahr, wie wenig andere Bücher und verlogen, wie kein anderes. Und es ist darum so geworden, weil es die Begegnung schildert eines Menschen mit einer Hexe. 120 Seiten. **ISBN 3-935553-06-4**

Palomo Paloma: **Die Nymphe im Schatten des Regenbogens**

Er hielt die Liebe für eine Illusion, typisch für die Perioden jugendlicher Brunft. Doch dann hat Sie Ihn durch den Vorhang einer von wirren Dornenranken umstrickten Hecke beäugt. Sie ist emporgetaucht, hat Ihn genommen und überwältigt. Er gerät mehr und mehr in ihren Bann. Doch wie gewonnen, so zerronnen. Entschieden und immer entschiedener fordert sie ihrer beider Leben zusammenzufügen. Doch darauf kann Er sich nicht einlassen. Was wird sie tun – und wie wird er sich entscheiden? Was wird in der Nacht geschehen, was am folgenden Tag und was in der darauf folgenden Nacht? 104 Seiten. **ISBN 3-935553-08-0**

Palomo Paloma: **Der Schatz-Engel mit den Pfauenflügeln**

Er sitzt im Rollstuhl, unfähig verständlich zu sprechen. Dafür hat er andere menschliche und künstlerische Fähigkeiten. Doch sein Herz ist voller Sehnsucht. Stöhnend schreit er seine Begierde in die Welt hinaus. Doch kann ihn jemand verstehen, kann ihn jemand erhören? Da taucht ein Engel auf mit rotblonden Haaren. Doch was dann? Wie verändert sich sein Leben und wie verändert er sich selbst? Eine wilde, manchmal vertrackte Geschichte um Bantulan und seinen ungewöhnlichen Engel. Aber es ist auch ein wundervolle Geschichte. Und dass sie voller Wunder ist – dafür sorgt schon Sheherazade, die zauberische flauschige Perserkatze. 200 Seiten. **ISBN 3-935553-07-2**

asu poleng

asu poleng (www.asupoleng.de)

Der Verlag bringt vorzugsweise Bücher über die Kulturen Indiens, Indonesiens und Griechenlands, Entwicklungszusammenarbeit, Psychologie und interreligiöse Fragen heraus. Folgende Titel von Günter Spitzing sind bereits erschienen:

Frauenpower – Adivasiaufbruch - Tsunamihilfe
Das **DEWI SARASWATI** Projekt in Südindien
Ein Beispiel erfolgreicher Entwicklungszusammenarbeit eines indischen und eines europäischen Vereins. 120 Seiten. Dezember 2006 **ISBN 3-935553-15-3**
Der Erlös des Buches geht an DEWI SARASWATI
www.dewi-saraswati.org   dewisarasw@aol.com

Die Irular – unbekannte Ureinwohner Südindiens
Unter heiteren und liebenswerten Menschen.
buch.ch.AG Rezension: Das erste und bisher einzige Buch, das das kaum bekannte südindische Volk der Irular vorstellt. Der Autor ist mit Irulargemeinden gut bekannt und ermöglicht mit Hilfe der Organisation DEWI SARASWATI HH e.V. und DEWI SARASWATI India jungen Irular eine gute Ausbildung. Die Lebensverhältnisse der notleidenden Gruppe müssen verbessert werden, doch gleichzeitig soll ihre Kultur erhalten werden. Geschildert wird das tägliche Leben, die Religion und Kultur der Irular. Ein Höhepunkt bildet der Bild- und Textbericht über die große Jahresfeier des naturnah lebenden Volkes. Der Autor setzt sich darüber hinaus in seinem engagierten Buch mit der Situation der Adivasi in Indien allgemein auseinander. Im Anhang 12 Lieder der Irular in deutscher Übersetzung wiedergegeben. Faszinierendes Bildmaterial. **ISBN 3-935553-12-8**

Das interreligiöse Gebetbuch – The Interreligious Prayerbook
buch.ch.Ag Rezension: Wichtiger Beitrag zum interreligiösen Gespräch. 48 Gebete für Angehörigen aller Religionen. Der Vielzahl von Religionen verdanken wir geistigen Reichtum. Doch haben sich zwischen unterschiedlichen Religionen auch Abgrenzungen und Feindschaften entwickelt. Gemeinsame Gebete sind ein einigendes Band, das Religionen und Völker zu umschließen vermag. Günter Spitzing schlägt 48 Gebete - teils aus verschiedenen Religionen, teils neu konzipiert vor, die harmonische Gemeinsamkeit fördern. Den Anstoß zum Buch gab die Situation im DEWI SARASWATI Kinderheim in Tamil Nadu. Dort leben Kinder mit hinduistischem, islamischem, christlichem und stammes-religiösem Hintergrund friedlich zusammen. Sie sollen ihre unterschiedlichen Religionen gemeinsam ausüben können. Inhalt: Vorwort: Betonen, was verbindet - meiden, was trennt Teil I: Gebete der Religionen mit interreligiösem Charakter Teil II: Gebete der Liebe Teil III: Interreligiöse Gebete unserer Zeit. *The Interreligious Prayerbook. 48 interreligious prayers in English and German (some also in additional Languages). English abstracts of the explanations.* **ISBN 3-935553-13-7**

Die Schattenwelt Indonesiens
- wayang als Weg zum Verständnis der Menschen auf Bali, Java und Lombok
Rezension aus Der Überblick, HH: Die 191 Bilder von Figuren und Aufführungen, die das leicht zu lesende Buch auflockern, sind aufgrund der detaillierten Erklärungen mehr als schmückendes Beiwerk, sie machen es quasi zu einem Bildband nebenher. Der Autor verspricht mit seinem "Weg zum Verständnis der Menschen" nicht zu viel. Indonesien-Touristen kann das Buch nützlichen Hintergrund zu den Kulturen der dortigen Völker liefern. Und wer bislang kaum etwas von Indonesien weiß, kann das Buch als Seiteneinstieg in eine noch unbekannte Welt benutzen.
ISBN 3-935553-01-3